KAMPVUUR

Julia Franck (Oost-Berlijn, 1970) bracht de eerste jaren van haar leven door in haar geboortestad en verhuisde in 1978 met haar moeder naar West-Duitsland. Zij studeerde Amerikaanse en Duitse literatuur en werkte onder meer als freelance journaliste. Zij woont en werkt momenteel in Berlijn. In 1997 debuteerde zij met de roman *Der neue Koch*. In 1999 verscheen de roman *Liebediener*, die in 2001 in Nederlandse vertaling verscheen onder de titel *De gigolo*. In 2000 verscheen *Bauchlandung*, in 2002 in Nederlandse vertaling als *Buiklanding*. Voor deze verhalenbundel werd zij genomineerd voor de Ingeborg-Bachmannprijs.

Julia Franck

Kampvuur

WERELDBIBLIOTHEEK · AMSTERDAM

Deze uitgave kwam tot stand met financiële ondersteuning
van het Goethe-Institut.

Uit het Duits vertaald door Hilde Keteleer
De vertaalster ontving voor deze vertaling een werkbeurs
van het Vlaams Fonds voor de Letteren

Omslagontwerp Nico Richter
Oorspronkelijke titel *Lagerfeuer*

Spuistraat 283 · 1012 VR Amsterdam

ISBN 90 284 2039 8

Voor Oscar, Emilie en Uli

Nelly Senff rijdt over een brug

Vermoeid lieten de kinderen hun armen zakken, ze hadden de hele tijd gezwaaid, eerst vol enthousiasme en ondanks het uitblijven van reacties, daarna uit gewoonte en kinderlijke eerzucht, wel een uur lang hadden ze gezwaaid, met hun mond tegen het raampje, waar ze vochtige zoenranden achterlieten op de beslagen ruiten, met hun neus tegen de ruiten hadden ze gezwaaid, tot Katja tegen haar broer zei: 'Ik kan niet meer, kom, we houden ermee op,' en Aleksej knikte alsof het goed was om het eindelijk op te geven, alsof het goed was om een eind te maken aan het afscheid. De auto schoof weer een stukje op, de remlichten van de kleine bestelauto voor ons gingen uit. In het halfdonker onder het platte uitbouwsel stond een man in uniform die een teken gaf dat we dichterbij moesten komen en die meteen daarop zijn beide armen in de lucht stak. Met een schok hielden we halt, de motor sputterde en verzoop. Al vier uur ging het zo, we hadden misschien drie meter afgelegd in die vier uur, misschien tien. Een paar meter voor ons moest de Bornholmer Brücke liggen, dat wist ik, maar we konden hem niet zien, een breed eenvoudig gebouw waar de smalle rijbaan doorheen liep, onttrok al wat komen ging aan het zicht. De kleine bestelauto werd naar de kant gewenkt en naar een naburige rijbaan geloodst. De straatlantaarns flakkerden en gingen een voor een aan. In de rechterrij bleef er een donker. Ik vroeg me af wanneer ze hier tijd voor reparaties hadden. Misschien 's nachts tussen twaalf en twee. Je kon de schaduw voor ons dichterbij zien komen, tot hij onder de motorkap verdween, meteen daarna op de motorkap klom, over de voorruit kroop, over onze gezichten, en ten slotte de auto opslokte, meedogenloos, zoals hij alles opslokte wat voor hem lag, de schaduw van dat brede dak, van het gebouw dat de rijbaan overbrugde en ons het zicht belemmerde. Een gebouw helemaal van karton en golfplaat. Tot de zon voor ons tussen de huizen wegzonk en nog één keer in het raam van de wachttoren hoog boven ons oplichtte, alsof ze ons wilde lokken en beloven dat we haar morgen al terug zouden zien, in het Westen, als we haar maar volgden, en weg was ze, ons hier in de schemer met een paar vuurstrepen aan de hemel achterlatend, en de schaduw slokte niet alleen ons op maar de hele stad achter ons toen Gerd zijn sigaret uitdrukte, diep inademde, zijn adem inhield en tegen me zei dat hij zich al tien jaar geleden had afgevraagd wanneer ik eindelijk zou komen, gemaakt nonchalant floot hij tussen zijn tanden, maar toen had ik net die man ontmoet en nu pas kon hij me zeggen, nu ik in zijn auto zat en mijn weg nog maar één kant opging en ik ook niet meer kon uitstappen, waarbij hij lachte, dat hij zich altijd al had voorgesteld hoe hij me naakt in zijn armen zou houden.

Gerd stak een nieuwe sigaret op, met zijn tong raakte hij de onderkant van de filter aan, hij startte de motor, zette hem af, startte hem weer, de asbak puilde uit, ik haalde de peuken er met mijn blote hand uit en stopte ze in een plastic zakje dat ik uit voorzorg had meegenomen voor het geval de kinderen misselijk zouden worden. Ik was nu degene die misselijk werd. Ik wilde niet naakt zijn in de armen van Gerd. Tegen dat idee had ik me met succes verzet, tot het moment waarop hij mijn pogingen met dat fluiten tussen zijn tanden en een paar onschuldige woorden belachelijk maakte. Zelfs het feit dat ik me in zijn auto bevond, mijn kinderen op zijn achterbank zaten en de ruiten zoenden en wij op het punt stonden die brug over te rijden, maakte het idee niet opwindend.

Katja kneep haar neus dicht en vroeg of het raampje open mocht. Ik knikte en deed alsof ik het gezucht van Gerd niet hoorde. Ik had lang gedacht dat Gerd me het aanhoren van zijn wensen bespaarde omdat hij wist dat ik door hem niet aangeraakt wilde worden en omdat hij daar respect voor had. Dan weer hoopte ik dat hij mijn lichaam vergeten was, voor zover het ging. Misschien moeilijk dus, maar het was in ieder geval toch een poging. Een poging waarvoor ik hem gewaardeerd had, een poging die hij nu echter helemaal niet deed, of die op dit moment mislukte. Die man, wiens naam hij beslist niet vergeten was maar die hij niet in de mond wilde nemen, was de vader van mijn kinderen geworden. Maar dat was niet de reden waarom ik opeens walgde van Gerd. Het vervulde me met weerzin dat hij niet wilde zien waarom we in zijn auto zaten. Alleen maar om over die brug te komen zaten we in zijn auto, misschien was er nog wel een andere reden, maar in elk geval niet om een keer ongestoord in een heel kleine ruimte bij elkaar te zitten. Er kwam koele lucht binnen die naar benzine rook en een beetje naar de zomer, maar nog meer al naar de nacht en naar de op til zijnde kou. Schemer. Een man in een politie-uniform liep naar onze auto, hij boog zich voorover aan de kant van Gerd om beter in de auto te kunnen kijken. Zijn zaklamp strooide wat licht over onze gezichten, ze brandde zwak en flakkerde alsof ze ieder ogenblik kon uitgaan. Hij controleerde een voor een onze namen en gezichten. Ik keek in een vaal gezicht met een laag, breed voorhoofd, zijn ogen lagen diep en werden door zijn jukbeenderen helemaal in hun holten gedrukt, een Pommers gezicht dat er niet meer jong uitzag hoewel het dat nog was. Met zijn zaklamp klopte hij op het achterportier en zei dat we de raampjes hier niet open mochten laten. Ze moesten om veiligheidsredenen dicht blijven. Nadat hij ook de documenten van Katja en Aleksej gecontroleerd had, zei hij: 'Uitstappen.' Mijn portier klemde, ik rukte eraan tot het opensprong en stapte uit.

'Nee,' riep de man in politie-uniform boven het dak uit, 'u niet, alleen de kinderen.'

Ik ging weer in de auto zitten en keerde me om: 'Jullie moeten uitstappen,' herhaalde ik en pakte tegelijk de hand van Aleksej, hield hem vast. Hij maakte zich los. Mijn hand gleed in het niets. Pas nu merkte ik hoe ik beefde. De portieren sloegen dicht. De man zei iets tegen mijn kinderen dat ik niet verstond, hij wees naar onze auto, schudde zijn hoofd en klopte Aleksej op zijn smalle schouders, vervolgens zag ik hoe ze hem volgden en in het lage gebouw verdwenen. Boven het donkere raam brandde een neonlamp. Ik wachtte tot er een licht zou aangaan, maar het raam bleef zwart. Misschien was er binnen een rolgordijn. Of er was een speciale laag op aangebracht waardoor je niet naar binnen kon kijken. Je kon alleen van binnen naar buiten kijken – zoals door de koperen ramen in het Palast der Republik. De koning keek naar buiten en kon zijn volk observeren, terwijl de mensen buiten naar blinde ramen keken en verblind door de glans er niet doorheen konden kijken. Als ze op gelijke hoogte met de koning en zijn ramen waren geweest, op de hoogte van de spiegeling ervan, dan hadden ze tenminste zichzelf kunnen zien, hun eigen onverholen nieuwsgierige blik kunnen tegenkomen. Nu stonden ze beneden, de kleine mensen, op het plein. En boven in de ramen weerspiegelde zich alleen de hemel. Er kwam geen antwoord op hun blik. Maar de ruiten van dit raam hier waren heel erg zwart, diepzwart, koolzwart, ravenzwart, hoe langer ik ernaar keek hoe onnatuurlijker het me leek. Geen glans, geen oranje. Alle licht allang opgezogen. Geen raven, geen kolen, geen diepte. Alleen nog maar zwart. Het raam was nep. Gerd drukte de sigaret uit en stak een nieuwe op.

'Mooi, die stilte.' Hij genoot van de minuten met mij alleen. Ze zullen aan Katja en Aleksej vragen waarom we de grens over willen, ze zullen hen afzonderlijk meenemen naar een kamer zonder ramen, het kind op een stoel zetten en vragen: wij willen iets weten en je moet ons de waarheid zeggen, hoor je? En Katja zal knikken, en Aleksej zal naar zijn schoenen staren. Kijk me aan, zal de man in staatsdienst zeggen. Hij zal hem op zijn rug kloppen, als bij een kameraad, een collega, een kennis. En niet weten dat Aleksej hem, ook als hij zijn hoofd optilt, alleen maar vaag kan zien omdat zijn bril niet meer sterk genoeg is. Hij kijkt graag naar zijn schoenen, ze zijn dat wat zich het verst van zijn hoofd bevindt en toch nog bij hem hoort, van zijn schoenen weet hij precies hoe ze eruitzien. Misschien zal de ambtenaar hem dreigen, of hem aan zijn arm trekken, zodat Aleksej goed weet hoeveel sterker hij is. Misschien staan ze met z'n drieën voor Aleksej, of met z'n vijven, de hele kamer zou vol staatsdienaren in uniform kunnen zijn, politieagenten, staatsveiligheidsmensen, grenssoldaten, officieren, leerlingen, helpers – maar dan zou die ene wel aan autoriteit inboeten. Wat wil jullie moeder in het Westen? Kent ze die man al lang? Houdt ze van die man? Hebben jullie gezien of hij haar zoent? En zij hem? Hoe zoenen ze elkaar? Willen jullie zo'n vader uit het Westen? Heeft hij cadeautjes voor jullie meegebracht? Welke? Dus is hij een kapitalist. Nietwaar? Zwijgen. Wat kan Aleksej daarop antwoorden? Hij geeft alleen maar verkeerde antwoorden. Er kriebelde iets aan het uiteinde van mijn ruggengraat, ik zou het angst kunnen noemen, maar het was alleen maar gekriebel. Verkeerde antwoorden. Zelfs dat zal Aleksej niet weten, misschien zal hij het vermoeden. Zullen ze ons vasthouden? Wat was dat papier waard, die vergunning, als ze me gewoon lieten verdwijnen en de kinderen in een tehuis stopten? Verplichte adoptie. Er deden daarover geruchten de ronde. Het waren vooral de vijanden van het land, maar ook de vijanden van de socialistische democratie en heel in het bijzonder degenen die ervandoor gingen, die vluchtten, wier kinderen onder bescherming van de staat gesteld werden. Onherroepelijk en onvindbaar. Later konden ze altijd zeggen dat ik aan een longembolie gestorven was. Ze kunnen dat van iedereen zeggen. De verhalen verschilden nauwelijks – alleen de helden hadden andere namen. Voor wie zouden ze ook moeite moeten doen om iets fantasievols te bedenken? Niemand zou hen later voor de voeten kunnen werpen, omdat waarheden ook maar verzinsels zijn waar iedereen het over eens is, dat ik niet tekeer was gegaan en niet ziek was – alleen Gerd zou dat kunnen. Voor zover hij niet bij hen hoorde, was het goed dat hij hier ook in de auto zat, dat het zijn auto was. Het flikkeren van het vlammetje onder controle houden dus, niet laten opflakkeren. Hij kon niet zonder meer verdwijnen, dan zou de koning moeilijkheden krijgen, grote moeilijkheden, zo belangrijk waren wij niet voor hen, ook Aleksej niet, ook Katja niet. Kleine visjes. Piepkleine visjes. Ze waren weliswaar een beetje weggezwommen van de school, ze zwommen niet meer recht in de stroom, maar ze waren zo nietig dat je ze over het hoofd kon zien. Wat denken jullie dat jullie onder het kapitalisme te wachten staat? Dat had de juf van Katja een paar weken geleden al gevraagd, toen ze haar voor een gesprek onder vier ogen na schooltijd in de klas bij zich hield. Geloven jullie dan niet in vrede? Katja, je herinnert je het toch nog wel? Wilde jij niet ook de arme kinderen in Vietnam helpen? Heb je geen rijst meegebracht en materiaal ingezameld? Wie is er schuldig aan de ellende in Vietnam? Nou, wie? Wie laat de kinderen op aarde van honger omkomen? Heb je op school dan niets geleerd? Op de kleuterschool? Op de crèche? Weten jullie niet dat de kapitalist jullie vijand is? Katja was met behuilde ogen thuisgekomen. Ze wilde niet dat andere kinderen honger leden door onze schuld, ze wilde niet meegaan naar de mensen die andere kinderen honger lieten lijden. De halve nacht had ze gehuild. En nu zou ze beslist ook op die manier ondervraagd worden. Jullie toekomstige vader, wat deed die nou ook weer? Neenee, schrijnwerker, dat is niet helemaal juist. Hij is een kapitalist. Ja, een vijand. En hoe zat dat met jullie echte vader? Wat is er met hem gebeurd?

Ik klopte tegen de ruit.

'Waarom klop je tegen de ruit? Hou daarmee op.' Gerd leunde achterover en vermeed mijn blik, zo bang was hij waarschijnlijk dat hij zijn zenuwen niet meer de baas zou blijven.

Ik klopte tegen de ruit.

'Hou op.'

Ik klopte twee keer, bootste zijn bevel na.

Hij kreunde, en ik wreef met mijn vlakke hand over de ruit.

'Hoe lang zijn ze daar al binnen?' vroeg ik en staarde naar het zwarte raam van de barak.

'Ik weet het niet, ik heb niet gekeken hoe laat het was, twintig minuten misschien.'

'Langer.'

Gerd antwoordde niet, hij rookte. Sinds de man in het politie-uniform met mijn kinderen verdwenen was, was de deur nog niet één keer opengegaan. Er was niemand naar binnen gegaan, niemand naar buiten gekomen. De deur bleef zo dicht dat ik begon te twijfelen of ik me niet vergist had en mijn kinderen niet in een heel andere barak verdwenen waren, een barak waarvan ik de deur de hele tijd niet had opgemerkt. Of misschien waren ze wel in die ene barak naar binnen gegaan maar allang onopgemerkt op een andere plaats naar buiten gekomen. Door een achterdeur. Misschien leidde er een onderaardse gang naar een verafgelegen politiekamp, rechtstreeks naar het centraal comité, naar de donkere blauwgroene gewelven van de staatsveiligheidsdienst. Van daaruit liep er nog maar één weg – naar de kerkers van het koperen paleis. Misschien bevond zich onder de Schlossplatz een wijdvertakt labyrint met speciale kerkers waarin de kinderen van vluchtelingen en voortvluchtigen werden opgesloten en heropgevoed. Tot ze klaar waren om door trouwe burgers in socialistische gezinnen te worden opgenomen. Misschien zelfs wel in gezinnen die helemaal niet konden bestaan. En ik zat hier vergeefs op mijn kinderen te wachten.

'Heb jij ze ook naar binnen zien gaan? Daar. Zie je die barak? Daar zitten ze.' Er lag onzekerheid in mijn stem, maar ik wees naar de barak met het nepraam.

Gerd volgde mijn vinger. Hij lachte door één keer kort en heftig lucht uit te blazen, en hij haalde vermoeid zijn schouders op. 'Weet ik niet,' hij keek rond, 'die zien er toch allemaal hetzelfde uit.'

De barakken stonden in een rechte rij, ze hadden allemaal links een smalle deur, rechts een nepraam en daarboven neonlicht. Behalve die helemaal aan het eind. Voor zover ik het kon zien waren het daar geen nepramen want er kwam licht uit. Gerd snoof toen hij uitademde. 'Denk je soms dat ze je kinderen daar willen houden?'

Daar houden. Niet hier. Gerd was in gedachten al in het Westen, aan de andere kant van de brug. Ik niet. Gerd lachte.

'Je bent onbetaalbaar, je denkt echt dat ze daar niets anders te doen hebben dan kleine kinderen vasthouden.'

'Niet alleen kleine kinderen,' ik probeerde met hem mee te lachen maar het lukte niet echt, 'bij ons weet je maar nooit.'

'Bij ons?' Gerd lachte opnieuw, en opeens kwamen er tranen in mijn ogen, ik keek de andere kant op zodat hij ze niet zou zien.

'Bij ons vraag ik jullie eerst mee uit eten, een grote portie patat. Ik rammel.'

Ik veegde juist met mijn mouw de tranen van mijn gezicht, ik had mijn hoofd naar het raampje gekeerd, zodat Gerd niet ook nog om mijn tranen zou lachen, toen een deegachtig gezicht vlak voor het mijne opdook. Een andere man in uniform klopte van buiten tegen de ruit.

'Raam,' hoorde ik hem zeggen, zijn duim wees hardnekkig naar beneden. Ik draaide aan de hendel. De ruit piepte.

'Koffer open.'

Ik keek naar Gerd, die alleen nog maar grijnsde en het sleuteltje uit het contact trok. 'Hier, alstublieft.' Hij strekte zijn arm voor me langs in de richting van de man. Die griste het sleuteltje uit Gerds open hand en verdween. Hoewel de lucht aangenaam en licht en lauw was, draaide ik het raampje weer dicht. We hoorden hoe de kofferbak werd opengedaan. Er werden voorwerpen opgepakt, er werd van onderen tegen de auto geklopt. Even later zag ik twee ambtenaren met onze koffers in een van de barakken verdwijnen.

Er zoemde een vlieg in de onderste hoek van de voorruit, telkens weer vloog hij tegen het glas, dof en zwaar leek zijn lijfje neer te storten, maar hij gaf het niet op, gonsde, hield een ogenblik op, gonsde, botste tegen de ruit, bleef stom. En gonsde opnieuw. Ik tastte met mijn hand over het dashboard en voelde bijna meteen het vermoeide gonzende vliegenlijfje onder mijn holle hand. Langzaam bracht ik mijn hand naar beneden in de richting van het dashboard, tot de vlieg tussen mijn wijs- en ringvinger kietelde, de hele tijd zijn tere vleugeltjes bewoog, gonsde, me zo kietelde dat ik mijn beide vingers samenkneep en zo stevig mogelijk op het dashboard drukte. Hij krabbelde ijverig zonder zich te kunnen bevrijden. De ruimte tussen mijn vingers en de kunststof leek te groot, nog altijd voelde ik met almaar grotere tussenpozen zijn vleugelgevecht. Ik moest denken aan de witachtige vloeistof die te voorschijn komt als je knijpt. Opeens werd er hard op de ruit geklopt, ik kon alleen de vuist zien, geen gezicht, een uniform, het portier werd opengetrokken. Ik viel bijna tegen de man aan. Hij ving me op.

'Moet mevrouw uitgenodigd worden?'

'Wat?'

'Meekomen,' onzacht pakte de ambtenaar mijn blote onderarm vast en trok me met zich mee. Ik struikelde over de lage trede. Binnen strekte zich een gang voor me uit die veel te lang leek voor de barak, misschien leidde hij door het inwendige van twee of drie barakken. Ik werd in een kamer links geduwd, waar men blijkbaar al op ons zat te wachten. Achter de smalle tafel zaten twee bijna identieke mannen. Ook zij droegen politie-uniformen. Het loonde de moeite niet om je af te vragen onder welke staatsdienst ze ressorteerden. Verstoppertje spelen en misleiding hoorden onlosmakelijk bij de kostumering met uniformen. Ze moesten tweelingen zijn, zo sterk leken ze op elkaar, of tenminste broers.

'Ga zitten. U verlaat het land om te trouwen met Gerd Becker?'

'Ja.'

'U gaat in een gemeenschappelijke flat in West-Berlijn wonen?'

'Natuurlijk.'

'En uw aanstaande man heeft al alles ingericht?'

Ik knikte vol vertrouwen. 'Ja, natuurlijk.'

Terwijl de broer rechts de ondervraging leidde, bladerde de andere in een dossier, hij leek iets te zoeken.

'Hoor eens, dat staat toch allemaal al in mijn dossier. Ik was vorige week nog bij de staatsveiligheidsdienst, en toen ging het alleen maar om meneer Becker.'

'Ah ja? Wat een verhoor, juffrouw – mevrouw Senff. Nelly Senff. U bent al eerder getrouwd geweest?'

'Nee, dat weet u toch.'

'Ook niet met de vader van uw kinderen?'

Ik schudde mijn hoofd.

'Nou?'

'Nee.'

'En juist nu gaat u het erop wagen?'

Juist nu? Geduld, zei ik tegen mezelf, geduld, vooral niet je kalmte verliezen, en ik antwoordde: 'Ja, ik wil het proberen.'

'En de vader van uw kinderen?'

Ik keek de rechterbroer strak aan. 'Dat weet u.'

'Wat? Wat weten we? Weigert u te antwoorden?'

Ze willen je pesten, dacht ik, niks ergs, gewoon wat pesten. Welke genoegdoening zou er voor die kleine grote ambtenaren schuilen in dit soort vraag- en antwoordspelletjes?

'Komt beter uit, hè, een man uit het Westen?'

Ik knikte, haalde mijn schouders op. Wat wist ik nou over mannen uit het Westen en over dé man uit het Westen? Wat wist ik over hun geschiktheid voor wat voor doel dan ook? Gerd hielp me bij het bedrog, daarin was hij heel goed.

'Ook uw moeder was niet getrouwd. Dat lijkt in uw familie gebruikelijk, hè? Samenhokken. Buitenechtelijke kinderen. En wij moeten geloven dat u van plan bent om daarginds wel te trouwen?'

'Dat was niet meteen mogelijk.'

'Pardon?'

'Bij mijn moeder. Dat was niet meteen mogelijk. Andere wetten, andere zeden. Eerst mochten ze niet, nadien wilden ze niet meer.'

De tweeling keek me niet-begrijpend aan. Tot de rechterbroer, zonder zijn hoofd om te draaien, tegen de linker zei: 'Joden.' De linkerbroer bladerde in de papieren, tikte met een wijsvinger op een pagina en mompelde iets dat klonk als 'Dat bestaat toch niet... bestaat toch helemaal niet meer'.

'Uw moeder was joods?' De rechterbroer staarde me met open mond aan.

'Dat is ze nog altijd. Ja. Nee. Ze is niet gelovig. Niet meer. Ze gelooft in ieder geval niet meer in God. Ze gelooft in het communisme, maar dat weet u.'

'Wist jij dat? Was ze beroemd?' Zo gauw een Duitser iets over een levende jood hoort, denkt hij dat die beroemd moet zijn. Vermeende beroemdheid leek de enige mogelijkheid om te ontsnappen aan de eigen moordstrategieën. Wie was ontkomen, moest beroemd zijn, niet in de laatste plaats omdat hij was ontkomen. De linkerbroer bladerde in het dossier en wees met zijn vinger naar verschillende pagina's.

'Uw moeder is geboren in 1924, uw vader in 1922, maar hij is in 1950 nog in Frankrijk gestorven. Wat staat daar? Tijdens zijn terugkeer uit ballingschap?' De linkerbroer draaide de pagina om, de rechter keek me strak aan: 'Uw grootmoeder is toen met uw zwangere moeder teruggekeerd naar Berlijn? En u bent hier geboren.'

Ik antwoordde niet, tenslotte moesten die dingen in het dossier staan.

'Waarom naar Berlijn?'

'Dat heb ik toch al gezegd, ze gelooft nu in het communisme.'

'Het communisme is geen geloofskwestie,' stelde de rechterbroer vast.

'Nee?'

'Nee, het is een kwestie van overtuiging, van de juiste instelling. Bent u niet naar een socialistische school geweest? Waar hebt u dan op school gezeten?'

Op wat voor school had ik moeten zitten? Dacht hij echt dat er nog altijd scholen voor joden waren, of dacht hij dat joden niet naar school gingen?

'Maarschalk I.S. Konew,' zei de linkerbroer, lachte en gaf de rechter een stomp in zijn zij.

De broer vergewiste zich van het feit met een blik in het dossier, hij wilde het blijkbaar niet geloven.

'Vijf jaar voor ons,' fluisterde de linkerbroer de rechter toe.

Een oorkonde voor goede leerprestaties op de socialistische school. Misschien bestond die in mijn tijd nog niet. Katja had een hoop van die oorkondes, *voor goede leerprestaties en voorbeeldig maatschappelijk en buitenschools werk*, en ze wilde die oorkondes absoluut meenemen naar het Westen. Ook al waren ze daar nauwelijks meer kinderlijke mijlpalen in de mogelijke carrière van een heldin. Tenslotte had ze dat oud papier niet voor niets gespaard, legde ze me uit, maar toen ik doorvroeg, kon ze me niet zeggen waarvoor dan wel. Ze mochten niet eens de originelen van hun schoolrapporten meenemen, ze kregen kopieën, zodat in de staat zou blijven wat de staat toebehoorde.

Ik sloeg mijn benen over elkaar en antwoordde niet.

'Maar u ziet er niet uit als een jodin.'

'Pardon?'

'U ziet er niet uit als een jodin. Of, laten we zeggen, niet typisch. U moet toch ook een jodin zijn als uw moeder dat is.'

'Hoe ziet een typische jodin er dan uit?'

'Dat zou u toch het beste moeten weten, juffrouw Senff. Senff – dat is joods, hè?'

Ik kon een zucht niet onderdrukken. 'Dat is de naam van mijn moeder.'

'Klinkt ergens wel Duits,' mompelde de linkerbroer en hij verdiepte zich opnieuw in een rood vel in het dossier voor hem.

Ik beet op mijn lippen en ademde zo lang mogelijk uit. Als je geen lucht inademde, probeerde ik mezelf wijs te maken, als je je op de een of andere manier vacuüm opvouwde, was een explosie bijna uitgesloten, of was de kans erop in elk geval geringer. De linkerbroer kwam overeind met het dossier en verliet de kamer, en wie overbleef was de rechterbroer, die nu de rechter niet meer was, maar de enige, de enige die tegenover mij aan de tafel zat, terwijl drie anderen, die wat betreft vermoedelijke rang en functie onbetekenend waren, aan de zijkant stonden en de wacht hielden. Zonder hun hoofd om te draaien en zonder enig gebaar volgden ze vanuit hun ooghoeken elke beweging. De mijne althans. De enig overgebleven broer sloot de dossiers, hield een betekenisvolle pauze, genoot van de door hem gedicteerde stilte, glimlachte vervolgens met zijn rood doorlopen ogen, die nu helemaal verdwenen, en keek me aan.

'Mevrouw Senff, wat ik niet begrijp is waarom u tandpasta en zeep inpakt terwijl u toch vanavond in de woning van uw aanstaande echtgenoot aankomt – uw gemeenschappelijke woning. We verdoen hier onze tijd als u ons nog langer ophoudt met dit soort verhaaltjes. Heeft hij geen zeep? Uw verloofde Becker?'

Ik keek naar de man met zijn niet te identificeren uniform, voelde hoe het bloed naar mijn wangen steeg en deed mijn mond dicht. Mijn tong kleefde aan mijn gehemelte.

'Nou, bent u met stomheid geslagen, Senff? Komt u dan maar mee.'

Ik stond op en volgde de enig overgebleven broer door een smalle gang naar een andere kamer. De kamers hadden geen ramen. Het rook enigszins zoet en scherp naar de plastic vloer waarop de voetzolen piepten. Een geur die me deed denken aan de schooltassen van Aleksej en Katja. Imitatieleer. Bedrukte kunststof. Al jaren dezelfde drie modellen, meestal waren er maar twee. Bruin en bladgroen, de combinatie van geel en oranje was zeldzaam. Jaren geleden moet er ooit rood geweest zijn.

Ik hoorde mijn hakken op de plastic vloer, voelde hoe ik, geheel onverwacht en niet echt passend bij de situatie, opeens met een zekere zwier de ene voet voor de andere zette, een zwier die vrolijkheid zou kunnen doen vermoeden, de rok spande om mijn dijen, ik huppelde bijna, alsof ik op weg was naar een bal en me verheugde op wat me te wachten stond. Een man in uniform deed de deur open, ik knikte hem beleefd en opgewekt toe, een andere man deed de deur achter me dicht.

Binnen trof ik een tiental ambtenaren aan, de rook was er te snijden, een van de ambtenaren nam me van top tot teen op, mijn rok kwam tot rust. Ik kruiste mijn armen.

'Gaat u zitten.'

'Nee, dank u, het is niet bepaald gezellig bij u.'

'Zitten,' herhaalde de man die vermoedelijk de oudste in dienstjaren was. Ik glimlachte vertrouwelijk naar hem. In de kamer was ik de enige vrouw. Ik dacht aan mijn oom Leonard die ik in Parijs wilde opzoeken. Hij woonde met zijn derde vrouw aan de rand van de wijk Marais. Met zijn tweede vrouw had hij in Amerika gewoond, ten noorden van San Francisco, op een heuveltje midden in het bos. 's Ochtends kwamen er kolibries naar zijn grote terrasraam gevlogen en dronken daar van het suikerwater dat hij in kleine flesjes onder het dak had gehangen. Hun vleugelslag was zo snel dat je opeens zag hoe vlug de tijd gaat. Dat vond hij rustgevend. Als hij uit het raam keek, was er alleen maar bos, een beetje verder naar beneden konden ze in de winter achter de ceders de oostelijke oever van het meertje zien, in de zomer hing er vaak nevel in het dal. De laatste keer dat ik mijn oom gezien had, drie jaar geleden, vertelde hij dat hij met zijn derde vrouw in Parijs alles nog beter kon vergeten, op gunstige momenten ook zijn eigen verleden en soms zichzelf. Misschien zou oom Leonard blij zijn me te ontmoeten. Hij zou me in Parijs laten zien wat op geen enkele ansicht stond, de slagerij Panzer en de steigers, die niet zoals bij ons voor de huizen stonden maar aan touwen aan de daken hingen. Hij zou verse mosselen met me gaan eten. Ik zou zijn twee Amerikaanse zoons leren kennen, die verschillende beroepen hadden, die van alles een beetje verstand hadden, zoals hij zei. Wat de vrijheid zoal met een mens doet, zei hij telkens weer en daarbij keek hij me half medelijdend half jaloers aan, omdat ik helemaal geen vrijheid leek te hebben en er voor mij niets anders op had gezeten dan een academische carrière te beginnen. Zo vlak voor het doel voelde ik niet de minste lust om nog bevelen op te volgen. Maar ik wilde niet dom zijn. Ik ging zitten.

'U bent scheikundige?'

'Dat weet u toch.'

'U hebt vier jaar voor de Academie van Wetenschappen gewerkt?'

'Na mijn studie ben ik daar begonnen, ja. Maar ik werk er al twee jaar niet meer. Ik werk op het kerkhof.'

'Op het kerkhof?'

'Op het laatst, ja. Omdat ik een uitreisvergunning had aangevraagd.' Het verbaasde me hoe weinig die douaniers leken te weten. Dit soort vragen had ik de voorbije maanden herhaaldelijk te horen gekregen – en ook andere mensen uit mijn omgeving waren in verband met die aanvraag ondervraagd, van sommigen wist ik het, van anderen kon ik het alleen maar vermoeden.

De man in uniform bladerde.

'Staat u maar weer op.'

'Moet ik opstaan?'

'Dat zeiden we u toch, ja. En stelt u geen vragen. Wij stellen hier de vragen.'

Ik stond op. De rok kleefde aan mijn billen.

'In april twee jaar geleden hebt u uw uitreisvergunning aangevraagd. Vanaf mei, staat hier, werd u beperkt in uw contacten. U was een persoon met een vertrouwelijke functie?'

'Nee. Ik bedoel, jawel, er was een of ander verbod van kracht, maar ik had geen vertrouwelijke functie.'

'Onze informatie luidt anders. Wilt u ons iets voorliegen?'

'Nee.'

'Waaraan hebt u gewerkt op de Academie van Wetenschappen?'

Mijn schoenen knelden, ik ging van het ene been op het andere staan en keek rond.

'Nou, komt er nog wat?'

'Wat moet ik u daarover vertellen? Ik ben het vergeten. En wat ik niet vergeten ben, daarover moet ik zwijgen, en waarover ik niet moet zwijgen, dat zou u toch niet begrijpen, u bent niet van het vak, heren.'

'Oho, mevrouw is snugger.' De ambtenaar klapte het dossier voor zich dicht en fluisterde met degene met de meeste dienstjaren, die schuin tegenover hem zat.

'Wegbrengen.' De man met de meeste dienstjaren knikte

naar een lange man met een onevenredig klein hoofd. De man was zo lang dat men kennelijk zijn broekspijpen had moeten uitleggen, de donkergroene rand aan de zoom leek wel een galon. De lange pakte me bij mijn bovenarm en bracht me naar een kamer ernaast. Ook hier was geen raam.

'Waar zijn mijn kinderen?'

'Hebt u het niet gehoord, wij stellen hier de vragen.'

Hier was ik graag gaan zitten, maar er was geen stoel en geen tafel in deze kamer, en in het bijzijn van de ambtenaar wilde ik niet met mijn rok op de vloer gaan zitten. Ik keek op mijn horloge. Het was iets over zessen. Aleksej en Katja zouden langzamerhand honger krijgen. Wachten, zonder te weten waarop. Toen ik opnieuw op mijn horloge keek was het tien over zes, en ik keek zowat om de drie minuten op mijn horloge, de laatste keer om vijf voor zeven, voor er een ambtenaar met een vrouw in uniform binnenkwam.

'Voorvallen?' De ambtenaar keek vragend naar de lange.

'Geen voorvallen,' kwam het van boven. De lange hield zijn hand tegen zijn kleine hoofd om te groeten.

'Uitkleden.' Zelfgenoegzaam knikte de oudere ambtenaar me toe.

'Pardon?'

'Uw kleren kunt u aan mijn collega hier geven.' De vrouwelijke collega keek me suf aan. Er werden geen namen genoemd. Ik vroeg me even af hoe zo'n jonge, lange ambtenaar met zo'n klein hoofd zou kunnen heten, bij welke afdeling hij zou horen en welke rang hij zou hebben. Misschien heette hij wel Hauptmann, ondanks zijn kleine hoofd en zijn lage rang. Maar zo'n naamstoeval zou vermijdbaar moeten zijn, wettelijk aanvechtbaar en in aanmerking komend voor wijziging, omdat de ambtenaar met het kleine hoofd en met de naam Hauptmann duidelijk een professioneel nadeel van dat toeval zou hebben, een nadeel dat hem belachelijk deed lijken, een nadeel dat in een wereld van rangen en discipline gewoon ondraaglijk zou zijn. De oudere ambtenaar snauwde me toe: 'Nou, komt er nog wat van?'

'Waarom moet ik me uitkleden?'

'Wij stellen hier de vragen, niet u,' herhaalde de lange en hij grijnsde me bemoedigend toe.

'In het bijzijn van u?' Waarschijnlijk leerden de douaniers hier maar vier of vijf zinnen, die ze afhankelijk van de gelegenheid gebruikten. Zinnen die hun identiteit verhulden maar die voor de noodzakelijke aanwijzingen volstonden. Bijna moest ik lachen.

'Ziet u hier soms nog anderen?' De lange met het kleine hoofd streek met zijn hand over het dunne zwarte pistool dat dicht tegen zijn lichaam zat. De lach die nu in me losbarstte, kon ik niet meer onderdrukken.

'U wilt dat ik...?'

'Kom op, wij zijn ook maar mensen.' De oudere douanier deed verveeld.

'Mensen?' Ik lachte nerveus.

De deur ging open, er kwam nog een man in uniform naar binnen.

'Nou? Waar zijn de spullen?' Zijn stem klonk hees.

'Ze stelt zich aan.'

'Moeten we versterking halen?'

'Nee,' ik trok eerst mijn schoenen uit, 'nee,' toen mijn jurk. De vrouwelijke ambtenaar hield haar hand voor me op en ik moest haar de spullen geven.

'Alles.'

Nog een *komt er nog wat van* wilde ik niet horen. Ik besloot een poosje niet te denken, trok mijn nylons en onderkleren uit en gaf ook die aan de ambtenaar. Ik vouwde de nylons op voor ik ze over haar arm legde.

'Sieraden ook.'

Ik deed mijn ketting af en gaf die aan de vrouwelijke ambtenaar, ze toonde geen enkel medeleven. Waarmee had ze ook moeten meeleven?

'Horloge,' de lange met het kleine hoofd streek intussen over zijn pistool, 'en de bril.'

Ik keek nog een keer op mijn horloge, het was tien over zeven. Veel tijd hadden ze niet meer. Opeens was ik er zeker van dat ze verplicht waren me voor middernacht de grens over te laten. Als ze dat niet zouden doen pleegden ze inbreuk op hun eigen wetten. Er waren vast overeenkomsten tussen de beide staten die deze handelwijze voorschreven.

'De ring.'

Ik keek naar de man in uniform alsof ik hem niet begreep, hij wees naar mijn hand. Ik bekeek mijn hand en schudde mijn hoofd.

'De ring.'

'Dat gaat niet, die gaat er niet af.'

'Elke ring gaat eraf. Zeep!'

Ik schudde mijn hoofd nog heftiger. Een ambtenaar liep de kamer uit, vermoedelijk om zeep te halen.

'Als zeep niet helpt, hebben we hier nog andere methoden,' fluisterde de man in uniform me toe. Ik deed alsof ik hem niet hoorde. Ik had de ring sinds de dood van Wassilij niet afgedaan, niet als ik ging slapen, niet als ik ging zwemmen, niet als ik de vaat deed, niet als ik op het kerkhof in de aarde wroette en het onkruid wiedde, niet als ik mijn handen nadien waste. Nooit.

De andere ambtenaar kwam met een stuk huishoudzeep terug.

'Komt er nog wat van?'

'Alstublieft, niet.'

De ambtenaar pakte mijn hand en rukte aan de ring.

'Alstublieft, niet.' Mijn stem bleef merkwaardig kalm, alsof hij niet van mij was. Ik balde mijn hand tot een vuist. De ambtenaar probeerde mijn vuist open te breken, wrikte mijn vingers een voor een los.

'Alstublieft. Niet.'

Als in een vertraagde film zag ik hoe de ring beetje bij beetje langs mijn vinger omhooggeschoven en geduwd werd tot hij in de hand van de ambtenaar verdween. De zeep werd niet gebruikt. Ik voelde de ring noch mijn hand. Verderop hoorde ik een stem: 'Alstublieft, niet. Alstublieft. Niet.' De oudere ambtenaar, die nog bij de deur stond en meestal de bevelen gaf, aapte me na.

'U blijft hier,' beval hij, zodat de jonge op me zou letten. Vervolgens gaf hij een teken aan de vrouwelijke collega, die hem met mijn spullen volgde. De ring had niet eens een afdruk op mijn middelvinger achtergelaten. De jonge ambtenaar leunde naast de deur en zag eruit alsof hij plezier had. Opeens moest ik aan mijn broer denken, die in de jaren vlak voor zijn puberteit droomde van een uniform, het liefst waren hem politieagenten en soldaten, maar ook brandweerlieden, piloten en matrozen fascineerden hem. Gouden sterren had hij liever dan zilveren en rode. Hij wilde later een beroep met een uniform. Ik ben er zeker van dat hij een slechte politieman geworden zou zijn. Niet omdat hij geen bevelen had kunnen uitdelen of niet spontaan in een situatie had kunnen ingrijpen, dat waren dingen die hij goed kon, maar hij had moeite om zich te onderwerpen, behalve van mijn moeder duldde hij van niemand een bevel. En dus moest hij een klungelige frezer worden. Deze jongen hier voerde maar al te graag bevelen uit, ook als het erom ging een ongeklede vrouw te bewaken. Zijn ogen flikkerden onrustig over mijn lichaam en de omgeving ervan, ze waren zo gespannen waakzaam dat ik niet eens ongemerkt van schaamte door de grond had kunnen zinken. Met mijn blikken nam ik zijn maten op. Klein hoofd. Jong. Lang. Meer details wilden me niet te binnen schieten, niets eigens, niets individueels. Misschien was zijn huid bleek, maar in dit licht zou elke huid wel bleek lijken. Niet eens zijn naam mocht ik weten, ik zou hem kunnen verraden. Zijn rang bleef geheim, als ik die had geweten, had ik me kunnen oriënteren. Alleen zijn uiterlijk, waaraan ik nu al geruime tijd was blootgesteld, creëerde een zeker niet bedoelde vertrouwelijkheid. Mijn naaktheid leek voor hem pijnlijker dan voor mezelf. Opeens werd het stikdonker, vervolgens ging het licht weer aan.

'Sorry', de lange jongen kon zijn geamuseerdheid nauwelijks verbergen, blijkbaar had hij met zijn rug de lichtschakelaar aangeraakt. Ik kruiste mijn armen weer.

Na een poosje ging de deur open en de oudere ambtenaar zei: 'Meekomen.' In de deur verscheen de vrouwelijke ambtenaar, vermoedelijk begeleidde ze ons vanwege het fatsoen. Opdat tucht en orde in acht genomen zouden worden. Ze had een handdoek voor me meegebracht die te klein was om alles te bedekken, borsten en schaamstreek, en liefst ook nog de grote levervlek die zich net boven mijn knieholte uitbreidde, die ik haatte en onaangenaam vond en die ze nog minder mochten zien dan borsten en schaamstreek. Via de gang kwamen we in een andere kamer, waar ons een man met een duifgrijs schort en een bril ontving. Hij legde de elleboog van een buis op een schap, vast een werkman, misschien hield hij zich bezig met het onderhoud en voerde hij reparaties uit. Over mijn hoofd heen zei de oudere: 'Dat is ze.'

De man in het duifgrijze schort keek me niet aan, hij knikte alleen vermoeid met zijn hoofd in de richting van de stoel en beval me erop te gaan zitten.

'Waarom?'

'Routine.'

De stoel deed denken aan een troon, hij had brede armleuningen, een stevige en hoge voet.

'Erop.'

'Ik moet plassen.'

'Nu?'

'Ja.'

'De toiletten zijn aan het andere eind, daar kunt u nu niet heen', de ambtenaar keek peinzend naar mijn borsten die door de handdoek niet bedekt werden.

'In de hoek staat een emmer,' zei de man met het duifgrijze schort en hij wees naar een witte emaillen dweilemmer.

Ik hurkte boven de emmer, de handdoek viel op de grond, met één hand klemde ik de slip vast die ik het eerst te pakken kreeg, alsof dat contact iets veranderde aan mijn naaktheid.

Mijn oog viel op de enig overgebleven broer, die de kamer was binnengekomen zonder dat ik het gemerkt had. Ik kon niet beslissen of het nu de oorspronkelijke rechter- of linkerbroer was. Dat maakte het makkelijker zijn aanwezigheid niet persoonlijk op te vatten. De vrouwelijke ambtenaar gaf me wat huishoudpapier.

'En nu erop.'

De zitting van de troon was op verschillende plaatsen opengescheurd, er puilde schuimstof uit. Het verloor zijn consistentie, viel uiteen aan de oppervlakte en maakte contact met de lucht en met vloeistoffen, door de wrijving waren er kleine schuimvlokken losgekomen. Het denken wilde maar niet stoppen. En dus dacht ik aan vrouwen die heel wat andere dingen hadden meegemaakt. In de oorlog. Ik keek rond in de kamer, tegenover mij bevond zich een zwart raam dat zo ondiep in de muur zat dat het onmogelijk een buitenraam kon zijn. Het bevond zich ook onder een rechte hoek tot de deur en de gang waar we langs gelopen waren, zodat het waarschijnlijk eerder uitkwam op een kamer ernaast.

Hoe zwart zou de nacht inmiddels ook geworden moeten zijn? Andere ramen had de kamer niet. Ik kon geen enkele klok ontdekken, geen enkel instrument om de tijd te meten, laat staan om de plaats van de kamer te bepalen. Op het kastje naast mij, meer dan een armlengte verderop, lagen verschillende instrumenten naast elkaar, ze zagen eruit als injectiespuiten, lege spuiten van verschillende grootte, spuiten met een doorzichtige vloeistof, spuiten met een blauwachtig glanzende vloeistof, een tangetje, een soort mes dat me aan een scheermes deed denken, twee scharen, waarvan er één stompe uiteinden had, en ten slotte iets dat eruitzag als een ijslepel, een beetje kleiner, en naalden. Alleen: wij waren niet in oorlog. Ik had althans in het woord oorlog tot nu toe niet echt geloofd. Ook niet met het adjectief koud. Wat betekende dat trouwens, koud? Kippenvel had ik. Maar koud? Ik had het niet koud. Ik voelde niets. Zelfs mijn voeten, die in de lucht staken, waren gevoelloos. Bij oorlog stelde ik me dat andere voor, dat wat ik niet beleefd had en waarvan de woorden alleen merkwaardig verbrokkelde beelden opriepen. Mijn blik rustte op het zwarte raam. Daarachter kon niets zijn. Net zoals het koperen paleis een coulisse kon zijn, het omhulsel van een droom, die het grote niets verborg, een grote lege ruimte, met alleen lucht en een paar ijzeren stutten om de coulisse overeind te houden. Zand op de grond. Als de rode lopers uitgelegd werden en ministers op die lopers uit de zichtbare wereld verdwenen, dan kwamen ze via onderaardse gangen op geen betere plek terecht dan die van de blauwgroene gewelven van de staatsveiligheidsdienst. Daar bleven hun gezichten vaal, en de schrik zat er zo diep bij hen in dat ze ook later in hun eigen verre land niet wilden praten over het inwendige van het paleis. Hun herinnering schoot tekort. Hier functioneerde de samenhang nog, in tegenstelling tot die van het schuimstof, dat aan mijn billen plakte.

Dat we in oorlog leefden, had ik tot dusver nog niet echt gemerkt. Ik schaamde me ervoor. Maar het was beslist niet de schaamte die ze daar in mij zochten. Er werden instrumenten naar binnen en buiten geschoven. Zou er ook een warme oorlog zijn? Ik moest aan mijn grootmoeder denken, die op haar zevenentachtigste nadat ze herhaaldelijk zonder problemen voor een dag de grens naar het Westen had kunnen passeren, opeens, drie jaar geleden, een dag voor Chanoeka, gedwongen werd om zich uit te kleden en haar mond open te doen, om onder een soortgelijk voorwendsel als men nu voor mij gebruikte verschillende kronen en bruggen te verwijderen. Ze hoopten wellicht bij haar materiaal van een westerse geheime dienst te ontdekken dat zij naar binnen wilde smokkelen, terwijl ze bij mij vast vreesden dat ik hun belachelijke onderzoeksresultaten aan de westerse wetenschap wilde aanbieden. Het kunstwerk van tandarts prof.dr. Schumann werd in minder dan twee uur stuk voor stuk vernietigd, en daarna liet men mijn grootmoeder uren wachten om haar uiteindelijk zonder prothesen en met een doosje vol gebroken kronen naar huis te sturen. De andere dingen had mijn grootmoeder misschien verzwegen. Een brandende pijn moest het zijn, mijn hersenen stuurden in ieder geval dat soort signalen. Brandend, zonder dat ik het branden voelde. Waarom zou deze man in zijn duifgrijze schort ook voorzichtig zijn? Hij was een werkman, geen minnaar. En omdat hij zeker leek te weten waarnaar hij zocht maar het niet vond, had hij heel wat tijd nodig voor zijn onderzoek. Het brandende gevoel verminderde, maar omdat men mijn hoofd in een metalen tang had gelegd kon ik onmogelijk een blik werpen op alles wat zich onder mijn navel bevond. Het was geen zoektocht, wat deze werkman hier ondernam. Hij knutselde iets in mij, hij stopte er iets in en maakte mij tot het omhulsel van zijn knutselwerk. Ze lieten me niet gaan. Ze wilden me als een paard van Troje wegsturen.

Oom Leonard had zijn moeder na dat voorval een korte brief geschreven. In de eerste zin drukte hij zijn ontzetting uit over wat er gebeurd was. De weinige zinnen die volgden, gebruikte hij om uiting te geven aan zijn radeloosheid over het feit dat ze naar Duitsland was teruggekeerd en juist in de Russische sector was gaan wonen. Omdat ze in de Beierse wijk van Berlijn was opgegroeid, kon ze niet komen aanzetten met argumenten over terugkeer naar de plek van haar jeugd, hoewel ze dat altijd weer probeerde. Nee, hij kon haar stap niet begrijpen, schreef hij. Zo liet je je toch niet behandelen. En hij bood haar opnieuw aan om bij hem in Parijs te komen wonen, hij zou een flatje voor haar kopen. Hij zou blij zijn als ze hem belde om te zeggen wanneer ze kwam, hij zou haar van het vliegveld halen.

Maar mijn grootmoeder belde niet. Ze liet ons de brief zien en glimlachte vermoeid. Hij verleert het schrijven, zei ze uitgeput. Kijk, hij schrijft 'u' niet eens meer met een hoofdletter. Zijn moedertaal nog wel. Hmm. Wat moet ik in Parijs? vroeg ze ons. Wij hadden daar geen antwoord op en we zochten er ook geen, en dus was het makkelijk voor haar om elk gesprek over haar bestaan hier en daarginds met die zin te beëindigen. Sinds die brief had ik oom Leonard niet meer gezien. En wanneer ik er goed over nadacht, geloofde ik niet echt dat hij nog een keer naar Berlijn zou komen. Zijn laatste bezoek was lang geleden, langer dan de tussenpozen vorige keren. Misschien was hij bang dat ook hij aan een lichamelijk onderzoek onderworpen zou worden. Hoewel mijn grootmoeder nog leefde, zou ze nooit meer de weg naar haar zoon afleggen. De eerste maanden na het voorval gebruikte ze elke gelegenheid om naar Wilmersdorf in het Westen te reizen, waar dr. Schumann junior volgens de instructies van zijn grijze vader probeerde na te maken wat zijn vader decennia geleden als zijn kunstwerk beschouwd had, tot hij het opgaf en mijn grootmoeder een gebit liet maken. Ik dacht na over de zin die oom Leonard mijn grootmoeder geschreven had: dat je je zo niet liet behandelen.

'Ontspannen,' beval de man wiens hoofd tussen mijn benen opdook, 'ontspant u zich eens, anders lukt het nooit.'

Ik wilde niet weten wat er moest lukken. Misschien had de meneer die in mij op zoek was alleen maar dat flikkerende vlammetje gezocht en eruit gehaald, vandaar dat ik het branden niet meer kon voelen. Ik hoorde geschaaf en geritsel, dof steeg het geluid naar me op. Tussen mijn benen zag ik de kale plek op het achterhoofd van de man, tot hij overeind kwam met een glimlach op zijn gezicht, geen diefachtig glimlachje, nee, hij had niets gejat, het leek veeleer of hij iets volbracht had. Hij klapte mijn benen dicht en keerde zich om om zijn instrumenten te rangschikken, hij maakte een in zichzelf gekeerde indruk, misschien was het tevredenheid wat ik op zijn gezicht las, misschien ontgoocheling; zwijgend en met langzame bewegingen legde hij instrumenten in dozen, legde andere klaar, alsof hij op de volgende persoon wachtte waarop hij zijn routine kon uitproberen, trok drie dotten watten uit het pakje met het lichte inpakpapier dat onder het rek lag, legde die in een rechte rij onder de tangen, zette er op een grote afstand twee kleine flesjes met vloeistof en twee gesloten blikken bij, verschikte ze almaar weer, tot hij zich herinnerde dat ik daar nog altijd naakt met dichtgeklapte benen op die stoel op een bevel zat te wachten en hij met een blik op mijn knieën dat bevel gaf: 'U kunt gaan.' Misschien doelde hij wel op de ambtenaren die samen met mij moesten inrukken. Mijn armen en benen, zelfs een gedeelte van mijn achterste en mijn schaamlippen sliepen. Een ambtenaar hielp me uit de tangvormige klem die mijn hoofd achterover had gehouden.

Toen ik terugkwam in de kamer zonder raam, tafel of stoel, bevond ik me opnieuw bij de grijnzende jongen. Het scheelde niet veel of hij had zich aan me voorgesteld: Hauptmann is mijn naam, en zich daarbij licht voorovergebogen, wat zijn hoofd nog kleiner had doen lijken, en ik had zijn toenadering met zwijgen beloond. Of eerder nog met doofheid. Maar voor hem zou het zwijgen geweest zijn. Ik maakte me geen zorgen meer om de discipline en de nadelen die hij zou kunnen hebben. De jonge douanier had plezier in zijn werk. Dat plezier leek ook in verband te staan met het pistool waarvan hij de greep met ongetwijfeld vochtige handen liefkoosde. Na een poosje werden mijn spullen teruggebracht. Een jurk met grote bloemen, lichte sandalen waarvan de hakjes al naar buiten bogen, een kanten bh die mijn grootmoeder een paar jaar geleden uit het Westen had meegebracht, een eenvoudig slipje, nylons die oom Leonard me uit Parijs gestuurd had en die ik uit angst dat ze stuk zouden gaan had bewaard om ze pas deze ochtend voor het eerst aan te doen, voorzichtig, helemaal niet in overeenstemming met de haast waarmee ik was opgestaan. De vrouwelijke ambtenaar reikte me een witte plastic schaal aan waarop mijn horloge, halsketting, oorbellen en ringen lagen. Ik deed alles aan. De ring voelde ik niet. Het horloge niet. De nylons niet. Mezelf al evenmin. Ik keek op mijn horloge. Het was twintig over acht.

'Mijn kinderen hebben honger.'

Er kwam geen antwoord.

'Volgen.' Ik volgde.

De twee ambtenaren brachten me naar een vertrek met een klein hok. Daar wachtte een man met een witte jas. Zijn bevelen waren kort. Jurk, nylons, ondergoed. Weer moest ik alles uittrekken. Alsof organische vezels de golven zouden storen. Schoenen, horloge, sieraden. Ik moest me in het piepkleine hokje opstellen met mijn hielen bij de rode streep. De deur ging dicht. Ik kon niets zien, geen stralen, geen beelden. Misschien wilden ze controleren of de werkman alles goed gedaan had. Ik dacht aan de geheime rapporten over de grote hoeveelheid straling die in zulke vertrekken gebruikt werd. Maar ik voelde niets anders dan de plastic vloer onder mijn voetzolen. De deur ging open. Over de arm van de vrouwelijke ambtenaar lagen mijn kleren. Ik stelde geen vragen meer. Ik volgde de aanwijzingen op, tot me nog eens bevolen werd te volgen. We kwamen in de openlucht.

Het was duidelijk frisser geworden. Ik probeerde de auto van Gerd te herkennen. Het water rond mijn ogen was lauwwarm. Ik veegde het weg. Mijn schoenen knelden. Ook mijn horloge voelde ik nu weer, en mijn ring. Alles leek op zijn plaats te zitten. Gerd zat in de auto, hij had het raampje naar beneden gedraaid en blies me rook tegemoet. Op de achterbank zag ik Katja en Aleksej, ze maakten ruzie. Ze zuchtten beiden theatraal toen ik instapte.

'Eindelijk, mama, we moeten altijd op jou wachten.'

'Maar nu eerst patat,' zei Gerd.

Ik keerde me om naar mijn kinderen en had ze het liefst stevig omarmd, maar de afstand tussen ons was te groot.

'Alles in orde met jullie?'

'Ja, maar nu eerst patat,' zei Katja, ze imiteerde Gerds tongval erg goed, alleen klonk er een soort trots in door, die ik de voorbije dagen wel vaker bij haar gemerkt had; vermoedelijk wist ze niet eens wat patat was maar gebruikte ze het woord graag.

'Mama, die hebben echt alleen maar idiote vragen gesteld, ze wilden weten of wij de achternaam van Gerd zouden krijgen.' Katja tikte tegen haar voorhoofd.

'En?'

'Ik heb niks gezegd, jij?'

Aleksej schudde zijn hoofd. 'Nee.' Met zijn wijsvinger duwde hij zijn bril weer goed op zijn neus. Daar is weinig aan te doen, had de opticien met spijt gezegd, de modellen zijn de laatste jaren zo, en van al die modellen past het zijne nog het beste, vroeger was er een model dat misschien beter gepast had, de vredesduif, maar dat is er al jaren niet meer, echt jammer, en met zo'n klein neusje. Nee, het meisjesmontuur had geen smallere brug, het was alleen maar roze, verder was er geen verschil.

'We hebben gewoon niks gezegd en gezegd dat we niks wisten. Geheim, hè?'

'Geheim, ja.' Ik glimlachte.

'Maar gaan jullie dan echt trouwen?'

'Wie weet,' probeerde Gerd aan het gesprek deel te nemen.

'Nee, dat heb ik toch al gezegd,' tenslotte had ik niet voor niets met Katja en Aleksej over verkeerde en betere antwoorden gesproken.

'Ik moest me uitkleden.'

Met een ruk keerde ik me om en pakte Aleksejs hand opnieuw vast. 'Wat?'

'Ja,' zei hij verveeld, 'ze vonden dat wij al ons nieuwe ondergoed niet mochten meenemen. Ze wilden weten of we nog extra veel gekocht hadden aan de Strausberger Platz.'

'Ja, dat is waar. Mijn ondergoed wilden ze ook houden. Ze zeiden dat er in het Westen beslist genoeg voor ons was.' Katja gniffelde.

'Hebben ze jullie onderzocht?'

'Onderzocht? We zijn toch niet ziek.' Ze schudden allebei hun hoofd. 'Nee, ze vonden het alleen maar grappig dat we dubbel ondergoed aanhadden. Het wás ook raar. Het ene stel hebben ze gehouden.'

'Bij mij alletwee.' Aleksej schoof zijn trui omhoog, zodat we zijn blote buik konden zien.

Gerd reed langzaam langs de grenssoldaten, die een voor een met hun geweer te verstaan gaven dat we verder mochten. We reden door het grensgebouw en zoals verwacht dook voor ons de brug op. Een eenvoudige constructie, hij was heel wat kleiner en korter dan ik me had voorgesteld.

'Zitten de koffers er weer in?'

'Tuurlijk, dacht je dat ze die daar zouden houden?' Gerd lachte me uit.

De slagboom werd geopend, een soldaat gaf een teken dat

we voorbij mochten. Trap, trap, deed de auto toen de wielen over een teerstreep reden, een hol trap, trap, trap. Ik vermoedde de diepte onder ons. Toen ik rechts uit het raampje keek, ontdekte ik de lichtkegel van schijnwerpers die boven het zwarte water pulseerden. 'Is het water diep?'

'Er is geen water beneden. Het zijn rails.' Gerd zette de radio aan, *when the wicked carried us away in captivity, required from us a song. Now how shall we sing a Lord's song in a strange land.*

Ik keek rond, achter ons deed een soldaat de slagboom weer dicht.

Aan de andere kant van de brug bevonden zich felverlichte huisjes, een douanier met een westers uniform kwam naar buiten en gaf een teken dat we moesten stoppen. Gerd zette de radio zacht. Ook deze ambtenaar wilde onze papieren zien.

'Goedenavond. Dank u, ja. Dat zijn de papieren van de kinderen?' De douanier bladerde. 'Waar gaat u zich aanmelden?'

'Aanmelden?' Radeloos keek ik naar Gerd.

'Marienfelde, we rijden eerst naar het opvangkamp.' Gerd hield zijn duim omhoog, alsof hij de ambtenaar een geheim teken gaf.

'Ondanks de gezinshereniging?' De douanier kon een lachje niet onderdrukken, het maakte een samenzweerderige indruk op me. 'Dus u blijft eerst een poosje in Berlijn?'

Het idee dat Gerd met deze mannen hier en die aan de andere kant van de brug onder één hoedje speelde, leek me opeens erg voor de hand liggend. En daarbij paste dat Gerd zo vol vertrouwen vertelde dat we naar het kamp reden. Als we echt Gerds gezin waren, zou dat niet nodig zijn. Het huis van Gerd zou voor ons openstaan, met inbegrip van de zeep, alles tot onze beschikking. Maar Gerd woonde in een kleine flat in Schöneberg, niet eens twee kamers, zoals hij benadrukte om aan te geven dat je een kamer die als doorgang gebruikt werd niet als een volledige kamer kon beschouwen en hij mij weliswaar graag had gehuisvest, maar mijn kinderen niet. De ambtenaar deed een stap terug.

'Wacht even, mag ik bij u naar de wc?'

'Maar natuurlijk,' de douanier deed het portier voor Gerd open en liet het achter hem dichtvallen. Ik zag hoe de ambtenaar toen ze wegliepen zijn arm om de schouder van Gerd sloeg. Ze verdwenen met z'n tweeën in een van de huisjes. Ik zakte wat dieper in de stoel. De wijzer van Gerds autoklok bleef hangen, blijkbaar kreeg hij wel een impuls maar hinderde iets hem om vooruit te gaan. De ambtenaar kwam met Gerd terug, de twee babbelden nog even en lachten, vervolgens bleven ze staan, staken de koppen bij elkaar, en een vlammetje verlichtte hun gezichten. Toen ze hun hals weer strekten, trokken ze allebei krachtig aan hun sigaret en zetten hun weg naar de auto voort. De ambtenaar keek aan mijn kant in de auto, knikte me vriendelijk toe en gaf me de papieren: 'Nou dan, veel succes en een goede aankomst,' hij hield zijn hand tot afscheid in de lucht, en net toen ik dacht dat het niet veel scheelde of hij was gaan zwaaien, bewoog hij zijn hand, klopte op de motorkap en hield zijn open hand voor Gerd ook nog een keer bij wijze van groet omhoog.

Gerd startte de motor. 'Te gek, met hem heb ik in Wiesbaden nog op school gezeten, en nu zien we elkaar terug bij de grensovergang.' Hij draaide de volumeknop van de radio helemaal open, zocht een nieuwe zender en zong mee: *Where we sat down, ye-eah we wept, when we remembered Zion.* Ik werd opeens ontzettend moe en duizelig, ik probeerde mijn ogen open te houden en onderdrukte de ene geeuw na de andere. *By the rivers of Babylon, where we sat down*, alle zenders leken hetzelfde lied te spelen.

'Mama, ik heb honger.'

Krystyna Jabłonowska houdt de hand van haar broer vast

Vanuit het bovengedeelte van het stapelbed hoorde ik het vertrouwde geknor, mijn vader ademde gelijkmatig, slechts een enkele keer leek hij zich in de lucht te verslikken. Heel af en toe stokte zijn adem even en dacht ik dat hij het ademen voor bekeken hield. Als je achtenzeventig bent, hoef je niet meer regelmatig te ademen, je hoeft dan helemaal niets meer. Buiten was het nog donker. Maar het schijnsel van de straatlantaarns, die op korte afstand van elkaar tussen de blokken stonden, zodat het kamp ook 's nachts en in het donker overzichtelijk bleef, was voldoende om me te kunnen aankleden en Jerzy's gewassen onderbroeken in de tas te kunnen stoppen. Veel kon ik niet doen voor Jerzy. Eten mocht ik niet voor hem meebrengen naar het ziekenhuis en drinken ook niet. Eén keer had ik stiekem wat van onze worstrantsoenen opzij gelegd, maar hij wilde de worst niet en de verpleegsters deden moeilijk toen ze die in zijn kastje vonden. De onderbroeken gebruikte hij niet, maar ik waste ze toch elke week. Stilletjes, zodat mijn vader niet wakker werd en vanuit zijn bed foeterde: 'Krystyna, jij hosklos', deed ik de deur open. De meeste mensen in het woonblok leken nog te slapen. Ook onderweg naar de portier kwam ik niemand tegen. Voor de schoolkinderen was het nog te vroeg, er was nauwelijks iemand die het kamp al zo vroeg verliet.

Toen ik in het ziekenhuis aankwam, begon het licht te worden.

'Kun je niet tenminste een echte pyjama aantrekken? Waarom breng ik al die gewassen spullen mee?' In de kleerkast van Jerzy was het een chaos van jewelste. Ik legde de gestreken onderbroeken in het vakje. Tussen de hemden en pyjama's, die hij nog geen enkele keer had aangehad, vond ik een pakje sigaretten en een Duits damesblad.

'Lees jij zoiets?'

'Hoe zou ik dat moeten lezen? Het lag in de recreatieruimte, daar heb ik het meegenomen.'

'En waarom?' Ik keerde me naar hem toe en hield het damesblad in de lucht.

'Omdat er mooie vrouwen in staan, daarom.'

'Mooie vrouwen,' zei ik en legde het tijdschrift in een leeg vak onder de pyjama's. Mij leek het eerder een geheim, en Jerzy had geen geheimen voor mij. Vroeger misschien, tijdens de vier jaren van zijn huwelijk, maar sinds hij weer bij vader en mij ingetrokken was, had hij nauwelijks iets kunnen verbergen. Ik wilde niet zien hoe hij met zijn vingernagel onder een andere ging en zijn nagels schoonmaakte.

'Kom hier.' Het nageletui lag in de lade van het nachtkastje, ik ging opnieuw op de stoel naast zijn bed zitten en pakte zijn hand vast.

'Nee.' Jerzy probeerde zijn hand terug te trekken, maar ik hield hem vast samen met de katheter, op de canule zat een pleister om hem beter op zijn plaats te houden, het zou hem te veel pijn doen als hij zijn hand wegtrok en dus hield hij zich stil. Zijn huid was bleek en gesprongen, ze deed me denken aan de schors van een oude boom. Bij de aders was zijn huid bezaaid met prikken.

'Hoe zit het nou met die pyjama?'

'Niemand draagt hier een pyjama, kijk om je heen, Krystyna. Heeft een van de mannen een pyjama aan?'

Ik draaide me om en keek naar de mannen die op hun bedden zaten en allemaal hetzelfde witte nachthemd droegen.

'Nou en?' Met het schaartje knipte ik Jerzy's nagels tot op de huid.

'Omdat de anderen zich zo laten gaan, hoef jij dat niet ook te doen.'

Jerzy zweeg, hij kauwde op een tandenstoker en keek naar

de nagels van zijn andere hand. Uit mijn ooghoek zag ik hoe een verpleegster de man in het bed naast hem een schoon hemd aandeed. Ze wreef zijn rug in met kamferspiritus en masseerde de iets jongere man, op wiens hele lichaam blauwe aderen zichtbaar waren. Haar handen deden hem zachtjes kermen.

'Daarom, hè?' fluisterde ik Jerzy toe, maar hij leek helemaal verzonken in de aanblik van zijn nagels.

'Wil je daarom geen pyjama aantrekken, is het dat? Jerzy, geef antwoord.'

Jerzy keek me met een nietszeggende blik aan. 'Wat zeg je?'

'Doe nou niet weer alsof je niet goed hoort. Je hoort me heel goed, Jerzy, heel goed. Je wilt dat zij jou omkleedt, daarom wil je dat stomme nachthemd van het ziekenhuis aan. Zodat zij je omkleedt, alleen maar daarvoor.'

'Hoe is het met vader?'

'Hoe zou het met hem moeten zijn? Hij rust de hele dag. Van 's ochtends tot 's avonds.'

'Je moet met hem gaan wandelen.'

'Vind je? Ik ga liever op bezoek bij jou, Jerzy. Als hij niet uit zichzelf beweegt, wil ik hem niet helpen.'

'Au! Let toch op.'

'Ik let op, Jerzy, je nagel is ingegroeid.'

'Je moet opletten, heb ik gezegd.' Jerzy probeerde zijn hand weg te trekken, maar ik hield hem stevig vast.

'De nagel,' zei ik en knipte de kleinste af. Toen probeerde ik mildheid in mijn stem te leggen. 'Ik kan je ook omkleden, Jerzy, als je hulp nodig hebt.' Hij had diepblauwe kringen onder zijn ogen, sinds hij hier was, leek zijn gezicht ingevallen. Alsof hij niet genoeg te eten kreeg. 'Ik doe het, hoor, zeg het maar en ik kleed je om. Je hebt die verpleegsters niet nodig, Jerzy, je hebt mij toch.' Achter mij hoorde ik het geklepper van de houten muilen, de verpleegster liep door de kamer, met een heldere stem riep ze naar een grijsaard: 'En, hoe is het met ons vandaag?' Ik hoorde hoe ze een deken opschudde, en zag hoe Jerzy haar met zijn ogen door de hele kamer volgde, langs mij en mijn aanbod heen.

'Je probeert je eraan te onttrekken,' zei hij, zonder me aan te kijken.

Ik knipte de nagel zo dicht langs zijn vingertop af dat het hem pijn moest doen. 'Waaraan?'

'Dat weet je heel goed.' Aandachtig volgde hij de klepperende muilen achter mijn rug.

Ik vroeg niet door, ik wist wel dat hij het niet over de zorg voor vader had. Hij bedoelde dat zijn zus zichzelf en haar leven verspilde. Elke vorm van verspilling keurde hij af. Het zat hem dwars dat ik mijn cello verkocht had en niet uit mezelf haalde waartoe ik in zijn ogen in staat was. Ik was er niet alleen toe in staat, zei hij altijd, ik was het aan mijn talent verplicht. Maar net zomin als hij mijn bezorgdheid om hem verdroeg, verdroeg ik de zijne om mij. 'We hebben Szczecin niet verlaten om...'

'Waarom ga je niet weg, Krystyna? Laat me alleen. Kijk, de verpleegsters maken het avondeten al klaar.'

'Ik blijf nog. Even nog.' Ik hield Jerzy's smalle, koude hand vast, ook al wilde hij hem wegtrekken. Voor het eerst in ons leven was ik sterker dan hij. 'Ze geven je niet behoorlijk te eten, Jerzy, dat zie ik toch. Ze laten je honger lijden. Je ziet er niet uit.'

'Ga weg, alsjeblieft. Ga weg. Ga voor mijn part naar vader in het kamp, hij is bang in het donker.'

'Ik weet het, maar in de herfst is het altijd donker. Als ik hem niet alleen wilde laten, zou ik je in de winter helemaal niet meer kunnen bezoeken,' zei ik en probeerde niet dreigend en niet smekend te klinken, en ik voelde mijn eigen angst om Jerzy hier in het ziekenhuis over te laten aan de verpleegsters en de dag en de nacht en het infuus waaraan hij sinds begin deze week lag, de angst voor de weg naar huis in het donker en de met neon verlichte dubbeldekker, naar huis in het kamp, omdat het andere huis er voor ons niet meer was. Ook al stond het huis ongetwijfeld behouden en wel, totaal niet onder de indruk van onze afwezigheid, op zijn plek. Het was nu ontelbare kilometers van ons verwijderd, achter twee grenzen in het oosten aan de andere kant van de Oder. Thuis was onbereikbaar. Ik moest het hem zeggen zodat hij het zich herinnerde, en ik moest er een beetje bij huilen.

Jerzy zuchtte.

'Waarom zucht je altijd zo hard?' vroeg ik, ik wilde zijn gezucht niet horen.

Jerzy zuchtte weer.

'Niet doen, alsjeblieft.' Ik hield zijn hand vast.

'Ik zucht niet, ik kreun. Daarvoor ben ik hier. Dan kan ik makkelijker ademen.' Jerzy lachte. 'Wat is dat?' Geschrokken keek hij naar onze handen, uit alle macht trok hij zijn hand terug, en ik deed de mijne open. Zijn afgeknipte nagels kwamen te voorschijn. Gele halve maantjes. Ik knikte en trok mijn bontjas aan. Na al die jaren waarin eerst mijn moeder en daarna ik hem gedragen had, was zijn glans verbleekt. Fijne zwarte haren bleven op het linnen van Jerzy's bed liggen. Met één hand plukte ik de haren van de deken, met de andere omvatte ik Jerzy's vingers opnieuw.

'Is er iets wat je graag wilt?' Ik streek over zijn koude, glimmende voorhoofd.

'Dat je weggaat.' Jerzy draaide zijn hoofd naar het raam. In de ruit weerspiegelden zich de bedden van de zeven kamergenoten. Ik liet zijn hand los.

Toen ik de deur naar de gang opendeed, stond de blonde verpleegster met haar rug naar mij in de nis voor een grote dubbele deur, het groenachtige licht voor de nooduitgang deed haar haar glanzen, ze trok onder het verpleegstersschort haar ondergoed recht.

'Goedenavond,' wenste ik.

'Ook goedenavond,' mompelde ze, bukte zich en trok haar kousen recht. Met tegenzin liep ik de gang door en de trap af, de leuning plakte onder mijn hand. Beneden in de hal was het kleine café al dicht, anders was ik er gaan zitten en had een ijsje gegeten, een gekleurd ijsje op een stokje, en nog een beker warme chocolademelk gedronken. Tot slot had ik een groen flesje citroenlimonade uit het rek genomen, zoals elke avond als het café nog open was, en de zoetigheid door mijn keel laten lopen. De laatste druppel had ik met de punt van mijn tong uit de flessenhals gelikt.

De lichten in het café waren uit, alleen uit de koelvitrines en boven de kassa scheen licht. Door de dikke ruit hoorde ik het gebrom van de koelvitrines. Mijn voeten waren zwaar. Mijn tong voelde beslagen aan, ik proefde de koffie nog die de verpleegster aan mij in plaats van aan Jerzy had gegeven. Elke middag dronk ik Jerzy's koffie. Ik liet me twee extra klontjes geven. Er klonk een piepend geluid in de gang. Ik hoorde hout op hout stoten met regelmatige tussenpozen. De werkster slofte door de gang, haar schrobber stootte afwisselend links en rechts tegen de plinten, vervolgens piepte haar wagentje als ze het een stukje naar voren duwde. Doelloos liep ik een van de trappen naar de eerste verdieping weer op. Tegenover sommige deuren stond op de vensterbank een dienblad met borden en theekannen. Om niet in de buurt van Jerzy's deur ontdekt te worden, liep ik de gang af in de andere richting. Er kon een deur opengaan en een dokter naar buiten komen. Ik zou hem tegen kunnen houden en vragen hoe het met Jerzy was. De afdelingsartsen waren met hun gedachten ergens anders, maar ze antwoordden altijd iets van: met Kerstmis heb je je broer terug. Vanwege die hoop waren we naar de Bondsrepubliek gekomen en hadden we zogenaamde Duitse voorouders aangetoond. Om geen enkele andere reden. De papieren waren duur geweest.

Vooraan ging een deur open, de verpleegster duwde hem met haar elleboog open en droeg een dienblad de kamer uit. Ze zette het op de vensterbank en boog zich eroverheen. Ze tilde een deksel op. Met duim en wijsvinger pakte ze een handvol druiven uit de kom en stak die in de zak van haar schort. Daarna scheurde ze een zakje open, legde haar hoofd in de nek en schudde de inhoud van het zakje in haar mond. Ze keek niet naar me. Ik had gewild dat er een dokter uit een van de deuren was gekomen en dat ik hem iets had kunnen vragen. Maar de hele tijd dat ik de gang op en neer liep, wilde geen enkele dokter zich laten zien. Uitgeput trok ik mijn doek vast om mijn hoofd.

Vanwege de motregen reden de auto's langzaam. In de dubbeldekker zat een schoolklas met schaatsen. Het had nog niet gevroren, ze gingen dus naar een kunstijsbaan. De kinderen stootten elkaar aan, soms ook in mijn richting, maar ik keek uit het raam. Een kind zei tegen een ander: 'Kijk die oude eens.' Omdat er behalve de beide leraren en de kinderen niemand in het bovenste busgedeelte zat, moest ik bedoeld worden. Het kind deed een zakje met snoepjes open. Ze rolden door de bus en de kinderen stortten zich op de grond voor de glinsterende snoepjes. Zonder haast bukte ik me en viste er een eentje op dat vlak naast mijn voeten was blijven liggen. Het snoepje was zacht en kleefde aan mijn tanden en mijn gehemelte.

Alleen al het idee dat ik rechtstreeks naar het kamp reed om daar mijn vader ertoe te bewegen zijn avondeten op te eten maakte me onrustig. Ik had geen geld, er zat alleen maar een tweemarkstuk in mijn portemonnee voor noodgevallen.

Toen ik uitstapte bij de Marienfelder Allee, stak ik de straat over naar de kleine Edeka-supermarkt. Ik keek in de tijdschriften tot een verkoopster me zei dat ik ze eerst moest kopen en dan pas kon lezen. Voor het rek met de huishoudelijke artikelen bleef ik staan en vergeleek twee flessenopeners. De ene had een greep van kunststof en was duur. Het partyservies, kartonnen borden en witte kunststofbekertjes, leek me veel te duur voor de kwaliteit. Opeens brak de muziek af en door de luidspreker klonk een gejaagde stem: *Geachte klanten, begeeft u zich alstublieft met uw aankopen naar de kassa. Wij sluiten binnen enkele minuten.*

Het was even voor zessen, ik zette de lege boodschappenmand in de toren van de andere manden en liep weer naar buiten de motregen in.

Het kamp zag er vanbuiten als een moderne burcht uit. Oranjekleurige straatlantaarns schenen op de nieuwbouw, er zaten kleine raampjes in de gladde gevel. Om deze tijd waren de meeste bewoners thuis. Ze zaten aan het avondeten. Hun borden waren wit, hun kopjes hadden kleine roosjes op de zijkant, de theekannen waren van zilverachtig metaal.

Bij de slagboom hield de portier me tegen. Het was een nieuwe portier, ik zag hem voor het eerst.

'Waar wilt u naartoe?'

'Ik woon hier.'

'Uw naam?'

'Jabłonowska, Krystyna Jabłonowska.'

Hij bladerde in zijn kaartenbak en wilde mijn paspoort zien.

Ik liet hem het voorlopige paspoort zien, niet zonder trots, er zat een kleurenpasfoto in. Toen ik me aanmeldde, had men me erop gewezen dat ik mijn naam kon laten veranderen, of minstens de schrijfwijze van mijn voornaam. Jonge mensen deden dat. Maar met mijn meer dan vijftig jaar voelde ik me te oud voor zulke veranderingen. Krystyna leek me in orde.

De portier wilde weten wat ik in mijn tas had.

'Dat heeft tot dusver nog niemand gevraagd,' antwoordde ik hem en zei dat er vuile was in zat van mijn broer die in het ziekenhuis lag en die ik bezocht had. De portier knikte. Toen moest ik mijn weg vervolgen, langs de eerste twee blokken, de tweede trap op. De vochtige lucht in het trappenhuis rook naar mensen.

Voor ik onze kamer in liep, zocht ik mijn toevlucht in de keuken. De kunststofbekleding van de hangkasten moest wellicht aan hout doen denken, het was dezelfde als op het fornuis en het aanrecht. De koelkast was leeg, er had weer iemand mijn voorraden geplunderd.

'Krystyna!' Alsof hij ondanks zijn hardhorendheid had gehoord hoe ik zachtjes de woning was ingeslopen, alsof hij me rook of alsof hij al urenlang gespannen lag te wachten en met tussenpozen telkens weer mijn naam riep, drong zijn stem dof vanuit onze kamer. Ik ademde diep in.

Mijn vader lag op zijn bed als Oblomow op de kachel. In het donker van de kamer hoorde ik het metalen stapelbed piepen, ik drukte op de lichtschakelaar. Sinds ik hem deze morgen alleen gelaten had, leek hij niet van zijn plaats te zijn gekomen.

'Daar ben je eindelijk,' hij ging op zijn zij liggen om me beter te kunnen zien. 'Heb je iets te drinken meegebracht?'

'Limonade.' Ik pakte de fles uit de tas en zette hem op de kleine tafel die tussen de twee stapelbedden stond. De tas hing ik over de leuning van de stoel.

'Dat lust ik niet,' zei mijn vader, verbaasd en verwonderd zei hij dat, alsof hij het voor de eerste keer zei en alsof ik niet wist dat hij geen limonade dronk.

Het schroefdeksel was moeilijk open te krijgen, in mijn neus kriebelde het fijne sproeisel en ik ademde diep de geur van zoete citroen in, vervolgens zette ik de fles aan mijn mond en nam een flinke slok.

'Dik meisje dat je bent,' knorde mijn vader achter mij, en ik wilde hem eraan herinneren dat ik al oud was en het hem toch om het even moest zijn of ik dik of mager was. Maar ik zei niets. Mijn vader mocht blij zijn dat we hem niet gewoon in ons grote huis in Szczecin hadden achtergelaten.

'Je hebt alles van je broer opgevreten, daarom is hij zo ziek.' Ik kon mijn vader allang niet meer serieus nemen. Hij dacht dat kanker een hongerziekte was die mensen kregen als ze te weinig te eten hadden.

Later lag ik onder hem in het stapelbed en staarde in het duister boven mij. Zachtjes hoorde ik hem zeggen: 'Wat ben jij toch een dik meisje', en nog voor hij het woord meisje helemaal uitgesproken had, sloop er een vreemd lachje in zijn keel, een duivels lachje waarmee hij me wilde bezweren en naar de hel duwen. Hij droomde en praatte in zijn slaap. Mijn ogen waren wijd opengesperd toen de deur van de kamer openging en iemand het licht aanknipte. Boven mij zag ik de metalen veren en de bruine matras met de beige strepen. Heel even twijfelde ik of mijn vader wel daarboven lag en of hij iets gezegd had. Ik keerde me naar de muur en staarde naar de kleine bultjes in de olieverf. Precies op ooghoogte had een vorige bewoner met een dikke zwarte stift een mannelijk geslachtsorgaan getekend. In de loop van de voorbije weken had ik op mijn werk de meest uiteenlopende schoonmaakmiddelen achterovergedrukt, ik had ze in mijn tas gestopt en hier geprobeerd om het gekriebel te verwijderen.

'Sorry,' lalde de stem van een buurman die zich blijkbaar in de deur vergist had. Hij liep de kamer weer uit en ik moest opstaan om het licht uit te doen.

Hoe John Bird zijn eigen vrouw bespioneert en naar een andere luistert

Al vanuit de garage kon ik door het open raam haar lach horen. Ik keek door de kier tussen het raamkozijn en het gordijn, Eunice had haar blote voeten op het lage salontafeltje gelegd, de hoorn hield ze tussen haar schouder en kin geklemd, en tussen haar tenen zaten opgerolde papieren zakdoekjes. Tegenwoordig had ze zwartgeverfde nagels. Voor haar op het lage tafeltje lag papier. In haar rechterhand hield ze drie stiften tegelijk vast. Eunice zat met haar rug naar mij toe, ze zag me niet. Mijn sleutel klemde in het slot. Ik moest kloppen. Haar lach was heftig, alsof er iets uit haar gutste, iets dat ze met moeite had vastgehouden, een wild dier, een gevangen dier, en ik moest harder kloppen, tegen haar lach in kloppen, tot ik hoorde hoe achter mij een raam werd dichtgedaan en ik vanuit mijn ooghoek de oudere buurvrouw herkende, alleen een schaduw, maar ik wist dat ze naar me keek, ook al kon ik niets verstaan. Mijn knokkels deden pijn, ik stak een sigaret op en drukt op de belknop. Eunice hoorde me niet, ze lachte en zei tegen iemand dat ze dat niet kon geloven, dat ze dat echt niet kon geloven. Ze praatte vast met Sally of met haar zus, bijna elke dag belde ze met een van hen beiden en ze verzekerde hen dat ze gauw zou terugkomen, soms huilde ze dan. Wanneer ik thuiskwam, zat ze op de divan te huilen. Pas vorige week had ik tegen haar gezegd dat ze nu zevenentwintig was en niet meer hoefde te wachten tot haar moeder of ik een beslissing voor haar nam, dat ze naar Knoxville terug kon als ze dat wilde. Met haar blik had me ver weggestuurd. Hoe ik op dat idee kwam, had ze geschreeuwd, en dat ik me vergiste als ik dacht dat ze op bevelen van anderen zat te wachten. Met haar voet had ze de salontafel een trap gegeven.

Maar nu lachte ze weer, zo hard dat ze mijn gebel en geklop niet hoorde en ik een tweede keer moest bellen. Ongeremd lachte ze, totaal onbeheerst. De sleutel werd omgedraaid, ze had de deur vanbinnen afgesloten. Ze liet me binnen, antwoordde in de hoorn en keerde me de rug toe. Eunice verdween in de grote kamer. Een zwarte nagel bleef aan het lichte tapijt kleven. Zachtjes vroeg ik achter haar rug wat er te eten was, en zoals ik verwacht had, reageerde ze niet, ze lachte alleen opnieuw in de hoorn, opeens gilde ze, wees naar het televisietoestel waarvan het geluid was afgezet, en bracht in de hoorn verslag uit van wat zich daar voor haar ogen afspeelde.

Terwijl ik mijn schoenen uittrok, zei ik: 'Ik ga naar de keuken, Eunice.' Ik zei het niet tegen haar, ik zei het om het gezegd te hebben. In de keuken pakte ik een biertje uit de koelkast en stak ik een uitgedroogde snee brood in de toaster. Ze lachte en lachte. De vergelijking met het wilde dier klopt niet, stelde ik zachtjes vast, zoveel wilde dieren zouden nooit in Eunice passen, niet één zou er in haar passen, niet één. Een diepe rust kwam over me. Voldoening. Daar stond ik het droge witte brood te kauwen en zei tegen mezelf dat het mijn eigen schuld was, ik had ook gewoon naar haar toe kunnen lopen en haar nagels bewonderen of de wilde dieren die uit haar gevlucht waren, over haar handen en viltstiften, en die door haar op het papier vastgelegd waren. Ik dacht eraan hoe ik ooit haar voeten in mijn handen had genomen, jaren geleden waarschijnlijk, kleine, zachte voeten. Op een keer was er een nagel afgevallen en dat had ze zo pijnlijk gevonden dat ze zich meteen in de badkamer had opgesloten om hem er weer op te plakken. Melkwitte, zachte voeten. Had ik ze gekust? Ik hoefde alleen maar te doen alsof ik erbij hoorde, bij haar leven, bij het stel dat we dan zouden zijn.

Ik vroeg me af wanneer het begonnen was, dat gevoel te storen, een indringer te zijn. Misschien was het begonnen toen we in het nieuwe huis gingen wonen. Haar tekeningen riepen onbehagen bij me op. In het begin waren haar tijgers felgekleurd en haar vlinders zwart-wit, vervolgens wilden ze in de tatoeagescène vleermuizen zien, en Eunice tekende vleermuizen met vleugels zo teer als spinnenwebben, met gezichten als duiveltjes, en later wilden ze gewoon haar tekeningen, om het even welke motieven. Eunice mocht tekenen wat ze wilde en al wat ze tekende, wilden ze met naalden in hun huid vereeuwigen. Ze tekende draken met bloedende vleugels, en ik voelde me schuldig aan het bloed, ze tekende luipaarden waarvan de witte ogen wel uitgestoken leken en waarvan de tanden niemand anders dan mij wilden verscheuren.

Ze stak haar hoofd om de hoek van de keukendeur, zag me en deed de deur weer dicht.

'Hé, wacht.' Ik deed de deur open, ze keek me vragend aan.

'Hallo,' zei ik, maar ik was lang niet zo zeker als mijn stem klonk.

'Hallo?' Verwonderd keek ze naar me op. Daarna draaide ze zich om en ik volgde haar door de gang naar de trap die naar de bovenverdieping leidde.

'Zullen we iets eten?'

'O, ik vergat je te zeggen dat we uitgenodigd zijn, Kate en haar man vieren hun afscheid. Ik dacht dat we wat later konden gaan, lieverd, ik heb al bloemen gekocht. Voor het eten was je toch niet op tijd geweest. Kate is blij. Tom ook. Ze hebben Duitsland zo vreselijk gevonden, en nu zijn ze blij, lieverd. Ze gaan terug. Wist je dat ze uit Baton Rouge komen? Alletwee. Je hoort helemaal niet aan ze dat ze uit het zuiden komen. Stel je voor, van Baton Rouge naar Berlijn. Erger kan het niet. Ik dacht dus dat we wat later konden gaan en iets bij ze drinken.'

Eunice ratelde aan één stuk door, met de snelheid van Mickey Mouse, ook haar stem werd almaar hoger naarmate ze vlugger praatte. Ik pakte haar bij haar arm, maar ze trok zich los.

'Ik ga me klaarmaken, lieverd.'

'Hé, heb jij al iets gegeten?'

'Jij merkt ook helemaal niets. Sinds zondag eet ik alleen nog maar rode dingen.'

‘Rode dingen?’

‘Eerst groene, nu rode.’

‘Ik dacht dat dat zondag tien dagen geleden was?’

‘Ja, dit keer zijn het twee weken, heb ik dat niet gezegd? Nee? Nou, ik ga me dus klaarmaken, lieverd.’

Ze noemde me lieverd alsof het een naam was, of de punt achter haar zinnen. Punt, uit. Lieverd. Ze verdween in de badkamer, de deur bleef op een kier staan, in de spiegel kon ik zien hoe ze aan haar wenkbrauwen plukte. Naast de spiegel had ze met plakband een vel papier opgehangen en daarop tekende ze alle paar seconden een lijn, rukte een haartje uit, tekende een lijn, trok het volgende haartje uit en tekende de volgende lijn.

Ik nam de laatste slok bier uit het flesje.

‘Wat is er?’ Ze keek me aan via de spiegel.

Ik glimlachte naar haar.

‘Je hebt helemaal geen zin om te glimlachen, dat zie ik toch.’

In het selectiebureau hadden we vandaag een vrouw die ons geen enkele reden wilde opgeven.

‘Ik wil je valse glimlach niet meer zien. Begrijp je dat? Je ziet er doodongelukkig uit en je glimlacht naar me.’ Eunice trok haar gezicht in de plooi, haar mond ging maar heel even open. ‘Kun je je voorstellen hoe het is om met een vreemde te leven?’ Ze tekende een paar lijnen na elkaar. ‘Dat kun je niet.’

‘Je tekeningen zijn groter geworden,’ merkte ik op en ik dacht aan die vrouw, Nelly Senff. Ze had ons geen enkel politiek aanknopingspunt willen geven. Een merkwaardige trots. Hoewel ze sinds ze haar uitreisvergunning had aangevraagd niet meer had mogen werken. Uit onze dossiers bleken tal van mogelijke redenen. Niet één daarvan gebruikte ze.

‘Je hebt het over mijn tekeningen, John, wat geruststellend voor je, hè, dat mijn beroep zo zichtbaar is? Jij weet altijd wat ik doe. Altijd.’ Eunice draaide zich naar me om en keek me recht in de ogen. ‘Ik weet niets over jou.’

‘Eunice, dat wist je van meet af aan.’

‘Niet van meet af aan.’

‘Zo gauw ik het je kon zeggen.’

'Ha, zo gauw je het me kon zeggen. Dat ik nooit meer over jou zou weten.' Er sprongen tranen in haar ogen. 'Toen was het toch al te laat.'

'Te laat?'

Eunice duwde me opzij en zocht in het hangkastje naar de juiste crème. 'Ik was al verliefd. Te laat, omdat ik al verliefd was. Hoe had ik moeten weten dat je geen handelsreiziger was, hè? Ik was er helemaal niet op voorbereid dat je me op een dag zou zeggen: *Het klopt allemaal niet. Ik werk voor de geheime dienst, maar meer zul je nooit over me te weten komen.*'

'Je had toch nee kunnen zeggen.'

'Dat denk jij. Maar ik wist het niet, begrijp je? Ik geloofde het ook niet. Hoe zou ik ook? Hoe moet je je voorstellen dat je over de ander nooit iets te weten zult komen?'

'Dat is toch niet waar, Eunice. Je weet dat ik van roerei hou, je weet dat ik van Ella Fitzgerald hou. Alle persoonlijke dingen weet je toch.'

'Alle persoonlijke dingen? Wat is dat dan?' Eunice schreeuwde, ze schreeuwde om me haar vertwijfeling te laten zien, maar hoewel ik die zag, raakte het me niet. Het raakte me minder dan de stille vertwijfeling van die Nelly Senff die ik in haar weigering om ons informatie te geven had menen te herkennen. 'Hou op met die verwijten, Eunice. Dat leidt toch tot niets.'

Eunice huilde. Daarna snoot ze haar neus en keek naar me alsof ze dapper moest zijn. 'Lieverd, kun je het ondergoed van de lijn halen, dat zalmkleurige.'

Ik liep naar het terras en onderzocht de kledingstukken die ik deze ochtend had opgehangen. Eunice bezat uitsluitend zalmkleurig ondergoed van nylon en kant. Volgens haar mocht het ondergoed niet in de machine. En dus waste ik haar nylon ondergoed. Ze had een allergie voor wasmiddelen. Mijn voorstel om het ondergoed zonder wasmiddel te wassen, accepteerde ze niet. En ik waste al jaren haar ondergoed, zonder passie, maar plichtbewust, alsof ik haar die dienst schuldig was. Schuldig, na alles wat ik haar in ons huwelijk moest onthouden, en nog schuldiger na alles wat ik haar niet moest onthouden maar haar desondanks in toenemende mate onthield.

'Hier.' Ik gaf haar het ondergoed.

'Vind je dat ik mijn haar moet ontkroezen?' Haar hand flitste over het papier, ik herkende de kop van een schattig katje, verbaasd leunde ik naar voren, haar hand ging opzij en ontblootte de open buik van het katje, er hingen darmen uit die me tegemoet puilden.

'Je hebt toch mooie krullen.'

'Kroeshaar, lieverd, zoals alle negers, zoals wij allemaal. Krullen zijn iets anders.' Ze streek over haar haar en controleerde in de spiegel of ik ook echt naar haar keek, vervolgens dwaalde haar blik weer naar het schattige katje en zijn haast eindeloze darmen.

Als Nelly Senff zich ook maar een beetje coöperatief had opgesteld, had ze meteen een onberispelijke vluchtelingenstatus kunnen krijgen. Maar ze leek haar redenen te hebben om ons geen redenen te noemen. Dat maakte ons wantrouwig.

'Of verven?'

'Verven is oké,' zei ik en vroeg me af of het mogelijk was dat Nelly Senff over het verblijf van haar Wassilij meer wist dan wij.

'Rood, omdat ik alleen rode dingen eet?'

'Rood.' Doorgaans wisten wij meer over de ondervraagden dan zijzelf. Alleen af en toe, zoals in het geval van Nelly Senff, leek het alsof we nog iets te weten konden komen.

'Ben je gek, John? Je luistert helemaal niet. Rood? Dat zei ik toch maar voor de grap.' Eunice snikte. 'En jij zegt: rood. Hoe denk je dat dat eruit ziet? Een zwarte vrouw met rood haar?'

'Sorry, Eunice.'

'Sorry, sorry. Er valt niets te verontschuldigen.' Ze pakte me vast en wilde me de badkamer uit duwen. 'Wees blij dat ik er nog ben. Maar niet lang meer, hoor je me, niet lang meer.' De tranen stroomden uit haar ogen. 'Welk leven zou je dan hebben, lieverd?'

'Je blijft alleen maar voor mij.' Ik stelde het vast, ik vroeg het niet. Ze wilde dat ik haar dankbaar was, dat ik van haar hield omdat ze bleef. Ik stond in de deur en keek hoe ze zich omdraaide en huilend haar katje tekende.

'Wat denk je?'

Via de spiegel zag ik hoe Eunice naar haar katje glimlachte en zijn pootje in zijn buik tekende. Het schattige katje met de grote ogen trok zijn darmen zelf uit zijn lijf.

'Shit, ik heb net mascara op mijn nieuwe wimpers gedaan.' Eunice snoot haar neus in een stuk wc-papier. 'Weet je nog, lieverd, in het begin, toen we hier aankwamen?' Eunice snikte en deed zichtbaar haar best om zich weer te beheersen. Ze vocht, ze wilde dat ik haar strijd zag. Aan Nelly Senff had je haar innerlijke strijd nauwelijks kunnen zien. Acht uur lang hadden we haar vandaag door de mangel gehaald. Ze had almaar minder gezegd en had ten slotte om een pauze verzocht, ze wilde naar buiten om de beloofde etensbonnen af te halen en voor het eten voor haar kinderen te zorgen. Maar ze had toch niet naar buiten gemogen. Naar buiten mochten alleen diegenen die waren opgenomen. Zij moest tijdens ons gesprek haar opname nog verdienen. Haar kinderen waren tijdens de opnameprocedure overdag bij de dominee. Pas na het afsluiten van de procedure, waarschijnlijk vanaf maandag, mochten haar kinderen naar school. Eunice snikte.

'Mijn hartje.' Ik legde mijn handen op haar stevige schouders, maar Eunice klampte zich vast aan de stift alsof die haar enige houvast was.

'Voor wiens hart interesseer jij je?' Eunice liet het katje zijn hart in zijn klauwen nemen. Opeens bedacht ik dat het best zou kunnen dat ze mij stond te tekenen.

'Ik heb gisteren naar de kilometerteller van je auto gekeken.' Knorrig keek Eunice me aan.

'Wat heb je?'

'Ik wilde weten hoever het is naar je werk. – Als ik dan al niet mag weten waar je heen rijdt.'

'Je bespioneert me? Mijn eigen vrouw?'

Eunice begon aan een nieuwe tekening, ze snikte.

'Ik word hier echt gek van, begrijp je dat niet? Niets weet ik, helemaal niets. Tweehonderdzeven kilometer op een dag. Hoe rij je die bij elkaar binnen de stadsmuren? Dat vraag ik me af. Misschien rij je wel elke dag de grens over en werk je in het Oosten.'

Ik schudde mijn hoofd. Eunice praatte als een bezetene. Soms leek het of ze mij en mijn werk wekenlang vergat. Maar steeds vaker kwam het tot uitbarstingen als deze. Uitbarstingen van grenzeloos wantrouwen.

'Misschien is de kilometerteller wel niet in orde,' zei ze zachtjes, alsof ze tegen zichzelf sprak.

'Hou op, Eunice.' Ik legde mijn handen links en rechts op haar bovenarmen.

Eunice schudde haar hoofd. 'Hoe je me vastpakt, John, als een tang, alsof ik een besmettelijke ziekte heb – merk je het niet?'

Ongeduldig liet ik mijn handen zakken. Eunice draaide het vel met het katje om, en op de achterkant zag ik twee slangen die elkaar opaten. Elk van hen had de staart van de ander in zijn bek. Eunice plakte het vel vast en pakte een make-uppotje.

Nelly Senff had twee kinderen, en de vader van haar kinderen, die Wassilij Batalow, zou drie jaar geleden zelfmoord gepleegd hebben.

Ik raakte het haar van Eunice aan, het was borstelig en stijf. 'Het is toch mooi zo,' zei ik en liet haar haar vallen.

Als reden voor haar verhuizing naar het Westen hat Nelly Senff alleen maar verandering van plaats genoemd. Na de dood van Batalow had ze het gevoel gehad dat ze daar niet meer kon leven. Ze voelde zich er levend begraven, met al haar herinneringen. Daarom had ze naar hier willen komen. Om haar herinneringen kwijt te raken. Maar voor dat soort redenen was hier niet veel begrip. Ze mocht zich gelukkig prijzen als men haar hier hield en in de Bondsrepubliek opnam.

'Klaar. We kunnen gaan.' Eunice had naar mijn smaak te veel rouge opgedaan.

'Ik ben moe, je had eerder moeten zeggen dat we uitgenodigd waren.'

Eunice sperde haar gezwollen ogen open. 'Klootzak.' Buiten zichzelf schudde ze haar hoofd. Die overgang van grote droefheid en vertwijfeling en puur zelfmedelijden naar woede kende ik van haar. Ik haalde mijn schouders op.

Ze deed de deur voor mijn neus dicht en ik hoorde haar binnen vloeken. 'Moe, waarvan?' Ik liep naar de trap en hoorde haar schreeuwen: 'Het draait altijd alleen maar om jou. Jouw grote onbekende leven, jouw honger, jouw seks, jouw slaap. Man, wat ben jij toch belangrijk.' Ze bracht een schril geluid voort. Haar verwijten kende ik ook. Maar ik kon van vermoeidheid nauwelijks meer op mijn benen staan. Bij elke vraag die wij aan de vluchtelingen stelden moesten we opletten dat we niets verraadden. Geen enkele aanwijzing, geen medeleven, dat was inspannend.

Merkte Eunice niet dat we al maanden niet meer met elkaar naar bed gingen? Vanwaar opeens dat verwijt over seks? Ik had geen enkele behoefte om haar aan te raken. Alles aan haar was een schema geworden, een schema van beelden, die ik jaren geleden weliswaar gezien had, maar waarnaar ik nu niet meer goed keek en die ik ook niet vernieuwde, omdat ik wist hoe het schema aanvoelde en omdat ik mijn nieuwsgierigheid was kwijtgeraakt. Langzaam liep ik de trap af. De televisie stond nog altijd aan zonder geluid. Ik herkende onze president, die op bezoek was in Berlijn en hier in de juichstemming nog wat kiezers op zijn hand wilde krijgen. De omroepgids lag opengeslagen op tafel. Op het derde net zou zo een programma beginnen met de titel *Wat kan een man doen?* De Duitsers ontdekten onze maatschappijcriticus en moralist Upton Sinclair opnieuw. Dat had ik graag willen zien maar we konden die zender niet ontvangen. Onze president zwaaide en er wapperden Amerikaanse vlaggen op het scherm. Het duurde niet lang, ik deed mijn ogen dicht en zag Nelly Senff weer voor me. Een vreemde naam, Nelly. Hij paste goed bij haar. Zoals ze in gedachten verzonken een hand onder de schouderbandjes van haar jurk had gestoken, de witte huid boven haar sleutelbeen had gewreven en zoals ze vergat om haar hand voor haar mond te houden als ze geeuwde. Iets in die vrouw had me meteen al opgewonden, al toen ik de kamer binnenkwam waar Harold met haar zat te wachten. Er hing een fruitige geur in de lucht, zoet en pittig. Toen ik nadien om haar stoel heen liep, had ik gemerkt dat die geur van haar uitging.

Er knalde een deur, Eunice liep boven over de gang. Ik had haar avond verpest. Voor zover ik wist, was ze nog nooit alleen uit geweest. Waarschijnlijk liep ze naar de slaapkamer en sloot ze zich daar op. Aan mijn kant van het bed lagen vast grote vellen papier, ik zou ze opzij moeten schuiven als ik in bed wilde kruipen.

Ik liet mijn hoofd achterovervallen op de leuning, ademde uit en deed met mijn rechtervoet mijn linkerslipper uit, met mijn linkervoet mijn rechterslipper. Ik genoot van de rust en van het alleen-zijn. Alleen-zijn was iets wat ik miste. Hoe eenzaam ik ook was, toch was er zelden een ogenblik zonder mensen. Ik genoot van de ritten in de auto 's morgens en 's avonds, maar op veel dagen zou ik ook graag in dit huis alleen geweest zijn. Zo gauw ik Eunice en een van haar tekeningen zag, was ik de ongewenste gast. Misschien dacht Nelly Senff echt dat het één enkel zwart moment was geweest dat haar vriend naar de andere wereld had gelokt, of die paar kleine ruzies die ze misschien hadden gehad. Waarover konden ze dan wel ruzie gemaakt hebben?

De geur van wiet kroop in mijn neus. Penetrant. Wist ik veel waar Eunice het spul vandaan had. Ze vertelde het me niet. Het zou ook niet veel nut hebben om het te weten. Al bijna een jaar zat ze haast elke avond daar boven. Ze tekende en dampte onze slaapkamer vol. Dacht ze soms dat het me opwond? De momenten waarop ik dacht dat het goed voor haar en aangenaam voor mij zou zijn als ze eindelijk naar Knoxville terugging, werden almaar talrijker.

We hadden Nelly Senff Marlboro aangeboden, en Camel. Die Senff, Nelly Senff, rookte niet eens sigaretten. We hadden ze haar aangeboden in de hoop dat het dan makkelijker zou gaan, maar ze weigerde ze. Ze kwam overeind en vroeg of ze naar de wc mocht. Ik werd gek van haar geur. Ik moest me even verontschuldigen. Toen ik terugkwam, zat ze alweer op haar stoel, nipte aan het blikje cola dat we haar hadden gegeven, en ze keek me strak aan, alsof ze wist welk effect ze op me had. Hoewel ze dat eigenlijk niet kon weten. Zo onopgemaakt als ze daar zat, haar haar nonchalant opgestoken. Daardoor kwam haar hals mooi tot zijn recht, een bleke, lange, gave hals. Haar huid glansde een beetje. Toen Harold de kamer uit liep om een nieuwe thermosfles te halen, ging ik tegenover haar zitten en zei: 'U bent niet meer bang, nietwaar, mevrouw Senff, u weet dat u hier veilig bent?'

'Veilig?' Vragend keek ze me aan, daarna voegde ze er zachtjes aan toe: 'Daar gaat het toch helemaal niet om', ze schudde haar hoofd, en het was alsof een bijna onmerkbaar zuchtje wind die geur naar mijn neus dreef. 'Weet u wat een vrouw me ooit heeft gezegd? Er bestaat nergens ter wereld een veiliger plaats dan een communistisch land met een muur als de onze.' Nelly lachte. Haar lach kwam zo onverwacht, licht en sprankelend, dat ik schrok.

Er trok iets zo heftig in mijn lichaam dat ik opstond, het was eerder een reflex dan een weloverwogen handeling, ik liep om de tafel heen, bleef voor haar staan en zei: 'We hebben alleen maar het beste met u voor.' Mijn stem klonk hees.

'Communistisch,' lachte ze, 'stel u voor, mijn moeder denkt echt dat het iets met haar idee van communisme te maken heeft. Alsof het land zich volgens haar revolutionaire ideeën ontwikkelt,' langzaam ebde de lach in haar stem weg, 'en bovendien was het toch socialistisch, nietwaar, en heeft het socialisme niets met het communisme te maken.'

Ik knikte heftig, vervolgens schudde ik mijn hoofd. 'Nee, dat heeft het niet.'

Achter mij hoorde ik de deur open- en dichtgaan, Harold zette de thermosfles op tafel en bood Nelly een Marsreep aan.

'Zulke dure dingen geeft u aan uw slachtoffers?' Haar hand

was nog om het colablikje geklemd. Ze dronk er bijna niet van, het leek eerder of ze voor ons plezier deed alsof en in werkelijkheid uit de kleine opening maar een paar druppels opving. Het was alsof ze het belangrijker vond om het blikje vast te kunnen houden dan om eruit te drinken.

'Slachtoffers?' Harold keek haar vragend aan, liet zijn uitgestrekte arm zakken en keek toen nog vragender naar mij. 'U bent ons slachtoffer toch niet. We praten met u zodat we kunnen inschatten of u te lijden had onder vervolgingen. Wat is dus de naam van die vriend? U zei net dat Batalow die vriend had.'

'Nee, ik ben niet vervolgd.' Zeer beslist schudde ze haar hoofd en ze wond een haarstreng om haar vinger. 'Nee, helemaal niet. Ik mocht niet meer werken toen ik mijn uitreisvergunning had ingediend, maar dat was heel gewoon, zeker als je wetenschappelijk onderzoek deed. Of bij een openbare dienst werkte, of in het onderwijs, of weet ik waar nog allemaal. Dat was heel gewoon.'

'De naam van de vriend?'

'Welke vriend?'

'U had het over een vriend die hij af en toe in verband met zijn vertalingen ontmoette.'

'Heb ik dat gezegd? Nee. Ik ken geen vriend van Wassilij.'

'Hoor eens, u moet niet denken dat wij idioten zijn.' Harold verloor opnieuw zijn geduld. Als hij zich opwond, begon hij hard te praten. 'Zo gauw we u naar namen vragen, kent u opeens niemand meer.'

Nelly zweeg.

'Als u niet een beetje meewerkt, kunnen wij u niet helpen.'

Nelly pakte weer een haarstreng en wond die om haar vinger. Aandachtig keek ze naar Harold.

'De vraag is wie hier wie moet helpen,' zei ze rustig, en ze liet de haarstreng los.

Harold haalde zwaar adem, toen draaide hij zich om naar de notuliste, liet zijn blik even op haar gebruikelijke diepe decolleté rusten, en beval haar: 'Dit moet u niet noteren.'

De notuliste keek op: 'Moet ik het schrappen?'

'Ach.' Harold ging weer op zijn veilige plek achter de schrijftafel zitten. 'We willen nog eens terugkomen op de tijd voor u uw uitreisvergunning had ingediend. U zei dat u weg wilde omdat... omdat er bepaalde problemen tussen u en uw vriend waren.'

Harold klapte zijn dossier weer open en wachtte op een antwoord.

Nelly keek Harold vragend aan. Haar huid leek zo wit als marmer, haar ogen waren rood, ook de wallen onder haar ogen waren roze.

'Problemen? Ik heb u toch gezegd dat hij zelfmoord heeft gepleegd. Voor mij had het geen zin meer om daar te blijven. Alle plekken daar zijn met hem gevuld, ik kan ze niet met nieuwe ogen zien. Een ander land met dezelfde taal, maar zonder die plekken – dat is de reden waarom ik hier ben. Begrijpt u dat niet?'

'Het spijt me,' zei Harold zakelijk, 'maar hier zult u uw vriend ook niet terugkrijgen.'

Er kwamen tranen in Nelly's ogen, ze slikte hoorbaar en haalde diep adem, haar neusvleugels trilden, ze huilde niet, in elk geval niet echt, niet zoals Eunice. Nelly leek niet tegen haar tranen te hoeven vechten, het was veeleer alsof de tranen in haar ogen kwamen maar erin bleven zitten. Harold wierp me een veelzeggende blik toe.

'U zei dat Wassilij Batalow van een huis is gesprongen en geen echte afscheidsbrief voor u heeft nagelaten. Maar u hebt in zijn papieren toch een notitie gevonden. Die was duidelijk recent?'

'Misschien een ontwerp, ja.'

'Die notitie hebt u niet meegenomen? De laatste notitie, het laatste teken van leven, dat hebt u gewoon daar gelaten?'

'Heb ik niet al gezegd dat zulke materiële dingen me niet interesseren? Nee dus, ik heb de notitie daar gelaten.'

'Dat noemt u materieel? Die aantekening moet toch een ideële waarde voor u gehad hebben.' Harold schoof een vel papier over de tafel naar Nelly. 'Hier, schrijft u eens op wat er stond.'

'Dat kan ik niet.'

'Jawel, dat kunt u wel. Als u niet meewerkt, kunnen wij u niet helpen.' Harold deed alsof hij beledigd was, vervolgens veranderde hij van toon en zei ongeduldig: 'U moet goed begrijpen dat het om uw opname in de Bondsrepubliek gaat. U wilt toch opgenomen worden?'

Nelly knikte, aarzelend keek ze mij aan, daarna Harold weer.

'Nou, vooruit.' Harold hield haar de balpen voor.

Nelly liet haar handen in haar schoot liggen. Ze keek me opnieuw besluiteloos aan. Ik kreeg de indruk dat ze mijn steun verwachtte.

Harold duwde nu de punt van de balpen op het papier.

'Hier. Hij heeft me te verstaan gegeven dat hij geen hoop meer had. Hier, schrijft u dat op. En hij eindigde met de zin dat u het niet persoonlijk mocht opvatten. Hier.'

Nelly keek me opnieuw aan.

'Hier.'

De verwachting in haar blik deed me iets vragen waarvan ik pas hoorde wat het was toen ik begon te praten. 'Hoe interpreteert u die zin dat u het niet persoonlijk mocht opvatten?' Ik deed mijn best om mijn stem meelevend te laten klinken. Tenslotte moest ik vragen stellen.

Nelly kruiste haar armen over haar borst en keek me met grote, heldere ogen aan. Ze antwoordde niet.

'Hier', Harold boorde de balpen in het papier. Hij leunde naar voren. 'Mevrouw Senff?'

'Zoiets stond op geen enkel papiertje.'

'Pardon?' Harold greep naar zijn oor. 'U hebt ons iets voorgelogen?'

'Nee, ik heb het zo niet gezegd.'

Harold bladerde in het dossier. 'Mevrouw Senff, we stellen die vragen alleen maar om uit te kunnen maken aan welke represailles u was blootgesteld.'

Nelly knikte. 'Dat hebt u al gezegd, ja.' Ze praatte zo zacht dat ik haar bijna niet verstond. 'Ik ben erg moe, sorry, misschien schiet me gewoon niets meer te binnen.' Ze hield haar hoofd scheef en bevochtigde haar lippen. 'Ziet u, de staatsveiligheidsdienst heeft me al mijn halve leven ondervraagd, en nu bent u het, morgen zijn het de Britten, en overmorgen willen de Fransen – tenzij u nog niet klaar met me bent. Wanneer is de beurt aan de geheime dienst van de Bondsrepubliek? Dat ben ik al vergeten. En aan de grens hebben onze ambtenaren me ondervraagd, geen idee wie het waren, misschien staatsveiligheidsagenten in een soort politie-uniform. Mijn hoofd is leeg, zo leeg, u kunt het zich niet voorstellen, ik weet al niet meer wat ik u verteld heb en wat ik de anderen verteld heb. Dit is een kruisverhoor, niets anders. Misschien probeert u het morgen nog eens met me?' Haar vraag klonk bijna smekend.

'Bent u verhoord?' Harold liet zich door haar uitputting niet van de wijs brengen. Ik keek naar de klok, we ondervroegen haar nu al zeven uur lang, in ploegen, en ik kende McNeill en Fleischman goed genoeg om te weten dat ze haar niet voor vijf uur naar buiten zouden laten.

Nelly lachte hysterisch. 'Of ik verhoord ben? Is dat een grap? Ononderbroken word ik verhoord, u verhoort me, andere verhoren me, alles is buiten, hoort u me, er zit niets meer in mijn hoofd, leeg, uitverhoord, alles eruit verhoord.' Nelly sloeg met haar vuist tegen haar hoofd. Ik had haar willen tegenhouden als ik had gekund en me niet belachelijk had gemaakt. Toch bleef haar stem vriendelijk en vast. Inderdaad was er een merkwaardige tegenstelling tussen haar stem en haar zogenaamde uitputting.

'Maar daarvoor, voor uw aanvraag, heeft men u toen ook steeds verhoord?'

'Natuurlijk, ik ben vast wel zeven of tien of vijftien of tig keer ondervraagd door de staatsveiligheidsdienst, soms op het politiebureau. Ik moest naar die verhoren gaan om aan mijn studie te kunnen beginnen, later om mijn werk op de Academie van Wetenschappen te krijgen. Ook tussendoor waren er gelegenheden om me te dagvaarden.'

‘Waar vonden die verhoren precies plaats? Wie leidde ze?’

‘Wat is uw naam?’

‘Waarom de mijne? Ik vraag u alleen maar de namen van de ondervragers van de staatsveiligheidsdienst.’ Harold had zijn geduld allang verloren, hij deed geen moeite meer om vriendelijk te zijn.

‘Denkt u dat daar namen vallen? Dat zou u toch in elk geval moeten weten. Geen enkele naam. En zelfs als ze zich hadden voorgesteld, hoe onthou je nu een naam in zo’n situatie?’

‘Waar werd u verhoord?’

‘Waar ben ik hier?’

‘Ach, waar ben ik? Was u daarnet bewusteloos, juffrouw? Huis P, daar bent u.’

‘Huis P. Het waren verschillende plaatsen.’

‘En welke?’

‘Ik weet het niet meer.’

‘Hier.’ Opnieuw duwde Harold op het vel papier en boorde met de balpen een gat in het vel. ‘Schrijft u de namen van de plaatsen en personen op. Maakt u een schets van de plaatsen.’

Nelly bewoog niet.

Harold haalde diep adem, stak een Marlboro op en klopte op het doosje, zodat er nog meer sigaretten uitkwamen.

‘Wilt u er niet toch een?’

‘Nee, dank u.’

‘Hmm. Of een Camel?’ Harold haalde een pakje Camel uit zijn borstzakje. Hij hield haar het pakje voor. ‘U mag het hele pakje hebben. Camel. Echte Amerikaanse sigaretten.’

Nelly schudde haar hoofd. Harold inhaleerde drie keer snel achter elkaar. ‘Hebben ze u gevraagd om mee te werken?’

‘Dat ook, ja. Hebt u dat niet al eens gevraagd? Ik heb verschillende soorten activiteiten aangeboden gekregen. Maar ze bevielen me niet.’ Nelly lachte. Ze lachte als een jong meisje dat een dubbelzinnige grap gesnapt heeft maar niet weet of ze dat moet laten blijken, en ten slotte zwijgt om deugdzaam te lijken en op die manier ten minste te ontkennen dat ze hem misschien heeft gesnapt. 'Ziet u, ik had altijd een goed argument om me te beschermen tegen de staatsveiligheidsdienst. Ik heb gezegd dat ik uit een joodse familie kom. En bovendien was mijn wetenschappelijke ambitie niet groot genoeg. Ze konden me alleen maar kleine steentjes in de weg leggen.'

'Maar wat had het behoren tot het joodse geloof voor uitwerking? Kunt u dat wat duidelijker uitleggen?' Harold stak een nieuwe sigaret aan met de vorige die hij nog niet helemaal opgerookt had en blies de rook in het gezicht van Nelly. Hij deed dat niet met opzet, het kwam door zijn concentratie op wat hij moest horen, moest vragen, moest verzwijgen.

'Dat weet ik ook niet. Het ging ook niet om het geloof. Ik heb gewoon gezegd dat ik uit een joodse familie kom, en dat werkte als een verontschuldiging. Alsof het vanzelfsprekend was dat je niet met ze wilde samenwerken als je uit een joodse familie kwam. Of misschien ook alsof ze zelf geen belangstelling hadden om met mensen als ik nauw samen te werken. Met geloof heeft dat niet veel te maken. Maar dat interesseerde de staatsveiligheidsdienst niet. Weet u, ik ben niet politiek, ik ben niet religieus, ik ben gewoon helemaal leeg in mijn hoofd en wilde niet langer in die gevangenis blijven.'

'Wat bedoelt u met gevangenis?'

'Nou, al die plekken.'

'Welke plekken?' Weer boorde Harold de balpen in het vel. Intussen zaten er verschillende gaatjes in, zonder dat Nelly ook maar de minste aanstalten maakte om haar hand in de richting van de balpen te bewegen.

'De Müggelsee. In Friedrichshagen woonden we er nog geen tien minuten vandaan. Wassja was een fantastische zwemmer. De kroeg waar Wassja me op een avond zei dat hij met me wilde trouwen. De volgende dag was hij het vergeten. Hij beweerde dat hij alleen maar dronken was geweest.'

Harold rolde met zijn ogen, ondersteunde zijn hoofd met zijn hand en keek naar het plafond. Nelly leek zijn ontgoocheling niet te merken, ze praatte onverdroten voort.

'Begrijpt u dat niet, ik was omsingeld, er zijn hier, ik bedoel daarginds alleen maar plekken die me aan dingen herinneren. En elke herinnering is een leugen, dat valt me soms op als ik mijn kinderen hoor, of andere mensen. Maar nu lieg ik alleen, weet u, en het is een verschil of je met z'n tweeën bent met je ervaringen en de levendigheid ervan die ze ons als leugens, als mooie of lelijke, doen voorkomen, of dat je ze alleen overeind moet houden. Dat weegt zwaar. Ja, stel u voor, herinneringen wegen als een kind. Hoe zwaar denkt u dat een kind wel niet weegt als je het alleen moet dragen?'

Nieuwsgierig keek ik naar die Nelly Senff. Ik wilde een teken van haar ongeluk zien, een teken van pijn in het gladde, jonge gezicht. Niets. Ze streek de haarstrengen nu achter haar oren. Dat was alles.

'U voelde zich niet door de Muur gevangen?' Harold stak zijn nek uit. Ook hem leek er heel wat aan gelegen om haar een goede vluchtelingenstatus te bezorgen.

Maar Nelly Senff glimlachte onbekommerd en negeerde zijn vraag.

'U bedoelt omdat we niet mochten reizen en niet konden studeren wat we wilden? Godzijdank, kan ik alleen maar zeggen, godzijdank staat die Muur er, anders waren er waarschijnlijk ook in uw helft van de stad duizend plekken met herinneringen. Mijn grootmoeder mag vrij reizen, dat mocht ze altijd al. De door het nazi-regime vervolgden werden niet vastgehouden. Ze leken vrijwillig gekomen te zijn en te blijven. Mijn moeder zegt dat ze gewoon geen keuze hadden. Wie na de oorlog wilde terugkeren, moest naar het Oosten. Maar ik denk dat het een fata morgana was. Een utopie. Zo ongeveer datgene wat voor velen van ons in het Oosten nu het Westen is. Het betere ik van een verwoest land, een mislukt land. Ik zou eerder zeggen dat ze vanuit de verte door de socialistische idee verdoofd werd.'

'Waarom zegt u verdoofd?'

'Is het soms geen verdoving? Stelt u zich eens voor dat u vanwege uw afkomst vervolgd en mishandeld wordt, dat u in kampen of in ballingschap leeft, altijd in angst. Aan God valt niet meer te denken. Geen tijd, mijn grootmoeder zei altijd dat ze gewoon geen tijd had en dat ze ook niet meer het geduld kon opbrengen om aan hem te denken. En uiteindelijk ontdekt u tegenbewegingen, revolutionairen, vurige communisten – mensen die eenvoudig het talent hebben om hun hoop nooit te verliezen, omdat ze hun hoop elders veilig opgeborgen hebben en hem aan een heel volk opdringen...'

'Ho, ho, mevrouw Senff, langzamer alstublieft, we kunnen u niet meer volgen.' Ik zag dat de vrouw die de notities nam radeloos voor haar schrijfmachine zat en door de woordenvloed het tikken had opgegeven. Haar vingers lagen als verstard op de toetsen.

'Hebt u dan geen afluisterapparaten?' Nelly knipperde met haar ogen.

'Afluisterapparaten?' Harold schudde zijn hoofd. 'U bedoelt opnameapparaten? Voelt u zich door ons vervolgd?'

'Zolang u op uw plaats blijft zitten niet, nee, en waar zou u trouwens achteraan moeten zitten? Achter mijn lege hoofd?'

'Zo leeg is uw hoofdje helemaal niet,' zei Harold en hij gebruikte dat verkleinwoord vast alleen in de zin van knap, want haar hoofd was verre van klein, 'maar u moet wat langzamer praten, mevrouw Senff. U bedoelt dat de socialistische verdoving, zoals u dat noemt, een gevolg was van de vervolging van de joden? Of van het debacle van de nazi's?'

'Ach, zo simpel is het niet. Er waren hier toch nauwelijks nog joden op wie dat van toepassing kon zijn. Ik denk alleen maar dat het communisme een vervanging van de religie is.' Zachtjes voegde ze eraan toe: 'Misschien ook van de Weimarrepubliek. Maar dat zou een andere stelling zijn.'

'Ja?' Harold kon een ongelovige grijns niet onderdrukken. Maar goed dat Nelly niet op hem lette.

'Het trof in het bijzonder mensen die niet alleen in staat waren om in een idee te geloven, maar voor wie het geloof altijd al een soort noodzaak was en wier geloof hun op de een of andere manier ontnomen was. Net zoals ze hun familie kwijtraakten, raakten ze ook hun geloof kwijt. Vanuit een ander perspectief bekeken geldt dat verlies zeker ook voor de nazi's. De afloop van de oorlog moet hen gekwetst hebben. Want zij hadden ook met heel hun hart in de nationaal-socialistische idee geloofd. Het communisme als beslaglegging op het individu en als collectivisering is alleen maar schijnbaar het tegendeel van uitsluiting. Opeten en doodmaken. Zijn niet beide een symptoom van de angst? Angst voor het vreemde?'

Harold lachte openlijk naar haar: 'Zoveel filosofie heeft ze ook nog gestudeerd. Maar keert u het eens om. Wat denkt u van lust? Lust naar macht?'

'Geen angst?' Nadenkend keek Nelly Senff naar haar knieën, die ze over elkaar had geslagen. Haar ogen glansden toen ze weer opkeek naar Harold: 'Als je een mens datgene afneemt waarin hij gelooft, laten de pijn en het gevoel van onrechtvaardigheid een groot verlangen naar schadeloosstelling achter, een behoefte om op te gaan in een nieuwe ideologie die opgewassen is tegen het verlies van de oude. Het communisme was dat gedurende korte tijd – en toen er niemand meer nauwkeurig naar wilde kijken, uit angst voor nieuwe wonden en de maar al te bekende pijn, heeft het communisme zichzelf in het socialisme veranderd. Zo werd het tenminste genoemd. Ook dat is alleen maar de schijn van wat de naam belooft. Littekens zijn vaak gevoelloos, wist u dat niet?'

Harold en ik zaten beiden met open mond te luisteren naar die vrouw, die ondanks de zogenaamde leegte in haar hoofd, een hoop wartaal uitsloeg. Eer ik het zelf in de gaten had, wreef ik over het lange litteken op mijn voorhoofd. Ze had gelijk, het litteken zelf was gevoelloos, alleen mijn vingers voelden het, alsof het een vreemd voorwerp midden op mijn huid was.

'Nog een laatste vraag, mevrouw Senff. Ziet u de vraag maar als een laatste kans, of als u wilt als een hint: weet u zeker dat u wilt worden opgenomen door de regering hier?' Harold stak een sigaret op en wachtte op een reactie, die uitbleef. 'Het moet u bekend zijn dat een aanvraag voor een verblijfsvergunning ook wel eens afgewezen wordt? Weet u hoe het eraan toegaat in de kampen voor niet-erkende vluchtelingen?'

Moe keek Nelly Senff ons aan. Ze vertrok geen spier. Het leek bijna alsof ze Harolds dreigement niet merkte. Haar stilzwijgen en de onwil om ons informatie te verschaffen die daaruit bleek, leken belangrijker voor haar dan een veilige en makkelijke opname in de Bondsrepubliek.

'Door de opnameprocedure wordt bepaald of er bij u dringende redenen of gewetensconflicten bestaan voor de verhuizing. Zoals het er nu naar uitziet, zou het bij u wel eens moeilijk kunnen liggen. Ja, we zijn wel in Duitsland, maar we spelen niet voor Sinterklaas. Ik hoop dat dat duidelijk is. En anders, dat kan ik u wel zeggen, anders kunt u uw aanspraken vergeten.'

Nelly Senff haalde haar schouders op, ze onderdrukte een geeuw.

'Als u ons nu wilt verontschuldigen. Onze collega's zullen zo meteen bij u komen en nog meer vragen stellen.'

Harold tikte de meer dan drie centimeter lange as van zijn filter en liet de uitgeholde filter in de overvolle asbak vallen. Het sluitmechanisme deed het niet meer, de peuken hadden de schaarachtige opening verstopt. Harold scheurde de wikkel van een chocoladereep af, stopte een halve reep in zijn mond en hapte. Schijnbaar moeizaam kwam hij overeind. Zonder daartoe uitgenodigd te zijn, volgde ik hem. In het voorbijgaan knikte ik haar toe. Ze keek naar de grond, en ik zoog haar geur op.

Buiten zei Harold tegen me: 'Jezus, zo eentje ontbrak er nog aan, die wil ons een lesje leren over gevoelloosheid. Is ze wel goed snik? En heb je haar benen gezien? Die kunnen zich niet eens scheren, die Duitse vrouwen, ze zijn allemaal hetzelfde, in het Oosten en in het Westen.'

'Misschien krijgen ze hier behalve etensbonnen niets anders.'

'In welke wereld leef jij, man, John, heb je nog nooit naar de benen van Duitse vrouwen gekeken? Ik zeg het je maar liever meteen, die scheren ook niets anders. Je moet al heel lieve uitzoeken als je een beetje gladde huid wilt.'

In plaats van hem te antwoorden vroeg ik of hij echt dacht dat Nelly Senff iets wist over onze verdenkingen tegen Batalow. Zonder aarzeling zei Harold dat hij zich dat niet kon indenken. Een trut was ze, die vrouw, en een domme ook, verder niets. De anderen moesten misschien maar eens die wervingspogingen van de staatsveiligheidsdienst nagaan, en nog een keer vragen wanneer dat precies was en wat ze hun zou kunnen hebben gezegd.

We kwamen in de vergaderruimte en groetten onze chef, die al op de hoogte leek: 'Een harde noot?'

'Eerder een lege'. Harold lachte en ging naar de wc.

McNeill klopte op mijn schouder. 'We zullen haar er in ieder geval morgen uithalen. Die noot moet maar hogerop gekraakt worden.'

Soms voelde ik me beledigd dat de elite van de CIA, die nooit een voet in het kamp zette, meende het allemaal zoveel beter te weten dan degenen die bijna dagelijks dienst hadden in het kamp. Dan hoopte ik op een dag zelf bij die elite te horen en niet meer langs de slagboom en naar het afgezette kampgedeelte in huis P te hoeven. Nu al waren er dagen waarop ze zeiden dat ze me buiten in de Argentinische Allee nodig hadden. Officieel als verbindingsschakel, maar het vermoeden lag voor de hand dat ze onze werkmethodes observeerden en mogelijke kandidaat-medewerkers uitzochten. Zoals morgen, als mijn collega vrij had en ik bij het verdere verhoor van Nelly Senff aanwezig mocht zijn.

'Hé, ik heb het tegen jou, slaap je nu al zittend?' Eunice stompte tegen mijn bovenarm. Ze zag er verslagen uit, haar ogen waren rood en klein. Waarschijnlijk eerder van de stuff dan van het huilen. 'Ik krijg iets van dat donker hier.' Ze liet zich naast mij op de divan vallen en duwde haar hoofd tegen mijn schouder. 'Denk je niet dat ze in de States ook een job voor je hebben?' Haar adem stonk, alsof ze haar mond in geen eeuw meer had opengedaan.

'Ik wil terug, ik wil terug, je bent toch geen baby meer, Eunice, er waren kansen hier, ook voor jou, je had Duits kunnen leren, je had iets kunnen studeren.'

'Had, had, had. Waarom studeren? Ik teken. Duits leren? Ik word nog liever kannibaal. Waarom zou ik Duits leren als er niemand is met wie ik kan praten?'

'Wil praten, Eunice. Draai de zaken achteraf niet om. Alsof ik je gedwongen heb.'

'Maar je hébt me gedwongen, dat weet je heel goed.'

'Waarmee?'

'Je hebt me nooit iets gevraagd, je hebt gewoon gezegd: zo liggen de zaken, zo en zo, we verhuizen naar Berlijn, Duitsland.'

'We zitten niet in Siberië.'

'Nee, in Duitsland, lieverd. Mijn vriendin Sally heeft het haar man maar één keer hoeven vragen en hij is met haar terug naar New Orleans gegaan.'

'Alsjeblieft, Eunice, kom niet weer aan met Sally. Zonder haar geen Dutch Morial. Laat me niet lachen.'

'Hij was toch maar mooi een zwarte burgemeester. We zitten hier aan het eind van de wereld. Mijn vriendinnen...'

'Die zijn ook ongelukkig, dat zeg je zelf. Bovendien ben ik moe. Ik dacht dat je alleen wilde slapen?'

'Dat wil ik ook.' Trots en koppig draaide ze zich om en liep de trap weer op. Ik hoorde haar iets onduidelijks zeggen dat klonk als 'Is het je opgevallen dat ik je niet meer nodig heb?' Maar ik luisterde niet langer, en haar gemompel verdween met haar naar de bovenverdieping. Uit de badkamer hoorde ik een bruisend geluid. Aan het einde van de divan lag de roze deken waarin Eunice zich overdag hulde als ze naar de televisie keek en tekende. Ik spreidde die over me uit en probeerde me de geur van Nelly te herinneren. Als ik Wassilij Batalow was geweest, dacht ik, had ik haar ook niets gezegd. Iemand die zo merkwaardig denkt als deze Nelly Senff, die wijd je niet in als je nog goed bij je hoofd bent. Maar misschien was hij niet meer goed bij zijn hoofd geweest. Misschien had ze hem wel allang van zijn verstand beroofd. En bovendien zei mijn instinct me

– al toen ik gehoord had welke vragen de Britse geheime dienst wilde stellen, en ik daaruit kon afleiden wat zij van ons of de Fransen wisten – dat die spionageactiviteit van Wassilij Batalow niet veel voorstelde. We zouden ervan geweten hebben, zeker als hij ook voor ons als dubbelspion had gewerkt, zoals de anderen vermoedden. Maar wij wisten van niets. Voor zover ik wist althans, wisten wij van niets. Met mijn gedachten vermengde zich een gelijkmatig zoemen, het zoemen van een kleine motor. Ik deed mijn ogen open en staarde in het donker. Misschien poetste Eunice haar tanden met de elektrische tandenborstel die we uit de VS hadden meegebracht. Whatever. Vervolgens hoorde ik een zacht gekreun. Ik wilde er niet over nadenken of Eunice van genot of van pijn kreunde. Misschien huilde ze weer. Ik snoof door mijn neus. Als de slangen elkaar opvraten en zich stukje bij beetje in het lijf van de andere wurmden, rees de vraag welke overbleef. Diegene die jonger en sterker was en vlugger kon eten, of diegene die meer uithoudingsvermogen had en meer kon bevatten? Mijn oordopjes lagen in de badkamer in het medicijnkastje, maar ik wilde nu niet meer naar boven en haar in haar eenzaamheid storen. Ik aarzelde, maar pakte toen toch een van de papieren zakdoekjes en plukte eraan tot het in mijn oren paste.

Gelukkige Hans Pischke

De baby huilde. Elke kier in mijn kamerdeur had ik dichtgestopt, het sleutelgat rond de sleutel met kauwgum dichtgeplakt, hij huilde, een deken voor de deur gehangen, het metalen stapelbed naar de andere kant van de muur geschoven, hoewel dat tegen de voorschriften was, hij huilde, mijn oren dichtgestopt, hij huilde, de deken over mijn hoofd getrokken, hij huilde, alleen maar door de kleinste luchtgaatjes in het dekengewelf geademd, oppervlakkig geademd, nauwelijks nog geademd, omdat het gehuil mijn zenuwen kapotmaakte en me 's ochtends geradbraakt deed ontwaken.

Ik klom uit bed, neuriede een lied tegen het babygehuil in en pakte de waterfles van de tafel om erin te plassen.

'Hou je kop,' werd er vanuit het onderste bed gegromd. Geschrokken draaide ik me om. In het bed bewoog de deken, en ik herkende de haarbos van de nieuwe kamergenoot.

'Neem me niet kwalijk, ik was u vergeten,' fluisterde ik, zette de fles neer en trok mijn broek weer op.

'Je moet gewoon je kop houden, man, je praat al de hele nacht, de hele morgen.' Hij trok de deken nog verder over zijn hoofd, nu was niet eens zijn haar meer te zien. Er zaten bloedsporen op zijn deken, op de grond en op de zakdoek die op de vloer voor ons bed lag. Het grootste gedeelte van de voorbije twee dagen had ik hem op een stoel zien zitten, met zijn hoofd achterover om zijn bloedneus te stelpen. Maar blijkbaar was die niet te stelpen, niet als hij zat, niet als hij lag, niet als hij wakker was en niet als hij sliep. 'U moet wel erg lijden.'

'Hou nou gewoon je bek, man,' brulde hij van onder zijn deken.

Om 's morgens niet de kamer uit te hoeven, had ik een dompelaar gekocht die ik even in mijn kopje hield tot het water heet genoeg leek om er het bruine instantpoeder in te schudden en het om te roeren. De baby huilde door de muur, ik keek of de kale muren niet trilden en een beetje kromtrokken onder de pijn van het huilen. Maar er trilde niets en er trok niets krom, alleen maar in mezelf, tot ik er misselijk van werd. Door een baby liet ik me niet wegjagen, beslist niet, en ik ging ook niet naar de wc, als het enigszins mogelijk was niet, zo weinig mogelijk, want daar kon ik de moeder van de baby tegenkomen, of de vader, of iemand van de Russische bende, drie mannen en een vrouw, broers en zus zeiden ze, ze sliepen in de twee stapelbedden in de tweede grote kamer, en ik in de kleine aan de kant, ik rolde me ineen, probeerde niet naar de wc te moeten, niet te moeten kotsen, op geen enkele manier ooit nog iets van me te moeten weggeven. Maar verjagen liet ik me niet meer. Als ik er goed over nadacht, was Nescafé de beste verworvenheid van de westerse wereld.

'Heb je smurf gezegd?' Opeens ging mijn kamergenoot rechtop zitten en staarde me aan. 'Zeg dat nog eens.'

'Pardon? Wat zegt u?'

'Herhaal dat eens. Smurf?'

'Ik? Nee, ik heb niets gezegd, echt niet.' Ik trok mijn hoofd in, keerde mijn rug naar hem toe en hoopte dat het gerommel achter mij betekende dat hij weer was gaan liggen.

Ik sprak vaak in mezelf zonder het te merken. Ik had waarschijnlijk over de smurf verteld die Birgit en Cesare hadden meegebracht toen ze me op mijn verjaardag in het kamp hadden bezocht. Daarvóór hadden ze hier geen voet gezet, ze waren vast bang voor de portier en de controles. Tot de dag dat ik jarig was, alsof dat verschil voor me maakte. Cesare haalde uit zijn jaszak een pot Nescafé, gooide de inhoud ervan op mijn tafeltje, en Birgit toverde uit haar tas een blauw kinderfiguurtje te voorschijn van een duim hoog met een slappe muts en een trompet. Om zijn hals droeg het plastic geval een stuk rode stof, een doekje dat ze blijkbaar nadien had gemaakt. Het bovenlichaam van het verder blauwe figuurtje was roodgelakt, in dezelfde kleur als Birgits nagels. Birgit noemde hem de rode-garde-smurf, ze zette hem op de top van de koffieberg en keek me stralend aan. Waarschijnlijk onbewust drukte ze haar beide borsten tegen elkaar en zong, alsof ze een toverformule uitsprak: *Hansje klein, heel alleen, loopt de wijde wereld in. Stok en hoed staan hem goed, hij is welgemoed.* Maar in plaats van de laatste regels *Maar zijn moeke weent nu zeer, want ze heeft geen Hansje meer* had Birgit op haar lip gebeten.

De baby kende geen deuntjes. Hij sprak geen woord. Hij kende maar één manier om zich te uiten: hij huilde.

Birgit was mijn nicht. Haar tante had mijn oom leren kennen toen ik zestien was. Op slag besloten die twee toen om me weg te halen uit het tehuis waarin ik tot op dat ogenblik gezeten had en me twee volle jaren ouderlijke zorg te gunnen. Sinds die tijd had ik Birgit met grote tussenpozen op familiebijeenkomsten ontmoet, waar ik steevast opnieuw werd voorgesteld, alsof ik er juist bij kwam en waar ik me tot op het laatst een vreemde voelde. Maar niet alleen daarom. Birgit was kunstenares en ze zorgde ervoor dat men dat feit in geen geval vergat. In Cesare had ze blijkbaar een vriend gevonden die niet alleen onder de indruk was van haar kunstenaarschap maar haar ook nog trots bij elke happening hielp. Hij noemde zichzelf communist en ik vermoedde sterk dat hij het best interessant vond dat zijn Duitse vriendin uit het Oosten kwam. Toen ik Birgit en hem ontmoette in de Weltlaterne, kort na mijn aankomst, maakte hij gebruik van de gelegenheid dat ze naar de wc ging om me kond te doen van het geluk dat hem te beurt was gevallen. Ze was echt gevlucht, moedig, zei hij met stralende ogen, terwijl ik aan mijn eigen mislukte vlucht dacht en zijn stralende blik als een vernedering beschouwde. Tenslotte was haar vlucht succesvol geweest, ook al was het een andere dan die waarvoor ik hem tot nu toe gehouden had. Cesare vertelde me echter dat Birgits ideeën communistischer, of toch zeker revolutionairder waren dan de socialistische. Ze had het monument van Lenin rood beschilderd, van boven tot onder

– hij snoof – en dat zonder betrapt te worden. Ik knikte en dacht aan die nacht waarin ik – moederziel alleen – op drie meter hoogte me moeizaam aan Lenins hoofd had vastgeklampt en tegelijk geprobeerd had om de emmer met verf, die aan een touw om mijn heupen bungelde, recht te houden – tot ik uitgleed en precies op het ogenblik dat de schijnwerpers oplichtten mijn evenwicht verloor, langs Lenins bronzen harnas naar beneden gleed, mijn voeten uit angst voor de val kromde – wat beslist een fout was, want zo brak ik ze allebei – en als een dilettant op de grond in elkaar klapte. Als een dilettant. Ik was dat beslist niet. Ook al was alleen het hoofd van Lenin rood, want ik wilde natuurlijk bovenaan beginnen, en tot onderaan was ik niet gekomen – in zoverre was 'van boven tot onder' een regelrechte overdrijving, en het had me verschillende maanden gevangenis gekost, die Birgit in het heldenverhaal dat ze zich had toegeëigend, voor het gemak verzweeg. Misschien leek dat haar te moeilijk, een gevangenisverhaal verzinnen. Dat Birgit nu mijn ervaring tot haar verhaal had gemaakt, kon ik haar niet kwalijk nemen, want het had duidelijk het gewenste effect. Cesare lag aan haar voeten. Ik nam een slok bier en knikte. 'Te gek, onze Birgit, te gek.' Birgit kwam terug van de wc, ze had zwarte lipstick opgedaan en keek Cesare vragend aan: 'Mamma mia, stoor ik jullie?' Waarop ze op zijn schoot ging zitten en in zijn wang beet. Wat dat betreft vulden ze elkaar perfect aan, zij vond het duidelijk chic dat haar vriend een Italiaan was – zo vatte ik althans haar lievelingsuitdrukking van dat ogenblik op, 'Mamma mia'.

Het stond vast wat de volgende vraag van Birgit zou zijn: of ik nou eindelijk een job of een flat had gevonden. Dat doel leek me een illusie.

'Verdomme,' werd er in mijn oor gebruld, en twee handen sloten zich om mijn hals, 'ik ben een vreedzaam mens, een vreedzaam mens. Verdomme.'

'Neemt u me niet kwalijk.' Ik probeerde me uit zijn omklemming te bevrijden maar mijn kamergenoot drukte zijn handen op mijn strot.

Zonder waarschuwing vooraf liet hij me los, en ik moest me aan mijn stoel vasthouden.

'Ik wil een andere kamer,' vloekte de kamergenoot, hij deed zijn schoenen aan. 'Dit is echt te veel gevraagd.'

'Neemt u me niet kwalijk,' zei ik nog een keer voor hij overeind sprong, zijn jasje van de stoel griste en de deur achter zich dicht knalde.

Birgit en Cesare waren mijn enige kennissen in Berlijn, of eigenlijk waren ze mijn enige kennissen in het Westen, ook al moest ik toegeven dat er in het Oosten niet veel meer geweest waren. Als je althans onder het woord kennissen iets vriendelijks verstond.

We hadden koffie op mijn verjaardag gedronken, de eerste Nescafé van mijn leven, en ook mijn toenmalige kamergenoot hadden we wat aangeboden, maar die stond juist in overhemd en stropdas klaar om naar een sollicitatiegesprek te gaan. Birgit prees het uitzicht op het identieke nieuwe gebouw tegenover het onze en op de kamers van de andere kampbewoners. Je moet in het leven iets riskeren, herhaalde Cesare een tweede keer, waarbij hij bewonderend naar het stapelbed keek en de kleine ruimte waarin ik nu al, hij telde het op zijn vingers na, verschillende maanden zat te vegeteren, met de kleine ruimte van een roofdierenverblijf vergeleek – dat hij blijkbaar vanbinnen meende te kennen.

'In orde,' lachte mijn kamergenoot toen hij de kamer in stormde, een zakdoek onder zijn neus hield en met één hand zijn kleren in een tas stopte. 'Die mag je houden,' zei hij en hij schoof een geopend pakje sigaretten over de tafel naar me toe. 'Hou je taai.' De man verdween en ik had de kamer weer voor mezelf.

Ten slotte had Birgit Cesares hand vastgepakt alsof ze moed moest verzamelen voor haar vraag. Ze wilde me ontvoeren voor een feestje, zei ze. Maar het begon pas om middernacht, vulde Cesare aan.

'Te laat,' zei ik, en ik liet mijn opluchting niet merken, 'op dit uur en voor een hele nacht krijg ik nu geen toestemming meer.' Met mijn duimnagel probeerde ik de lak van het kinderfiguurtje te krabben.

'Toestemming?' Cesare keek om zich heen, lachte en zei: 'Man, ik dacht dat je bijna veertig was, man, waar is je moeder? Toestemming?'

Verbaasd keek ik Cesare aan. Toen kneep Birgit in zijn hand en legde hem uit, onzeker of ze in haar verontwaardiging hard moest roepen of liever juist heel zachtjes moest praten: 'Hij moet zich aanmelden bij de kampdirectie, Cesare, als hij een hele nacht weg wil.' Birgits morele ondertoon leek nog in de kamer te hangen toen ze haar zin allang beëindigd had. Ik stond op en deed alsof ik mijn bed moest opmaken, ik trok de deken recht en schaamde me, misschien nog meer over de onnodigheid van mijn handeling dan over de duidelijk zichtbare erbarmelijkheid van mijn toestand.

In mijn linkeroor zat zachte ruis, er hing een stilte tussen ons drieën, tot Birgit zei: 'Nou, we stappen maar eens op,' en de twee vertrokken.

Ik deed het raam open en zag ze beneden uit de ingang van het gebouw komen. Om niet ontdekt te worden, ging ik niet zoals gewoonlijk met mijn sigaret op de vensterbank zitten, met één voet tegen het raamkozijn. Het vale neonlicht dat vanuit de ingang op hen viel was te zwak om hun gezichten te zien.

'Verlaten?' hoorde ik Cesare ongelovig vragen. 'Zomaar? Wat moet ik me daarbij voorstellen? Nooit zou een vrouw zoiets doen, nooit.'

Ze bleven staan, en ik zag hoe Birgit zich aan Cesare vastklampte. 'Mamma mia, het valt ook niet te begrijpen,' fluisterde ze, 'niemand weet waarom, hij heeft haar nooit teruggezien.'

'Ze was vast ziek,' opperde Cesare.

'Dat was ze niet.'

'Ze had een minnaar!'

'Prima idee. Maar volstaat dat?'

'Wanneer was dat?'

De ruis in mijn oren werd sterker, boven het slaan en ruisen, dat me aan de zuigers van de motoren in de buik van een schip deed denken, klonk nu een zingend, rinkelend geratel, een schurend gekriebel dat ik in alle rust moest verdragen – zolang er niet het metalen geklikklak als het dichtmaken van sloten en geen stemmen bij kwamen, *bewaar uw kalmte, meneer Pischke, anders gaat het niet weg*. Bovendien waren er momenten zoals dit waarop ik van het geruis gewoon genoot, van het schrapen en suizen, dat het me beschermde tegen harde stemmen buiten, dat het in de plaats daarvan kwam, mijn gehoorgang te veel vulde om het antwoord van Birgit te horen, om haar aan een vreemde te horen vertellen waaruit mijn leven bestond, wie ik was, en ik zag hoe Birgit zijn hand pakte en hem meetrok, terwijl hij zijn hoofd schudde en onder het weglopen iets zei van: misschien is hij daarom zo. En: ik geloof het niet, ik geloof het niet.

Ik drukte de sigaret op de vensterbank uit, de ruis was verdwenen, en ik gooide de peuk naar beneden. Ik kon zelfs horen hoe hij beneden neerkwam, alsof mijn oor op de straatstenen lag. De lucht was vochtig. Ik dacht zelfs bijna dat ik een licht gesis hoorde, alsof een laatste vonkje gedoofd werd. Ik keerde me om, pakte mijn plaatsvervanger van de tafel en gooide de kleine rode-garde-smurf vlug in de afvalbak. Niet dat ik me aan het kinderspeelgoed ergerde, echt niet, ik wilde het alleen niet in mijn kamer hebben. Echt geërgerd had ik me aan het losse hoopje Nescafé, dat ik weliswaar probeerde zo grondig mogelijk te verwijderen, maar waarvan ik nog dagen later kleine brokjes onder de tafel en op mijn trui vond, zelfs voor de wc.

De baby achter de muur huilde ononderbroken, en nu kwam haar stem erbij, die klonk schril, en hoewel ik mijn oren wilde dichtstoppen om niets te horen, vernam ik van haar dat hij die nacht geen enkele keer was opgestaan om de baby te kalmeren. Zijn stem kon ik alleen maar herkennen als een diep gegrom, een poging tot antwoord, niet lang genoeg om een verklaring te zijn, en zeker niet kalmerend, want meteen daarop hoorde ik haar weer een zin herhalen die ik al zeven dagen lang van haar hoorde:

'Ik hou het niet meer uit, hoor je, ik kan niet meer.'

'Hoepel dan toch op,' fluisterde ik in mijn kopje, en misschien had haar man iets dergelijks gezegd, want ze begon te huilen, ze huilde als een carillon, hoog en met korte stootjes, 'een gevangenis,' hoorde ik haar snuiven. Daarop volgde gestommel, een plof, geluiden alsof de baby tegen de muur gekwakt werd of er tenminste een stoel aan diggelen geslagen en een pak billenkoek gegeven werd. Vervolgens werd het merkwaardig stil, ik kon geen kreet, geen gejammer van haar horen, en dus beeldde ik me in hoe ze met een verwrongen gezicht aan de voeten van haar man lag en hij uitgeput naast haar neerknielde, opgelucht dat hij haar verwijten tot zwijgen had gebracht, en overmand door een kou die zijn daad draaglijk maakte. De baby leek zich hersteld te hebben en huilde weer uit volle borst. De laatste slok koffie was koud. Ik zette mijn muts op, trok hem als oogkleppen links en rechts over mijn slapen, zodat er zo weinig mogelijk van mijn gezicht te zien was, en luisterde een ogenblik aan de kamerdeur voor ik hem opendeed. De gang was leeg, de deur van de kamer ernaast stond op een kier, maar behalve de zuigeling leek er niemand meer in de woning te zijn. Toch liep ik op kousenvoeten naar buiten en deed de kamerdeur behoedzaam dicht, om te zorgen dat hij in geen geval knarste. Ik trok een haar uit mijn achterhoofd, daar waren ze het langst, en klemde hem in de kier van de gesloten deur. Hoe had ik anders moeten vaststellen of tijdens mijn afwezigheid iemand de deur van de kamer had opengedaan en er had rondgekeken? Haastig liep ik weg.

John Bird wordt getuige

De volgende ochtend reed ik in mijn Mercedes naar de Argentinische Allee. Ik draaide de volumeknop hoger. *Take a chance on me*. RIAS Berlin. Het nieuws van acht uur. Nelly. Nog altijd hoorde ik de song in mijn hoofd, ik reed langs de veiligheidsagenten, gaf mijn jas af, knikte vriendelijk naar de secretaresse en begroette de chefs.

Ik zat er dus weer bij toen aan Nelly Senff nog meer vragen gesteld werden. Dit keer leidde Fleischman het verhoor. Hij was een van de oudsten en had ook het meeste ervaring. Ze had dezelfde jurk aan als gisteren. Haar stoel stond dit keer apart, er was geen tafel, geen cola waaraan ze zich kon vasthouden.

'Hebt u een goede oppas voor uw kinderen?' Fleischman begon met een omweggetje. Zijn stem was warm en schor.

'Mijn kinderen zijn in het kamp, bij de dominee. Ze tekenen.'

'Tekenen ze graag, ja?'

'De school begint pas over een week. Maar dat weet u vast wel. Eerst moet ik uw vragen beantwoorden en u moet uitzoeken of iemand van ons een besmettelijke ziekte heeft, nietwaar? Pas dan mogen we ons buiten onder de mensen begeven.' Nelly Senff maakte melding van onze voorwaarden. In haar stem lag geen ontgoocheling of bitterheid, ook zelfmedelijden leek haar vreemd. Het was mogelijk dat ze zich een beetje vrolijk maakte over de veiligheidsmaatregelen waarmee ze hier onthaald werd, maar ze liet zich niet van haar stuk brengen.

'Ah juist, ja.' Fleischman bladerde rechtopstaand in haar dossier. 'Gisteren hebben de collega's Harold en John Bird hier,' hij wees naar me, 'u vragen gesteld over uw levensgezel, Wassilij Batalow. U hebt hem in Berlijn leren kennen?'

'We woonden niet samen.'

'Maar hij is de vader van uw kinderen. Hebt u hem in Berlijn leren kennen?'

'Ja.' Nelly keek aandachtig van Fleischman naar mij en glimlachte opeens.

Fleischman deed een kleine stap in haar richting. 'Ja?' Zijn stem was bijna vriendelijk, ze verleidde met warmte, met het begrip van een oudere man.

'Niets, ik moest aan iets anders denken.'

'Aan wat dan?'

'Dat zeg ik liever niet. Dat hoeft toch niet, hè?'

Ze streek een haarstreng uit haar gezicht en glimlachte opnieuw. Misschien had ze in mij een oude bekende ontdekt omdat we elkaar gisteren al gezien hadden – wat op dit moment waarschijnlijk een ongewone nabijheid voor haar betekende. Ik was haar oude vertrouwde. Haar schoen wipte onrustig op en neer. Haar donker behaarde benen zagen er mat uit, ze waren licht okerkleurig en in vergelijking met haar voor het overige erg lichte, bijna witte huid leken ze geverfd, zodat er maar één mogelijkheid was: ze droeg okerkleurige nylons bij deze bloemenjurk van een lichte, ik vermoedde tegen het zonlicht zelfs doorzichtige, citroengele stof. Ook de blauwe sandalen pasten er niet helemaal bij.

'Nee. U hoeft helemaal niets.' Fleichsmanns ogenschijnlijke vriendelijkheid week geen millimeter, als hij al teleurgesteld was over haar geslotenheid liet hij dat niet merken. 'Maar ik kan u zeggen wat u dacht. Dat u Batalow helemaal niet in Berlijn hebt leren kennen.'

'Nee?' Er ging een schok door Nelly, haar been hield op met wippen. Verbaasd, bijna nieuwsgierig, keek ze Fleischman aan.

'U hebt hem ontmoet in Ahrenshoop. Hohes Ufer 29. Herinnert u het zich nu?'

'Pardon?' Nelly hoestte.

'De dochter des huizes had u en een paar vrienden uitgenodigd. Daar zag u Batalow voor het eerst.'

'In Ahrenshoop?' Nelly werd rood.

'Een blauw huis, rieten dak. 11 april 1967. U kwam in de loop van de ochtend aan, u was met de trein tot Ribnitz gereden, daar stapt u op de bus naar Ahrenshoop. Een zanderige weg, populieren, duindoorn. Er waren nog meer mensen uit Oost-Berlijn, Karin, de dochter van de eigenaar van het vakantiehuisje, met haar man Lehnert, Elfriede, een vertaalster, Robert en Peter, twee Berlijnse kunstenaars. Uzelf, u deed net uw eindexamen. Uit Leipzig was ingenieur Frank Nause er, met zijn vriendin Bärbel, studente geneeskunde, en ten slotte de vertaler Batalow uit Leningrad.'

Nelly zweeg, de rode vlekken in haar gezicht waren nu uitgezwermd tot in haar decolleté, ze keek ingespannen naar de punten van haar schoenen.

'Vergeet u niet dat wij u kunnen helpen. We willen uw situatie juist kunnen inschatten. U weet wat daarvan afhangt?' Fleischman leunde tegen de schrijftafel. Hij genoot er zichtbaar van dat hij Nelly in het nauw gedreven had door haar te laten merken hoeveel meer hij wist dan zij en anderen dachten. De dossiers van de CIA bevatten inlichtingen waarvan de andere geheime diensten alleen maar konden dromen. De schijnbare vriendelijkheid van Fleischman moest nu voor Nelly onberekenbaar en gevaarlijk lijken. 'Hoe goed kende u die vrienden door wie u Batalow leerde kennen?'

'Hoe goed ik ze kende?' Nelly Senff stotterde.

Eén ogenblik keken Nelly Senff en Fleischman elkaar verbaasd aan, alsof een derde hen vragen had gesteld en ze geen van beiden een antwoord hadden.

Miss Killeybegs deed voorzichtig de deur open, ze droeg een dienblad met een thermoskan en kopjes erop. Er stroomde koffiegeur de kamer in. Toen ze wilde inschenken, pakte Fleischman de kan uit haar hand. 'Mag ik? Ah, miss, en weest u zo vriendelijk ons nog een kopje te brengen?' Miss Killeybegs verdween, en Fleischman goot koffie in een kopje. 'Suiker, melk?'

'Dank u, zwart.' Nelly schraapte haar keel, ze pakte het kopje aan en haalde diep adem.

'Houdt u zich niet van de domme, mevrouw Senff. Als u mijn vragen met vragen beantwoordt, zal ik andere methodes gebruiken en u uiteindelijk in alle vriendelijkheid laten terugsturen.'

'Karin kende ik, de anderen niet.' Nelly wilde het kopje op haar knie zetten. Na een korte poging gaf ze het op en hield het in de lucht.

'Sprak Batalow toen al vloeiend Duits?' Fleischman goot melk en koffie in een tweede kopje, legde drie klontjes op de rand van het schoteltje en zette het kopje voor mevrouw Schröder op tafel.

'Hij had een licht accent, maar de meesten hielden hem voor een Zuid-Duitser. Zijn moeder was in Duitsland geboren, hij is met de taal opgegroeid.' Nelly roerde in haar koffie en keek naar Fleischman op. 'Juist?' Haar eigen uitspraken moesten haar nu nietszeggend voorkomen en voortdurend verifieerbaar aan de kennis van Fleischman.

Fleischman knikte. Voor mij was er koffie met een wolkje melk, Fleischman herinnerde zich bij elk gezicht welke koffie erbij hoorde. Zolang Fleischman het verhoor leidde, zou ik geen enkele vraag kunnen stellen. Terwijl ik haar zo graag had willen vragen hoe lang Batalow volgens haar al in het land woonde en hoe hij zijn Russische identiteit beschreven had. Of het echt een Zuid-Duits accent en helemaal geen Russisch was geweest. Hoewel ze dat laatste niet eens beweerd had. Je afkomst verraadde je op een gegeven ogenblik toch, en over de zijne wisten we nog lang niet alles. De twijfels daarover waren de reden waarom we Nelly als belangrijk geclassificeerd hadden. Het was heel goed mogelijk dat ze ons aanwijzingen kon geven die een of andere verdenking bevestigden of juist ontkrachtten. Batalow zou als vertaler het land binnen zijn gekomen en er gewerkt hebben, maar we hadden geen enkele officiële publicatie van hem gevonden. We hadden alle lijsten van staatsinstellingen gecontroleerd. Ook bij de namen van de andere vertalers en medewerkers dook die van hem niet op. Het verhaal van de nog niet afgesloten inburgeringsprocedure, de zogenaamde reden waarom hij niet met Nelly kon trouwen, was hoogstwaarschijnlijk een leugen. We hadden in ieder geval geen inburgeringsprocedure onder zijn naam kunnen vinden.

Toen miss Killeybegs het vierde kopje bracht, bedankte Fleischman haar beleefd, maar werkte haar tegelijk met een ongeduldig handgebaar de deur weer uit. Hij roerde in zijn koffie, keek Nelly aan, zijn brillenglazen besloegen en hij hield de kop iets verder van zich af tot de nevel voor zijn ogen verdween. In zijn blik was geen radeloosheid of vraag te bespeuren, alsof hij de antwoorden van Nelly al kende en de vragen alleen nog maar stelde uit beleefdheid en voor de goede orde.

'Hebben u en Batalow op elf april in het blauwe huis overnacht en bent u elkaar daar nader gekomen?'

'Daarop antwoord ik niet.' Verontschuldigend schudde Nelly haar hoofd.

'U hebt daar overnacht. Op de zolder, want in de twee onderste slaapkamers sliepen de andere gasten.' Fleischman nam een krachtige slok van zijn koffie.

Het wit van Nelly's ogen zag rood. Misschien waren er adertjes gesprongen door de inspanning om Fleischmans inlichtingen te volgen en om niet te huilen van angst en schrik.

'U bent elkaar pas twee weken later nader gekomen in de woning van een andere vriend.' Fleischman glimlachte strak. 'Hoe heette die vriend?'

Nelly liet haar kopje vallen. Ze keek niet naar de scherven en ook niet naar de bruine strepen die de koffie op haar jurk en haar nylons maakte. Of ze het kopje opzettelijk of per ongeluk had laten vallen was aan haar reactie niet te merken. Ze keek Fleischman niet aan, haar blik gleed langs hem heen, maar ze zei: 'Uw collega heeft gisteren veel tijd verspild met het vragen naar namen. Ik wil geen namen noemen. U behandelt me precies hetzelfde als de staatsveiligheidsdienst. Namen, namen, namen. In uw ogen is een mens niets anders dan een informatiedrager. Ik heb geen namen aan de staatsveiligheidsdienst genoemd – en ik zal die ook niet aan u noemen.'

Fleischman keek haar half geamuseerd, half geïnteresseerd aan, vervolgens knikte hij alsof ze gelijk had, mevrouw Schröder stond op en schonk hem nog wat koffie in. Niemand maakte aanstalten om de scherven van Nelly's kop te verwijderen. Er werd haar geen nieuwe koffie aangeboden. Uit het kopje van Fleischman kringelde de damp omhoog. Hij probeerde een slokje te nemen, maar de koffie was blijkbaar nog te heet. Vervolgens stak hij zijn vinger in de lucht alsof hem nu pas de volgende vraag te binnen schoot. 'Gisteren zei u dat Wassilij Batalow van een huis is gesprongen.'

Nelly schudde haar hoofd.

Het ratelen van de schrijfmachine hield op, maar mevrouw Schröder kon geen herinneringen aan uitspraken van gisteren hebben, want ze was er niet bij geweest, ze kende het kamp niet van binnen, ze verrichtte haar taak uitsluitend in de voorname hallen en kantoren van de CIA. Onbewogen, alsof ze de betekenis van de gesproken woorden niet hoorde, staarde ze in de lege kamer voor zich uit.

'Nee, uw collega heeft dat gezegd. Ik heb hem niet tegengesproken. Maar hij is niet van een huis gesprongen. Dat geloof ik niet. Wassilij had hoogtevrees en zou niet voor zijn plezier op een dak klimmen en zich naar beneden gooien.'

'Zelfmoord pleeg je ook niet bepaald voor je plezier.' Liefdevol keek Fleischman in zijn kopje en dronk de hete koffie zonder te blazen of te slurpen. Mevrouw Schröder ratelde, ging naar de volgende regel, ratelde, corrigeerde en stopte.

Nelly kruiste haar benen nu andersom en beet op haar nagels. 'U hebt niet toevallig een nagelschaartje? Er is daarstraks een nagel ingescheurd en ik vind mijn nagelschaartje niet, waarschijnlijk heb ik het vergeten.'

Fleischman en ik keken naar mevrouw Schröder, die pas na een paar seconden aandachtig werd. 'Pardon? Wat hebt u gezegd? Een nagelschaartje – is dat een echte vraag? Moet ik die noteren?'

'Beste mevrouw, wij stellen hier uitsluitend echte vragen – maar deze hoeft u inderdaad niet te noteren. Misschien kunt u hem beantwoorden.' Fleischman onderhield een bijna liefdevol contact met deze mevrouw Schröder, die beslist niet wist dat ze zonder zijn voortdurende voorspraak allang niet meer voor ons zou werken.

'Ik, wacht, ik moet eventjes kijken, ja, een ogenblikje – nee, mijn handtas is hier.' Ze pakte haar handtas van de leuning van haar stoel en controleerde de inhoud ervan.

Er kwam inderdaad een etuitje te voorschijn, dat ze behoedzaam naast haar schrijfmachine legde. Nelly stond op, pakte het etui, zei dank u en ging weer op haar stoel zitten. Ze deed de rits open. Het schaartje had een gouden greep. 'Op de overlijdensakte stond: dood door nekbreuk na zelfmoord door sprong van dak. In het vakje waar de naam van de arts had moeten staan, stond een streep.' Ze zoog lucht tussen haar tanden, blijkbaar had ze zich gesneden of was de nagel dieper ingescheurd dan ze gedacht had en scheurde nu ook haar nagelriem.

Fleischman wierp me een triomfantelijke blik toe.

Nelly keek naar haar schoenen, vervolgens tilde ze haar hoofd op en keek me strak in de ogen. Ik glimlachte, vanzelfsprekend glimlachte ze niet terug. Ze stopte het schaartje weer in het etui.

'Wat bedoelt u precies?'

'Ik bedoel precies wat ik gezegd heb. Dat was de inhoud van de overlijdensakte die ik moest ondertekenen. Merkwaardig uitvoerig, vooral omdat er geen met naam bekende getuigen leken te zijn.' Ze ritste het etui dicht. 'Ik mocht niet zorgen voor de andere begrafenisformaliteiten omdat hij nog geen staatsburger was. Dat weet u toch vast? De organisatie van zijn begrafenis was in zekere zin een staatsaangelegenheid. Maar ze hadden wel een bos anjers op zijn kist gelegd, en er was een weelderige krans – met bloemen die er al jaren niet meer zijn. In het Oosten niet meer te krijgen waren, bedoel ik. Witte rozen, reusachtige lelies die er bijna als kunstbloemen uitzagen, en dubbele anjers. Niet echt smaakvol. Maar de krans was wel indrukwekkend, vooral omdat er op het lint alleen maar *Aan de trouwe kameraad. Ten afscheid* stond en niemand kon achterhalen van wie hij kwam.' Nelly kwam overeind. Ze moest eventjes wachten tot het geratel ophield en mevrouw Schröder het etui kon aanpakken.

'Van de kunstenaarsvereniging wellicht?' Fleischman maakte een plotse zijsprong.

'En dat vraagt u aan mij? Ik kan me indenken dat u weet van wie.'

'Van wie?' Fleischmann bleef hardnekkig bij de vraag, zodat het mij ook niet meer duidelijk was of hij het nu wist of niet.

'Ik weet het niet.' Nelly schudde haar hoofd, ze wreef in haar ogen en kruiste opnieuw haar benen anders. Onder haar zolen knarste een scherf. 'Zeker niet van de kunstenaarsvereniging. Daar was hij trouwens geen lid van. Denkt u dat je daar als vertaler en als Rus zomaar lid van werd?' Nelly tilde een arm op om de haren uit haar gezicht te strijken. Pas nu vielen me de grote zweetvlekken op haar jurk op. 'Weet u wat mij verbaasde? Dat zijn ouders niet kwamen. Dat er een jonge man sterft en geen enkel familielid komt opdagen. Zijn vader moet rond die tijd al erg zwak geweest zijn. Hij was al lange tijd ziek, dat had Wassilij me verteld. Ze schreven elkaar vaak brieven. De overheid had me beloofd dat zijn ouders verwittigd zouden worden. Ik kon nergens bij, had geen enkel adres, zijn woning was verzegeld – ik had geen rechten.' Nelly schudde haar hoofd, wreef met vlakke handen over haar gezicht en keek hulpzoekend naar mij. 'Hebt u soms wat water voor me?'

Ik wilde al opstaan om wat water voor haar te halen toen Fleischman, die mijn opwinding nog niet gemerkt scheen te hebben, streng zei: 'Nou, we houden zo meteen een pauze. Praat u eerst nog even voort, mevrouw Senff. U had geen rechten?'

Je kon horen hoe droog Nelly's mond was. 'Ongetrouwd. Later heeft men mij en de kinderen een paar persoonlijke spullen bezorgd. Maar zijn vader noch zijn moeder zijn op de begrafenis geweest. Ik heb me altijd afgevraagd of ze misschien geen visum gekregen hebben.'

Dit was het moment waarop ik Nelly had willen vragen hoe ze het feit verklaarde dat ze nog altijd apart woonden, haar minnaar en zij. Ze had vermoedelijk geantwoord dat Batalows woning een werkplek was. Maar daarom was het des te verbazender dat ze geen enkel adres van een familielid had – dat er nooit een ontmoeting had plaatsgevonden. Terwijl dat toch perfect mogelijk was geweest, die hele in Duitsland geboren en in Rusland getrouwde moeder was niets dan een verzinsel. Ik stelde me voor hoe geschokt Nelly Senff zou zijn als we haar dit soort vermoedens voorlegden, hoe ze alle haarstrengen in één keer om haar vinger zou winden en niet meer zou ophouden met haar uitgedroogde mond te smakken, hoe ze ten slotte zou instorten en door iemand van ons opgevangen moest worden. Ik zou niet lang aarzelen. In dat geval zou ik niet vergeten haar mooie jurk te bewonderen. Een fractie van een seconde dacht ik eraan hoe ik haar jurk zou uittrekken zodat ze bevrijd zou zijn van die onaangename zweetvlekken. En over de nylons kon ik zwijgen, net als over vele andere dingen, wat voor haar zeker een weldaad en een onverhoopte bescherming zou betekenen.

Maar Fleischman leek geen last te hebben van aantrekkingskracht of meevoelen. Hij was door en door professioneel, ik kon niet de minste persoonlijke emotie in hem bespeuren. Hij zou Nelly Senff geen belangrijke details vertellen die heel waarschijnlijk alleen maar de CIA kende. Tenslotte kwamen na ons ook nog de andere geheime diensten aan de beurt, en het zou onvoorzichtig zijn om Nelly Senff meer te laten weten.

Fleischman zuchtte. 'Wat kon het betekenen dat de arts op de overlijdensakte niet vermeld stond?'

'Dat betekende dat ik geen naam mocht onthouden, geen adres waarheen ik me zou kunnen richten om na te vragen wat er precies gebeurd was. Dat betekende dat niemand me zou zeggen dat hij met zekerheid van dat dak gevallen was, eraf gesprongen was. En wat betekent het nog?' Nelly wierp een blik op haar horloge. 'Ik droom 's nachts dat hij terugkomt, dat hij achter een huis opduikt en me in een hoek trekt. Hij bekent me dat hij nog leeft, dat het voor iedereen beter was om te geloven dat hij dood was.'

'En zou dat de waarheid kunnen zijn?'

Nelly lachte, een kinderlach, voor zover ik dat als kinderloze man kon beoordelen.

Fleischman keek haar bemoedigend aan.

'Mijn moeder zegt dat het in haar generatie vaak gebeurt. Haar vriendinnen hadden, als ze het al overleefd hadden, als jong meisje allemaal iemand – en soms iedereen – verloren. Ze dromen bijna allemaal dat die doden terugkeren. Niets ongewoons, weet u, je troost je ermee, je roept in je droom die fata morgana op, de plaats, maar ook de tijd, die een andere, opnieuw een gemeenschappelijke is. Alsof je je in een gemeenschappelijk coördinatensysteem van hemelstreken op aarde bevindt.'

'Wat dat betreft hebt u misschien gelijk', Fleischman hield zijn hoofd scheef en krabde zich. 'Zo heb ik het nog niet bekeken. Het is evenwel een feit dat u niet weet of het waar is wat op die overlijdensakte staat.'

'Er zijn zoveel dingen die we niet weten.'

'Hij kan nog in leven zijn.'

'Als ze zijn ouders een leeg graf konden laten bezoeken, ja. Hij kan ook dood zijn. Van dat dak gevallen. Hoewel hij in dat geval onmogelijk zelf gesprongen is, maar eraf geduwd werd.'

'Wie zou er belang bij hebben om hem van een dak te duwen?'

Fleischman hield zich van de domme.

Nelly haalde haar schouders op en geeuwde.

'Wat brengt u op dat idee? Hebt u daar een aanwijzing voor?'

'Dat hij geen afscheidsbrief heeft achtergelaten.'

'Een erg persoonlijk motief voor zo'n veronderstelling.'

'Nee, een motief zou iets anders zijn,' wees Nelly hem terecht. 'Het is een idee, niet meer dan een idee. We hebben het toch over onze ideeën.' Ze boog zich naar voren en kromde haar rug, hield haar handen voor haar gezicht en haalde diep adem. Ik had me al afgevraagd hoe lang we nodig zouden hebben voor ze ging huilen. Fleischman keek me aan en ik meende tevredenheid in zijn ogen te zien. Genoegdoening. Tot dusver had Nelly Senff een heel ongeïnteresseerde indruk gemaakt, zo luchtig als een meisje dat vertelt over geruchten die op zich weliswaar wreed waren maar die haar niet raakten, die geen sporen nalieten in het uiterlijk of het gedrag van het meisje. Ze bleef in die gekromde houding zitten.

'U hebt Batalow toen hij dood was niet meer gezien?'

Fleischmans onbuigzaamheid, een hardheid die naar boven kwam op dit soort momenten, wanneer ik eerder naar de ondervraagde zou willen toelopen en een arm om haar schouder leggen, had hem in zijn loopbaan heel wat moeilijkheden doen overwinnen waarover ijverige medestrijders waren gestruikeld, aarzelend of ze niet hun eigen nek of die van een ander zouden kunnen breken. Nelly's adem was het enige teken van leven dat uitging van haar door en door bevroren of in pijn verstarde of gewoon maar vermoeide lichaam. Ik dacht bijna dat ze hem niet gehoord had.

'Had u hem kunnen zien? Heeft men u aangeboden om hem een laatste keer te zien?'

'Nee. Wat had dat ook moeten opleveren? Zijn lichaam was verminkt. Denkt u dat ze hem hadden kunnen verdoven en schminken en hem verdoofd en geschminkt voor mij neerleggen en dat ik dat geloofd had? Dat ik zou geloven dat hij dood was en dat ik dat vertekend beeld, dat drogbeeld als laatste voor ogen zou hebben?' Haar stem kwam uit de diepte van haar schoot, uit de lichte zomerjurk waarin ze het zeker koud had.

Ze keek ons niet aan en richtte zich niet op. 'Wilt u me nu laten gaan? Ik kan niet meer met u praten. U hebt Wassilij niet gekend, wat gaat u zijn dood aan?'

'Hebt u dat alles vroeger ook al gedacht? Dat zijn dood een voor u geënsceneerde show kon zijn?' Fleischman viel haar in de rede, haar smeekbede om haar te laten gaan raakte hem niet.

Ze tilde haar hoofd op en streek, nog altijd voorovergebogen, de jurk op haar benen glad en ging met haar duim over de plek waar een grote koffievlek zat. Ze sprak tegen die koffievlek, niet tegen Fleischman of mij. 'Zulke gedachten dringen zich op als je in een situatie als de onze geleefd hebt, als er geen aanwijzing voor een mogelijke zelfmoord was. Wassilij heeft zich niet omgebracht bij hem thuis. De dode werd niet door vrienden of familieleden gevonden, maar werd door onbekenden opgeraapt.'

'De dode. U praat alsof dit soort dingen vaker gebeurden.'

'Er zijn zulke gevallen, ja. Wilt u beweren dat u dit niet weet?' Nu ging ze rechtop zitten. Ze had niet gehuild. Ze keek ons aan, eerst Fleischman, vervolgens mij, daarna Fleischman weer. 'U weet toch dat mensen op vreemde manieren verdwijnen. Sommigen duiken weer op in een gevangenis, anderen hebben zogenaamd zelfmoord gepleegd. De combinatie van gevangenis en zelfmoord komt ook geregeld voor.'

'Laten we aannemen dat uw verdenking klopt, laten we eventjes aannemen dat Batalow geen zelfmoord gepleegd heeft maar dat hij gedeporteerd of vermoord werd. Welke motieven zou de staat hiervoor gehad kunnen hebben?'

'Wat wilt u van mij horen? Ik heb Wassilij gekend en ik meen te weten dat hij niet met zelfmoordgedachten rondliep. Maar denkt u dat ik een staat ken? Misschien hielden ze niet van zijn Russische neus. U hebt me verkeerd begrepen als u gelooft dat ik de verdenking koester dat hij gedeporteerd of vermoord werd.'

'Hebt u dat zo-even niet gezegd?'

'Nee. Ik heb alleen maar ter overweging gegeven dat er vele mogelijkheden zijn. Wat bleef me anders over dan daarover na te denken? Hoe kon ik beslissen over een vermoedelijke dode, hoe kon ik mij aanmatigen om te beslissen voor Wassilij of hij uit eigen wil en dus onder eigen verantwoordelijkheid gestorven is – dan wel of een ander, een ondefinieerbare grijze massa genaamd "staat" er schuld aan had. Ik kan dat niet beslissen.' Nelly's ogen werden vochtig. 'Soms geloof ik dat hij het zelf was – en dan ben ik gelukkig en trots en denk dat hij het tenminste zelf besloten heeft, hij heeft altijd graag verantwoordelijkheid gedragen, er stond geen grijze massa tussen. Maar dan weer doet het de pijn in me oplaaien, en voel ik dat ik die trots tegen mezelf en onze kinderen richt, en denk ik: zo gek, zo onverantwoord, zo moe was hij niet. Op zulke ogenblikken haat ik het hele land en zie ik in elke mens op straat een potentiële moordenaar die stilletjes zijn dagelijkse gang gaat om op een dag zijn taak uit te voeren. Ik zie een vader die zijn kind van school haalt en denk onwillekeurig dat die tijdens zijn dienst misschien een uniform draagt en dat hij diegene was die Wassilij heeft omgebracht, misschien met een slag in zijn nek, misschien met een schot. Ik zie hoe de man zijn kind in de lucht gooit en dan wend ik mijn blik af, zie mijn eigen zoon en pak hem vast en probeer hem in de lucht te gooien, maar hij is te groot en te zwaar – en hij heeft geen vader om hem in de lucht te gooien, alleen maar een moeder die hem tegen zich aan drukt...'

Nelly's ogen stonden vol tranen. Fleischman liet geen genoegdoening blijken.

'... en ik vermijd het om naar die andere vaders te kijken. Tenslotte zou hij ook een bakker kunnen zijn en zou ik elke dag zijn broodjes kunnen eten, begrijpt u wat ik bedoel? Dan word ik zelf gek. Zo is het. Op een moment dat ik erg uitgeput ben zeg ik tegen mezelf: je doet er beter aan het jezelf makkelijk te maken. Een ondefinieerbaar iets draagt de schuld – ook al draagt het geen verantwoordelijkheid. En uiteindelijk is het ogenblik gekomen dat ik weg moet gaan en niet langer kan blijven. Daarom ben ik weggegaan en zit ik hier.'

'U gelooft dat u dat verleden hier zo makkelijk zult kwijtraken?' Fleischman glimlachte, een gekunstelde glimlach, aangeleerd, een snijdende scherpe glimlach, en Nelly doorstond die glimlach alsof hij geen pijn deed, ze schudde haar hoofd, er fonkelde verachting in haar blik.

Krystina Jabłonowska's broer smeedt plannen

Op een keer, daags na Jerzy's operatie, kwam ik in het ziekenhuis aan en stond voor een leeg bed.

De jonge blonde verpleegster kwam binnen.

'Alstublieft, zuster, waar is hij?'

'Geen zorgen, mevrouw Jabłonowska, hij heeft alles goed doorstaan. We moesten uw broer eventjes naar de wasruimte brengen. Hij heeft een lichte aanval gehad en had zich helemaal vuil gemaakt. Gaat u zitten en wacht u een ogenblikje, de verpleger brengt hem zo meteen terug.'

Om mijn stoel heen vielen dikke waterdruppels van mijn bontjas op de linoleumvloer. Er ontstonden kleine plassen. Zo zat ik daar te wachten. Ik voelde de blik van de man in het bed naast Jerzy. Hij verslond me. Ik keek uit het venster en hij zei in mijn richting: 'Behoorlijk koud vandaag, hè?' Ik keek naar de boom die zwart in de regen stond, waaraan nog maar weinig bladeren en veel druppels hingen. 'Best nog wel sexy,' zei hij en hij klakte met zijn tong. Vervolgens hoorde ik hem uit zijn tuitbeker slurpen. Ik loerde voorzichtig uit mijn ooghoek naar hem, hij keek in de halsuitsnijding van mijn blouse, en ik trok de bontjas dicht en keek naar een zwarte vogel die buiten in de boom zat te krassen. 'Lekker stuk,' hoorde ik Jerzy's buurman zeggen, en 'spekje voor mijn bekje', en ik zag hoe een tweede zwarte vogel kwam aanvliegen en naast de eerste neerstreek en hoe de eerste wegvloog. Toen mijn broer gebracht werd, tilde de verpleger hem van de rolstoel in het bed, de bijna gepensioneerde zuster Hildegard klopte het kussen op en schikte Jerzy's nachthemd. Door het verplaatsen leek hij helemaal in het nachthemd verwikkeld geraakt, ze moesten hem van links naar rechts draaien, en heel even viel mijn blik op het donkere en weke stuk vlees dat gerimpeld tegen zijn bovenbeen lag, het was erg klein, als mijn pink, en ik had even tijd nodig om me te realiseren wat het was. Uit het bed van de buurman kwam een geklak dat behalve ik niemand leek te horen. De glazige blik van mijn broer trof me alsof hij mijn waarneming had opgemerkt. Vlug keek ik weg en zei tegen mezelf dat ik het nauwelijks gezien kon hebben. Er waren niet zo veel kanten die je op kon kijken. Was het een worm, die de vogel daarbuiten in zijn bek hield? Zuster Hildegard trok mijn broer nog sokken aan voor ze hem met het nachthemd bedekte.

'Vijf mark, ja,' zei de verpleger tegen haar, 'en dat na drie weken fulltime dienst. Echt genereus, hoor.'

Ze snoof door haar neus. 'Ach, daar wen je wel aan, man.'

'Ik niet. Dan ga ik liever avondlessen nemen.' Met uitzonderlijk slanke handen trok de verpleger aan Jerzy's deken, tot die om zijn voeten was gewikkeld en bovenop glad lag.

'Dat vertel je me ook al sinds ik je ken, jongen, al minstens vier jaar.'

De blonde verpleegster kwam erbij. 'Kan ik helpen?'

'Jij tilt hem op, en wij trekken samen aan het laken, er zitten nog plooien in.' De verpleger deed wat zuster Hildegard hem opdroeg, tilde Jerzy op en de blonde jonge verpleegster en zuster Hildegard trokken het laken onder hem glad.

'Je wast ze dag in dag uit, verzorgt ze, mensen die niemand meer wil aanraken – ja, en dan vijf mark als dank.' De verpleger ratelde maar door.

'Geen fatsoen, die mensen, nee, gewoon geen fatsoen.' Het was duidelijk dat de blonde verpleegster heel goed wist waarover hij het had.

'Dan geven ze maar beter niets, heb ik gelijk, Doro?' vroeg de verpleger, en de jonge verpleegster knikte en lachte brutaal. 'Als je gelijk hebt,' zei ze, 'heb je gelijk,' vielen de anderen in, en met z'n drieën trokken ze aan de deken totdat er niet de minste plooi meer te zien was.

In de zak van mijn bontjas voelde ik de portemonnee, er zaten nog maar een paar marken in, beslist niet voldoende om ook maar één van hen vijf mark te geven. De jonge blonde verpleegster, die door de verpleger Doro was genoemd, klopte mijn broer als een kind op zijn wang en zei: 'Nou, gaat het weer wat beter met ons?'

Giechelend liepen ze de kamer uit. Hun gebrek aan respect was pijnlijk voor me, zeker omdat ik wist hoe weinig mijn broer het zelf opmerkte.

Weer hoorde ik het klakken, en nu Jerzy veilig in zijn bed geland was en ik zijn smalle en koele hand in de mijne voelde, keek ik zelfbewust terug naar de buurman. 'Hoe vettiger, hoe prettiger,' zei hij klakkend. Hij lachte me verrast en tegelijk vriendelijk toe.

De operatie was gelukt, Jerzy was weer wakker. In het Pools vroeg hij of ik zijn moeder was.

'Nee, Jerzy,' antwoordde ik en ik overwoog of ik hem moest zeggen dat moeder zeventien jaar geleden gestorven was, vermoedelijk aan dezelfde ziekte die hij nu had. 'Ik ben Krystyna.'

'Dat is goed.' Hij knikte peinzend en er kwam twijfel in me op of hij wel wist wie Krystyna was. Misschien verborg hij gewoon zijn onwetendheid achter zijn knikken. Bij het knikken voelde hij oriëntatie, en dus knikte hij geregeld opnieuw.

'Ja.' Ik liet hem de foto zien van vader die in het kamp op het stapelbed zat en bij wijze van groet naar Jerzy zwaaide. 'Vader doet je veel groeten.'

'Waar is hij?'

'In het kamp. Je weet toch dat hij zich niet graag beweegt, hij ligt de hele dag in bed, en een week geleden, juist voor jouw operatie, is hij overeind gekomen en hij wilde dat ik iemand ging halen om een foto van hem te maken. Zodat je hem niet vergeet, zei hij. Maar in feite is hij het die altijd vergeet dat je in het ziekenhuis bent. Hij klaagt dat je zo weinig komt. Hij denkt dat je bent gaan werken en dat je een woning voor ons zoekt, en soms is hij heel ongeduldig en vraagt hij wanneer je ons nou eindelijk uit het kamp haalt.'

'Het kamp?'

'Hmmm,' ik stopte de foto in Jerzy's handen.

Jerzy draaide aan de slang van het infuus en schudde radeloos zijn hoofd over de foto. 'Dat is toch al een hele poos geleden, hè? De tijd in het kamp, dacht ik, is toch voorbij. Vader en ik werden bevrijd, Krystyna. Het is toch geen oorlog meer?' Jerzy keek me onzeker aan, vervolgens lachte hij alsof hij me op een leugen betrapt had. Niet alleen vader vergat waar zijn zoon zat en dat we voor hem naar Duitsland waren gekomen zodat hij een goede behandeling zou krijgen. De arts had me gewaarschuwd dat de ontwikkeling van de ziekte, maar ook de operatie en de ermee samengaande narcose verwarring konden veroorzaken – een verwarring die waarschijnlijk wel zou verdwijnen, maar dat was niet met zekerheid te voorspellen.

'In welk jaar leven we, Jerzy?'

'Waarom vraag je me dat? Denk je dat ik het niet weet?' Beledigd keek Jerzy uit het raam. Ik liep naar het kastje en haalde er het vrouwenblad uit. Hij kon er de publicatiedatum aflezen en daarmee de pijnlijkheid van de vraag voor mij en voor hemzelf wegnemen.

'Kijk, je tijdschrift, Jerzy.' Op de cover stond een blonde vrouw met roze lippen in een zijden onderhemdje. *Agneta zoekt haar kleren zelf uit*, stond er in kleine letters onder.

Jerzy wierp me een boze blik toe, meteen daarna klaarde zijn gezicht op: 'Nee, Krystyna, je vergist je, dat is mijn tijdschrift niet.'

We zwegen.

'Je ziet er zo bleek uit, Krystyna. Ben je triest?' Ik keek naar mijn broer die zelf zo wit was als een doek.

'Het is niets.'

'Die Liszt maakt het je moeilijk, heb ik gelijk? Je oefent nog altijd de solo. Te expressief voor jou, Krystyna. Er moet passie in, passie.'

Ik schudde mijn hoofd. Hij leek zich niet eens meer te herinneren dat ik de cello verkocht had voor de Duitse papieren. 'Ik speel geen Liszt meer.'

'Je bent met Brahms begonnen, met de sonate nr 2 in F-dur, opus 99?' Hij leek het zelf niet te geloven.

'Nee, Jerzy.'

'Krystyna, zeg niets. Sonate voor cello en piano in g-moll, opus 65, Chopin. Krystyna.' Zijn gezicht begon enthousiast te stralen.

Mijn hele leven lang had ik voor Jerzy op de cello willen spelen. Maar alleen als hij ernaar zou luisteren.

'Ik wist het, Krystyna. Ah, ik wist het. Dat je er op een dag aan zou beginnen! En je denkt aan die jonge man als je de sonate speelt, is het niet? Die met dat rode haar. Hoe heette hij ook alweer? Je speelt in gedachten met die jonge pianist.'

'Ik denk helemaal niets, Jerzy. Welke jonge man? Elke jonge man zou mijn zoon kunnen zijn.'

'Je zoon? Je bent nog niet eens getrouwd, Krystyna, hoe zou hij dan je zoon kunnen zijn?'

'Precies.'

'Over welke zoon heb je het, Krystyna?'

'Ik heb het niet over een zoon. Ik heb het over de zoon die ik niet heb'. Zo langzamerhand verloor ik mijn geduld.

'Waarom ben je dan zo boos?'

'Nou, gewoon.'

Toen de deur achter mij openging, trok Jerzy aan mijn blouse. 'Pssst, vlug, verstop je, Krystyna.'

Ik liet het tijdschrift zakken en keek om. De jonge blonde verpleegster kwam binnen met een kamergenoot en hielp hem in zijn bed.

'Verstop je', ongeduldig trok Jerzy aan mijn mouw.

'Ik hoef me toch niet te verstoppen,' zei ik en ik bevrijdde me uit zijn greep. Ik moest zijn vingers een voor een openduwen, zo stevig hield hij mijn mouw vast.

'Gauw, gauw.' Jerzy was woedend en ik keek hem verwonderd aan. Nog nooit had ik me hoeven te verstoppen. Mijn verzet leek een echte kwelling voor hem, hij verdraaide zijn ogen, haalde diep adem en probeerde me ten slotte een stukje opzij te duwen. Daarna zag ik op zijn gezicht een glimlach te voorschijn komen, een zachte, betoverde glimlach. Maar die glimlach gold mij niet, hij gleed langs me heen, de kamer in. Ik keerde me om en zag hoe de verpleegster een paar verslenste bloemen uit de vaas van een andere patiënt trok en er de kamer mee uitliep. Toen ik weer naar mijn broer keek, glimlachte hij afwezig met zijn ogen op de deur gericht. Zelfs het knikken leek hij vergeten.

'Jerzy?' Ik tilde het tijdschrift op. 'Jerzy?'

Mijn broer leek wel verstard in zijn glimlach. 'Dat is Dorothea. We houden van elkaar.'

'Wie is Dorothea?'

'Het knappe meisje. Heb je haar niet gezien? Ze draagt een witte jurk, alleen maar voor mij, elke dag, Do-ro-the-aaa.'

Ik keek in zijn ver geopende mond, niet eens zijn tanden werden hier behoorlijk gepoetst.

'We houden van elkaar.' Hij deed zijn mond dicht en smakte genietend, alsof hij iets zoets at.

Ik knikte.

'Morgen is het zover, 'fluisterde Jerzy.

'Ja?'

'Twintig oktober, dat is een goede datum.'

'Ja?'

'Ik ga haar een aanzoek doen.'

'Ja.' Uitgeput liet ik me op de stoel naast zijn bed vallen. We zwegen een poosje, hij glimlachte en knikte, en ik keek uit het raam om zijn glimlach niet te zien. Er zaten geen vogels meer in de boom.

'Zoiets overkomt je niet vaak, Krystyna. Waarschijnlijk maar één keer. En dan mag je die gelegenheid niet voorbij laten gaan.'

'Waarom moest ik me verstoppen?'

'Wie weet? Misschien was ze jaloers geworden. Ze weet nog niets van jou.'

'Ze weet nog niets van mij?'

'Pssst.'

Een ogenblik aarzelde ik, toen klopte ik op het tijdschrift.

'Kijk eens, Jerzy, dit tijdschrift...'

'Tja, het is niet van mij,' hij probeerde op zijn zij te gaan liggen, 'je hebt de boot gemist, Krystyna, nu zul je wel geen man meer krijgen,' hij tilde zijn hoofd op, 'maar voor een celliste is het toch beter om geen man te hebben. Geen kinderen, geen man, hoogstens een...,' het lukte hem niet om zich om te keren, '... een ongelukkige liefde.'

Ik stond op om hem te helpen.

'Laat maar. Dat doet Dorothea wel, als ze terugkomt. Geen zoon, hoor je, Krystyna, daarvoor ben je toch te oud. En mijn buurman hier zegt ook te dik. Maar wat weet hij nu van cellisten.'

'Laat me met rust, Jerzy.' Ik ging weer zitten.

'Luister nou maar naar me, je moet het ook met die van Mendelssohn proberen. Nr 2, opus 58.'

'Heb ik al geprobeerd, die is niets voor mij.'

'Juist daarom. Je moet altijd proberen wat je nog niet kunt.'

'Jerzy, ik hou niet van die sonate nr 2.'

'Dat doet er niet toe, Krystyna. Bij sommigen komt de gelegenheid voor een grote passie niet vanzelf, je moet ernaar op zoek.'

'Dat zou je voor jezelf ook maar eens moeten proberen,' zei ik, en deed het tijdschrift open.

'Wat?'

'De hoeveelste is het vandaag, Jerzy?'

'Negentien oktober, dat is toch duidelijk, Krystyna, als het morgen de twintigste is.'

'En welk jaar?'

'Helemaal niets weet je,' bezorgd keek Jerzy me aan en hij schudde zijn hoofd.

'Ik weet het wel, maar jij misschien niet.'

'Was je niet van plan op te stappen, Krystyna?'

'Nee, waarom?'

'Je kwam overeind.'

'Ja, maar nu zit ik weer,' zei ik en ik dacht: zo gauw ga ik vandaag niet weg. In het kamp viel er voor mij ook niets anders te doen dan te zitten niksen. Dan zat ik liever hier. Het klakken uit het bed van de buurman maakte me aangenaam nerveus. Soms ontstond er een kort gesprek met een van Jerzy's kamergenoten. Weer hoorde ik de buurman 'spekje voor mijn bekje' fluisteren, het klonk zacht en liefkozend. Ik zou het in het kamp in het woordenboek opzoeken en me ervan vergewissen wat het precies betekende voor ik nog een blik op zijn verraste gezicht zou wagen.

Ik had mijn hele leven voor Jerzy kunnen geven, als ik maar cello speelde. Maar in plaats daarvan had ik hem naar Duitsland en naar dit ziekenhuis gebracht, had mijn cello verkocht, en alles wat ik nu nog kon was zijn hand vasthouden. Ik streelde die hand en zei: 'Tot morgen.'

Nelly Senff wordt ten dans gevraagd

Met Aleksej aan mijn rechter- en Katja aan mijn linkerhand belde ik een verdieping lager aan bij de Poolse die ik pas gisteren in het trappenhuis had leren kennen. Haar vader lag de hele dag in bed en sliep, en dus moest ze thuis zijn.

'Neemt u me niet kwalijk, ik hoop dat u niet meer sliep?'

De Poolse veegde haar natte handen aan haar schort af en reikte me haar vlezige hand. 'Het is zondag, hè?'

'Ja, en pas negen uur. Het spijt me dat ik zo vroeg,' misschien had ik beter niet kunnen aanbellen, 'ik dacht, ik probeer het maar even. Zondag is er geen school. Ik moet weg, maar ik kan de kinderen niet meenemen.'

'Komt u maar binnen.'

Aleksej rilde onder haar grote hand en Katja deinsde een halve meter achteruit, ze klampte zich aan mijn hand vast. De zware geur van kool en varkensvlees sloeg ons in het gezicht. We gingen naar binnen.

'Mijn vader slaapt nog,' zei ze verontschuldigend en ze bood ons een plaats aan haar kleine tafel, die er precies zo uitzag als de onze boven. De hele kamer leek trouwens als twee druppels water op de onze. Dezelfde metalen stapelbedden, dezelfde stoelen van spaanplaat, dezelfde vloer. Niet alleen de opstelling van de meubels leek identiek. De groene papiermand stond, net zoals bij ons, tussen de deur en de kast. Zelfs het bedlinnen, blauw-wit geruit, had het onze kunnen zijn, wat ook geen wonder was want tenslotte gingen we allemaal naar dezelfde linnenuitleendienst.

'Vroeger gingen we elke zondag naar de kerk. Maar de katholieke kerk is hier heel anders en zo ver weg. Mijn vader kan dat niet meer. We zijn gelovig. Kijkt u maar.' Ze stak een kaars op tafel aan en zette het Mariabeeldje recht dat tegen de kaars stond. 'Bent u nieuw?' De Poolse trok een stoel naar achteren, liet eerst mij en daarna de kinderen plaatsnemen.

'Ja, we zijn sinds maandag hier.'

'Wilt u een kopje koffie? Verontschuldigt u mij, maar ik maak het middageten al klaar, ik moet eventjes wat water bijgieten en roeren, wacht u even.' Ik wierp een blik op de klok, maar de Poolse reikte me over mijn schouder al een kopje aan. 'Hij is sterk, dan heb je veel suiker nodig,' lachte ze vriendelijk en zonder me iets te vragen, strooide ze de ene theelepel suiker na de andere in mijn kopje.

'Ho, dat is genoeg, dank u,' ik hield mijn hand boven het kopje.

'Nou, eentje nog,' zei ze terwijl de suiker tussen mijn vingers in de kop sijpelde. 'Ach, heb ik me al voorgesteld? Jabłonowska, Krystyna. Mijn vader,' ze wees naar het bovenste bed, 'zoals u hoort, slaapt hij nog vredig.' Juist toen ze dat zei, verslikte de vader zich in zijn gesnurk, kuchte en draaide zich om in zijn bed.

'Cola voor de kinderen?' Eer ik mijn mond kon opendoen en er haar op wijzen dat het niet alleen zondag maar ook nog ochtend was, verdween ze in de richting van de keuken. Blij en verlegen beten mijn kinderen in afwachting van de cola op hun lippen.

'Nieuw hier?' De oude man boog zich uit het bovenste bed.

'Goedemorgen. Neemt u ons niet kwalijk, we wilden u niet wakker maken.'

'Ach nee hoor, niemand maakt mij wakker. Ik ben altijd al een vroege vogel geweest.' De vader van de Poolse ging rechtop in zijn bed zitten en streek met een vlakke hand over zijn sneeuwwitte borsthaar.

'Houdt u van muziek?' Hij wees naar een kleine radio, die hij blijkbaar in bed bewaarde, en zette hem aan, *where we sat down, ye-eah we wept, when we remembered Zion. By the rivers of Babylon*. Hij wiegde zijn hoofd en draaide met zijn duim aan de knop van de radio. Toen hij een nieuw, sneller liedje gevonden had, draaide hij de volumeknop open en klom uit het bed. 'Mag ik deze dans van u?' En hij pakte mijn hand om me van mijn stoel te trekken, juist toen zijn dochter met een fles cola de kamer binnenkwam.

'Vader, laat dat.' Mevrouw Jabłonowska hield haar oren dicht.

'Ik was de beste danser, weet u, in de hele buurt kon niemand dansen als ik.' De oude man rook nog naar slaap en duwde me met zijn buik door de kamer. 'Er waren grote dansfeesten,' zijn ogen lichtten op, 'weet u, en de meisjes, ach, die stonden daar, de ene nog bevalliger dan de andere. Ze zaten allemaal te wachten tot ik ze uitnodigde.'

'Vader.' Bij de aanblik van haar dansende vader was mevrouw Jabłonowska rood geworden en ze probeerde hem bij zijn pyjama beet te pakken. 'Vader, hou op. Deze dame is onze gast.'

'Juist daarom, mijn dik duifje, juist daarom,' hij danste om zijn dochter heen alsof ze een zuil in de balzaal was, 'en één, twee, drie – kijkt u maar, het is toch echt makkelijk,' zijn buik duwde me vooruit en zorgde ervoor dat ik niet op zijn tenen trapte, zijn handen hielden ons beiden in evenwicht.

'Władysław,' fluisterde hij, 'en mag ik uw naam weten?' De lippen van de oude man raakten mijn oor aan.

'Nelly.'

'Pardon?'

'Ik heet Nelly.'

'U hebt fantastische heupen. U danst zeker vaak.'

'Nee, helemaal niet.'

Zijn beleefdheid was ontroerend, als geoefend danser had hij zeker allang gemerkt dat ik geen enkele van zijn en al helemaal niet van mijn eigen passen kende.

'Vader, mevrouw wil weg, laat haar los.'

'Wil mevrouw weg? Dat geloof ik niet,' hij hield me vast en draaide me zodat ik duizelig werd. 'De beste danser. Eén keer heb ik de grote prijs van Szczecin gedanst – raad u eens met wie? Nee, niet met Krystyna's moeder,' hij hield een betekenisvolle pauze. 'Het was niemand anders dan Cilly Auerbach. God, wat een danseres!' Als een schild leidde hij me door de kamer.

Een luid geklop aan de andere kant van de muur deed mevrouw Jabłonowska de muziek zachter zetten.

'Vader, alstublieft.' Maar mevrouw Jabłonowska werd door haar vader met mij en zijn elleboog van de ene hoek van de kamer naar de volgende gejaagd. 'De buren, vader. Het is zondagochtend.'

'En weet u wat? Ze wilde met me trouwen,' hij barstte in lachen uit, 'bijna een kind nog, nog maar net haar eerste filmsucces, en ze wilde met me trouwen! En één en één en één!'

Het liedje was afgelopen en er volgde een lange uiteenzetting over het groeiend aantal werklozen.

Hij ging naast Katja zitten en tilde haar kin op. 'En wat een knap klein meisje is dit hier?' Maar hij wachtte niet op haar antwoord, keerde zich weer naar mij en zei: 'Wat werden we bewonderd, nietwaar, na de Eerste Wereldoorlog. We waren toen kinderen, dat verbaast u hè? De heer met wie u zojuist hebt gedanst, hoe oud denkt u dat hij is?'

Ik wilde hem niet kwetsen en hoewel ik er zeker van was dat hij meer dan zeventig moest zijn, haalde ik aarzelend mijn schouders op. Hij hoestte. 'Nou, u raadt het nooit, kindje. Ach. Is er voor mij ook een kopje, Krystyna?' vroeg hij en zijn dochter, die toch geen plaats meer had aan het tafeltje met de vier stoelen, haastte zich de kamer uit om een kopje voor hem te halen. Ze was amper de deur uit of hij haalde uit het zakje van zijn pyjamajasje een dieprood pakje sigaretten en stak hoestend een sigaret zonder filter op. 'Ze was celliste,' zei hij met een blik op de deur, 'maar daarmee is het godzijdank gedaan. We hebben de cello voor de papieren verkocht. Ze was bovendien slecht. Lerares aan het conservatorium, meer zat er niet in.' De oude man streek over zijn dunne haar, hij leek verbitterd over het gebrek aan talent en succes van zijn dochter. 'Weet u hoe het is om de hele dag dat gepiep te moeten verdragen? Ze heeft mijn zenuwen kapot gekregen.' Hij fluisterde de laatste woorden toen de deur openging en zijn dochter weer verscheen.

'Er zijn hier kinderen, vader,' mevrouw Jabłonowska wapperde gejaagd met haar hand, zette de kop voor hem neer en schepte ook in zijn koffie met gulle hand suiker. Er klonk weer muziek uit de radio. Władysław Jabłonowski stond op, draaide aan de knop en trok me bij de hand van tafel.

'Kinderen, ja, ik had toen al kinderen. Maar dat leek Cilly Auerbach niets uit te maken. Weet u dat ik de beste danser van de buurt was?' Tijdens het dansen stopte hij een ogenblikje aan de tafel om van zijn koffie te slurpen. 'Eén keer heb ik de grote prijs van Szczecin gedanst. Iedereen was er. Iedereen.' Hij maakte een groot gebaar.

'Vader, mevrouw is misschien gehaast. Ze wilde haar kinderen hier laten, hè?' Mevrouw Jabłonowska wipte onrustig van het ene been op het andere.

'Dat is zo,' wilde ik zeggen, maar Władysław Jabłonowski praatte al door.

'Wijd en zijd alleen maar meisjes. Aaah, het aantal mannen was in de oorlog natuurlijk ook flink gedaald, weet u, en dus stonden de kansen van jongemannen zoals ik niet slecht. U hebt er geen idee van hoeveel vrouwen het wachten op hun mannen beu waren. En er kwamen er ook heel wat nooit terug, nietwaar? Maar ik kon dansen, dat zeg ik u.'

'Zigeuners!' De stem uit de kamer ernaast dreunde zo luid alsof de spreker in de kamer stond. 'Smerige Polen! Zigeunertuig!' Weer dreunde er iets tegen de muur, het klonk eerder als een voorwerp dan als een vuist.

'Vader, ze moet weg, hebt u het gehoord, ze moet nu weg.' Mevrouw Jabłonowska pakte mijn hand vast en trok me van hem weg. 'Lief zijn,' riep ik naar mijn kinderen, terwijl de oude man zijn verhaal voortzette.

Aan de deur van de woning gaf mevrouw Jabłonowska me een weke hand. 'Neemt u me niet kwalijk, gewoonlijk is mijn vader erg rustig. Hij ligt al weken in bed. En opeens zo'n jonge vrouw, daar wordt hij helemaal opgewonden van, hij vertelt almaar dezelfde verhalen, hoe hij een held werd, ik kan er niets tegen beginnen. En wat voor held.'

'Tja, ik dank u in ieder geval. Mijn kinderen wilden niet graag alleen blijven. Tegen één uur ben ik beslist terug. U past op hen, ja?'

'Natuurlijk, ik pas graag op kinderen.' Half gelukkig en half afwachtend keek ze me aan. Misschien was ze blij dat ik niets over haar vader zei maar dat ik haar nodig had. Misschien hoopte ze ook dat ik haar zou zeggen waar ik zo dringend heen moest op een zondagochtend en waarom ik mijn kinderen niet kon meenemen. Maar ik bedankte haar alleen en ging weg.

Hans Pischke staat in de rij, haast zonder wensen

Buiten motregende het. De bladeren van de berken waren zwaar van de regen en kleurloos. Ze werden door geen zuchtje wind bewogen, zo zwaar hing de motregen erop. Op het metalen klimrek, waarvan de rode verf op de meeste plaatsen afgebladderd was, zaten twee kinderen te snoepen. De papieren zak waarin ze om de beurt hun hand staken was slap geworden, zodat ze hun handen er amper nog in en uit kregen.

Voor het loket waar de levensmiddelen werden uitgereikt stonden drie vrouwen in de rij. Ik ging achter hen staan. De tweede vrouw in de rij, een omvangrijk mens met een gele regencape, mopperde tegen degene die voor haar stond dat ze zo meteen haar geduld verloor, dat ze geen tijd had om een uur aan te schuiven voor haar eten, boven zaten vijf hongerige monden te wachten, maar de eerste vrouw, mager en gewetensvol, liet zich niet opjagen en legde aan de mevrouw achter het loket in een traag en keurig Duits uit dat ze geen worst wilde, dat het haar niet kon schelen dat worst een basislevensmiddel was, dat ze worst gewoon niet lustte, en deze al helemaal niet, en dat ze liever meer kaas had en niet begreep waarom ze niet in plaats van een portie worst die kaas kreeg, die kon toch beslist niet duurder zijn, het ging tenslotte, als je de ook voorradige smeerkaas even buiten beschouwing liet, om een sterk riekende Tilsiter van de eenvoudigste soort.

De dame achter het loket zei vriendelijk dat ze haar richtlijnen had en dat ze die moest opvolgen, dat ze voor een worstbon geen kaas mocht geven. Maar de eerste vrouw in de rij hield voet bij stuk, tot de omvangrijke tweede zich met een hoogrood gezicht naar ons omkeerde en mij en de jonge vrouw die tussen ons in stond om hulp verzocht. 'Dat bestaat toch niet. Mevrouw heeft speciale wensen. Die staat hier al tien minuten en ik negen, nou ja, zo ongeveer.'

De jonge vrouw die tussen ons in stond, wipte onrustig van het been op het andere, ze droeg een felgele zomerjurk met grote bloemen erop en had duidelijk niet op regen gerekend. Haar jurk kleefde aan haar kuiten. Ze beet op haar lippen en zag er verlegen uit, zodat ik vermoedde dat ze uit Rusland of Polen kwam en niets begreep.

De magere vrouw draaide zich eveneens om. Ze hield haar worstbon in de hoogte. 'Wil er soms iemand ruilen?'

'Ruilen?'

'Worst tegen kaas.' Haar keurige Duits was afgemeten.

'Nou, had u dat toch meteen gezegd, wij eten graag worst, mijn vijf hongerige monden en ik, theeworst en bierworst, we eten eigenlijk alles graag. Nou dus.' En eer iemand anders haar voor kon zijn, griste de dikke vrouw in de gele regencape de bon uit de handen van haar bron van ergernis.

Ze bestelden hun levensmiddelen en liepen op een veilige afstand van vijf meter elk naar hun eigen huis.

'Alsof we nog niet genoeg te doen hadden.' De vrouw aan het loket knikte naar de rug van de twee vrouwen en zei hardop, zodat we haar konden horen: 'Vijf hongerige monden, laat me niet lachen. Bijna vierduizend waren het er vorig jaar, als je de Polen erbij telt, ja, bijna vierduizend alleen al in dit kamp.'

De vrouw in de zomerjurk was aan de beurt.

'Hallo,' zei ze en ze hield een stapeltjes bonnen in het doorgeefluik, 'misschien kunt u me helpen? Wat krijg ik voor zo'n bon?' Ze trok de bovenste bon uit het bundeltje. Ze had geen accent, wel een Oost-Berlijnse tongval. Toen ze zich op de punten van haar tenen voorover boog, schoof de natte zoom van de gebloemde zomerjurk omhoog en bleef in haar knieholte plakken.

'T, dat is een rantsoen thee. Hier, M, dat is een rantsoen melk. B is brood. U hebt de keuze tussen bruin brood en knäckebröd.'

'Nou, dan, dan pak ik maar – kan ik niet van beide een beetje?' Ze streek een haarstreng achter haar oor. De motregen had fijne druppeltjes over haar haar gesprenkeld, een glinsterend haarsieraad, van opzij zag ik haar fijngesneden profiel, ze zag eruit als een Tsjechische sprookjesprinses.

'Ja, als u twee bonnen hebt. Eén rantsoen per bon.'

De dame achter het loket hielp haar bij het doorbladeren en uitzoeken van de bonnen.

'Deze hier is voor de jam, daar is geen keuze in, alleen aardbeien, die daar is voor boter of margarine, en deze hier krijg je maar één keer per week, die is voor koffie. U hebt kinderen?'

'Hoe weet u dat?' Ze streek over haar haar en veegde de druppeltjes weg, het was nu alleen nog maar nat en niet meer dat van een sprookjesprinses. Een prinses had geen kinderen.

'Door de melkbonnen. Een volwassene alleen krijgt niet zo veel melk.' De dame achter het loket snoof tevreden, ze draaide zich om en pakte de levensmiddelen. 'Theeworst of bierworst?'

'Theeworst alstublieft.'

'Hebt u suiker en zout nodig?'

'Ja, graag, we hebben helemaal niets daarboven.'

'Olie?'

'Ja.'

'Kunt u dat allemaal dragen?'

'Ja hoor, beslist.'

'Anders helpt de jongeman daar u wel even.' De dame zwaaide vanuit haar loket naar mij, en de jonge vrouw draaide zich om. Er vloog een lachje over haar gezicht. 'Ach nee, dat is echt niet nodig, hoor.'

'Hier, ik heb alles in een doos gepakt, dan kunt u het makkelijker dragen.' De dame van het loket schoof een kartonnen doos naar voren en de vrouw pakte die aan en zei telkens weer 'dank u', zoals ik dat vermoedelijk de eerste keren ook gedaan had. Toen ze wegliep, zag ik hoe de zomerjurk zwaar van de regen aan haar kuiten kleefde en haar benen op een merkwaardige manier aan elkaar bond, zodat ze maar kleine stappen kon zetten. Het 'dank u' liet ik intussen weg. Tenslotte was het niet de dame van het loket die ons die dingen gaf, zij werd voor haar werk betaald, daar ging ik toch van uit. Ze had werk en het zelfverzekerde, neerbuigende lachje van een bediende die het nuttige aan het aangename paarde en behalve het maandelijkse loon ook telkens weer bedankjes van de nieuw aangekomenen opstreek. Ik gaf mijn bonnen af.

'Speciale wensen?'

'Nee, dank u.'

'Wilt u bruin brood of knäckebröd?'

'Waar u nog veel van hebt.'

'Wilt u echt twee porties boter? U hebt hier twee bonnen.' De dame hield de bonnen omhoog.

'Dat moet een vergissing zijn, geen idee, nee.'

'Kaas in de plaats van deze?'

'Nee, dank u.'

'Worst?'

'Nee, nee, houdt u hem maar gewoon.' Haar vragen vergden te veel van me. Wat ik zo waardeerde aan de etensbonnen was dat erop stond wat je ervoor kreeg, en dat je geen grote beslissingen hoefde te nemen. Ik pakte de levensmiddelen aan en zag af van de linzenconserven die je vandaag kon krijgen.

'Sperziebonen heb ik ook nog,' riep de dame achter me aan, maar ik draaide me niet meer om en onderdrukte een bedankje. Ik wilde haar niet nog meer het gevoel geven dat ze belangrijk was, wat je aan haar stem al sowieso te veel merkte.

De vrouw in de zomerjurk stond voor de twee kinderen aan het klimrek. Ze hadden kennelijk hun snoep opgegeten of verstopt. De vrouw zette de doos tussen de kinderen op het klimrek en liet hen haar oogst zien: knäckebröd, theeworst, suiker. Ze stak een sigaret op en keek hoe ze het ene pakje na het andere uit de doos haalden, het in de lucht staken en om en om draaiden en er iets bij zeiden.

Ik probeerde een blik van de vrouw in de zomerjurk op te vangen, ik wilde graag naar haar lachen en haar glimlach zien, maar ze keek niet naar mij en dus liep ik verder, met aarzelende en trage stappen en telkens weer achteromkijkend, in de hoop dat ze toch nog zou kijken, en ik deed de deur naar mijn trap open.

Het gehuil van de baby was opgehouden, vermoedelijk was hij ingeslapen of waren de ouders met hem een luchtje gaan scheppen, in ieder geval was de deur van de kamer naast me dicht. De haar klemde niet meer in de kier. Maar op zo'n teken alleen kon je niet afgaan, tenslotte kon een beetje tocht de deur laten klapperen en haren doen wegwaaien. En zelfs als de haar nog vastgeklemd had gezeten – wie kon me garanderen dat er niet nog andere mensen op hetzelfde idee waren gekomen en slim genoeg waren om een gesloten deur op een vastgeklemde haar te onderzoeken? Voor dat soort mensen was het een makkie om de haar weer precies op dezelfde plek tussen de deur te klemmen. Ik smeerde de boter op het knäckebröd en ging bij het raam staan. De nieuwe vrouw zat aan de voet van het klimrek en rookte, ze keek omhoog naar haar kinderen en zei iets. Haar kinderen lachten. Ze wreef over haar blote kuiten, ze had het vast koud. Ik streelde met mijn handen over mijn trui en fluisterde iets. De vrouw in de zomerjurk kwam overeind en pakte uit haar jaszak een klein voorwerp dat ze voor de jongen met de bril hield. Maar de jongen schudde zijn hoofd, zijn zus pakte het wel aan. Vervolgens duwde de jongen zich af en sprong op de rug van zijn moeder.

Het ritmische kraken van de metalen veren, dat begeleid werd door gekreun, deed me vermoeden dat de buurman intussen een andere tactiek toepaste, waarmee hij wellicht eerder zichzelf dan zijn vrouw hoopte te kalmeren. Ik vouwde de verpakking van het knäckebröd dicht aan de open kant en lette erop dat de vouw precies overeenkwam met de bovenrand van de letters. Op die manier kon ik controleren of er zich tijdens mijn afwezigheid iemand voor mijn knäckebröd interesseerde. Nadat ik de kruimels met mijn ene hand naar de andere geschoven had, haalde ik uit de keuken een vaatdoek en veegde de tafel af. De doek rook muf, ik moest mijn handen met zeep wassen om de stank van mijn vingers te krijgen. Als er iets was wat ik haatte, waren het kruimels, van welke soort dan ook. Ik bracht het knäckebröd naar de keuken en zette het op een centimeter afstand van zowel de voor- als de rechterkant van mijn vak in de keukenkast. Ook de andere levensmiddelen borg ik zorgzaam op.

Toen ik me omdraaide, stond de buurman naakt voor me en hij keek me verbijsterd aan. 'Oh, ik dacht dat u er niet was.' Hij greep naar zijn hoofd. 'Het spijt me'.

Zijn pik stond nog een beetje recht, hij bedekte hem vluchtig met zijn hand, maar het leek eerder een gebaar dat moest betekenen dat hij zich van zijn naaktheid bewust was dan een gebaar van schaamte.

'Ik heb afgrijselijke dorst.' Kameraadschappelijk klopte hij op mijn schouder en hij draaide de kraan open. Ik deed een stap achteruit en hij boog zich voorover om met grote teugen leidingwater te drinken. Vervolgens deed hij de deur van de koelkast open en haalde er een pilsje uit. In het koelkastvak van het jonge gezin bevond zich uitsluitend bier. Ik vroeg me af waarvan de jonge moeder leefde. Ik vroeg me af of het kind nog borstvoeding kreeg. Vermoedelijk niet, de baby schreeuwde van de honger. Misschien wantrouwde het gezin me en verstopten ze hun levensmiddelen in hun kamer. Mijn vroegere kamergenoot, die dronk en luidruchtig masturbeerde, liet bij zijn vertrek behalve vijfenveertig lege flessen, die hij liggend opeengestapeld had, verschillende pakken knäckebröd en een schimmelig pakje kaas in zijn kast achter.

Ik haastte me de keuken uit. De baby huilde opnieuw, en ik hoorde de vrouw tegen haar man zeggen: 'Dit is afschuwelijk, laat me alsjeblieft..., anders moet ik...ijden .' Ik vroeg me af wat ze gezegd kon hebben. *Laat me alsjeblieft met rust. Laat me alsjeblieft gaan. Laat me alsjeblieft sterven.* Anders moet ik ... ijden. *Anders moet ik scheiden? Te veel lijden? Hem opensnijden?* Wat kon ze gezegd hebben? Hoe ik me ook inspande om het antwoord van de man te horen, het lukte niet. Zittend op mijn bed onderdrukte ik bijna een uur lang mijn aandrang om te plassen, de baby huilde, ik onderdrukte de aandrang uit angst dat ik uitgerekend aan de deur van de wc mijn buurman of zijn vrouw zou tegenkomen. De fles voor noodgevallen was vol. Pas toen ik niet meer kon en ik in mijn kamer geen ander recipiënt vond dat me tijdelijk had kunnen verlichten, nadat ik een poosje naar de geluiden in de kamer ernaast geluisterd had en ze voor onverdacht hield, waagde ik me mijn kamer uit. De grendel voor de wc-deur was eraf gehaald. De schroefgaten zaten nog vol kleine splinters. Ik kon niet plassen, hoezeer ik me ook concentreerde, het lukte niet. Aan het levensmiddelenloket had ik iemand horen zeggen dat er in de jaren vijftig bordjes aan de muren hingen. Er stond op dat je beter niet sprak met je kamer- en huisgenoten. Ze konden spionnen zijn, of agenten van de staatsveiligheid of van een andere vereniging, die waren binnengesmokkeld om overtuigingen en gewoonten van de vluchtelingen te achterhalen. Die bordjes hingen er nu niet meer. Ze waren weggehaald omdat gebleken was dat het onzekermakend effect ervan groter was dan de veiligheid die erdoor gecreëerd werd. Maar ik wist dat ze er nog altijd waren, de spionnen, vast niet meer zo talrijk als in de jaren vijftig, maar toch nog genoeg om iemand onze woning te laten bespioneren, het huis binnen te sluipen, het slot eraf te halen, brieven en notitieboeken te inspecteren of met kleine camera's de inhoud ervan fotografisch vast te leggen.

Ik kon nog altijd niet plassen. Misschien was de grendel gewoon kapot en moest hij vervangen worden door de blokverantwoordelijke. Het babygehuil hield eventjes op. De stilte leek bijna onnatuurlijk. Alleen het zachte ruisen in de wc-buis wees op de aanwezigheid van andere bewoners. Een gekraak in de gang deed me van schrik mijn broek dicht doen. Buiten was er niemand. Of de buurman had zijn vrouw geen minuut alleen op de wc gegund, of hij had haar gejank niet meer verdragen en in een woedeaanval tegen de deur getrapt, waarbij het slot gebroken was. Maar dan zouden de schroefgaten niet meer intact zijn. De baby huilde zich hees. In de keuken ontdekte ik in de afvalbak lege bierflesjes, vermoedelijk wist het jonge gezin niet dat het flessen met statiegeld waren. Ik pakte er een flesje uit en smokkelde het naar mijn kamer. Een blik uit het raam. De nieuwe vrouw en haar kinderen waren verdwenen. Ik had het ogenblik gemist waarop ik had kunnen zien naar welk huis en welke deur ze gelopen waren. Eindelijk kon ik plassen.

Moeheid overviel me, ik heb me al één keer laten verdrijven, dacht ik, geen tweede keer. En toen vielen mijn ogen ondanks het babygehuil dicht.

Ik droomde van de vrouw in de zomerjurk. Ze schudde haar haar, zacht, dik haar, tot de regendruppels van haar wegspatten, op mijn huid vielen en me verkoelden en verwarmden, naakt als ik was, ik wilde haar zeggen dat ik geen vrouw kon of wilde aanraken, maar mijn mond vormde alleen maar lucht, er kwam geen geluid uit, hoezeer ik me ook inspande, mijn stembanden leken verdwenen, ik wilde haar een teken geven om duidelijk te maken wat ik bedoelde, maar ze strekte haar hand uit, ik deinsde achteruit, en de blik die in de lucht tussen ons ontstond, was een blik, niet de hare, niet de mijne, een gemeenschappelijke blik, die me met heimwee en tegelijk schaamte vervulde, een zwakke, een sterke blik, die begreep en geen aanraking eiste, en die wegviel toen ik in een strandstoel mijn moeder herkende, die haar zonnehoed zo diep over haar gezicht getrokken had dat ik er niet onder kon kijken, maar alleen kon weten dat zij het was. Ten slotte kwam ik overeind en liep weg, ik volgde haar, tot ik niet eens haar schaduw meer kon zien, en toen ik in het zand naar haar voetsporen zocht, vond ik niets anders dan vogelsporen zo groot als een handpalm.

’s Middags moest ik naar het blok met de ambtsvertrekken, kantoor 201. Een gesprek met de arbeidsbemiddeling. Het vijftiende of het twintigste, ik had het niet meer bijgehouden. Als er een oproep kwam, ging ik. Zoals altijd zat de gang vol wachtenden. De lucht was vochtig en zwaar, alsof er inspanning en geduld in hingen. De weinige tijdschriften werden door de wachtenden vastgehouden. Toen de man naast mij werd opgeroepen, duwde hij me zijn tijdschrift in handen. Een oud nummer van augustus. Niet één keer ontbrak er in die tijdschriften een artikel over het land waaruit ik kwam. Dit keer: *Gevangenen. Psychologische schok drijft gevangenen naar extreemrechts*. Het artikel dat bij de titel hoorde was eruit gescheurd, ik deed het tijdschrift dicht en gaf het door naar links. De vrouw bedankte me meermaals.

'Pischke!'

Ik stond op.

'Nou, hoe gaat het met je?' Lüttich klopte onderzoekend met zijn rechterhand op zijn leren vest en pakte er met de linkerhand een pakje tabak uit.

Ik deed de deur achter me dicht. 'Goed, dank u, en met u?'

'Pfff. Als ik eerlijk ben, komt het werk hier me de strot uit, maar ja, zo'n ambtenarenbaan geef je niet zo makkelijk op. Met de situatie op de arbeidsmarkt vandaag.' Of zijn knipoog nu voor mij bedoeld dan wel het gevolg was van een tabakskruimeltje of iets dergelijks wilde ik niet uitvissen. 'Je ziet, niemand heeft het makkelijk.' Hij trok een sigarettenvloeitje te voorschijn en duwde de tabak stevig aan.

'Nee?'

'Nee.' Hij rolde de sigaret, likte, plakte en stak hem achter zijn oor, vervolgens klopte hij de krant boven de prullenmand uit. 'Wil je niet gaan zitten?' Er vielen tabakskruimels neer, hij vouwde de krant dicht, kwam overeind en liep naar het koffiezetapparaat. 'Ook een kopje?'

Ik knikte. Hij gaf me een kopje en schoof de kaartenbak over de tafel, waarbij een slok koffie uit de kop gutste, die echter niet op de tafel maar op mijn broekspijp terechtkwam. Ik pakte het kopje aan.

'Dank u,' zei ik voor hij iets kon zeggen, en deed de kaartenbak open.

'Je hoeft eigenlijk helemaal niet te kijken, er worden nog altijd geen acteurs gezocht. En om eerlijk te zijn: tijdens de tien jaar dat ik hier ben, is er ooit maar één keer een acteur gezocht. Die moest een gevangene in een concentratiekamp spelen.'

Lüttich vertelde elke keer weer over dat ene geval, in die tien jaar het enige werk dat voor mijn soort mensen was aangeboden, maar uiteindelijk naar niemand van zijn werkzoekende acteurs was gegaan omdat het verzoek was ingetrokken – men had de kandidaat allang via een andere bemiddelingsdienst of in de eigen filmmaatschappij gevonden en wilde liever geen van die talloze onbekende werkloze acteurs zien, zogenaamd om hun geen valse hoop te geven maar in werkelijkheid, dat had ik Lüttich al gezegd toen hij me het verhaal maanden geleden voor het eerst vertelde, omdat men vermoedde dat een werkloze acteur niet zonder reden werkloos was, dat hij gewoon niet begaafd genoeg en niet succesvol, en dus niet inzetbaar en niet oproepbaar was. Mijn uitleg was Lüttich klaarblijkelijk al vergeten nadat hij hem voor het eerst gehoord had, want hij deed me zijn verhaal telkens weer, zonder zich te herinneren dat hij het me al verteld had en wat ik hem erop geantwoord had. Ik nam het hem niet kwalijk, tenslotte moest hij af en toe wel wat werkloze acteurs ontvangen. Hij wou er vermoedelijk zeker van zijn dat hij het verhaal aan iedereen verteld had, zodat we hem niet elke keer opnieuw met een beschamend hoopvolle blik zouden aankijken. Om het hem makkelijker te maken sloeg ik mijn ogen neer wanneer ik hem begroette en vermeed ik in het begin hem recht in de ogen te kijken – hij mocht me niet voor dom of aanmatigend houden, maar voor hopeloos hoopvol, wat ik op die manier ongestoord kon blijven.

Lüttich stak de zelfgerolde sigaret op en inhaleerde. Ik wachtte tot hij zou uitademen maar zoals zo vaak leek hij niet uit te ademen; ik kon het in ieder geval niet horen en ik zag al evenmin de damp die toch ooit uit zijn mond of neus moest komen. Ik probeerde hem onopvallend te observeren. Het mocht niet tot oogcontact komen. Maar er viel niets te bekennen, Lüttich scheen de rook samen met zijn eigen adem ingeslikt te hebben, de rook loste waarschijnlijk in hem op of verdween wat mij betreft uit een andere opening van zijn lichaam. Voor de tweede trek gunde Lüttich zich alle tijd.

'En als je het nog eens met je eerste beroep probeerde? Ik

krijg voortdurend vragen voor elektrotechnici. Hier is bijvoorbeeld een openstaande betrekking,' hij wees met zijn sigaret naar een kaart.

'Ja.' Besluiteloos pakte ik de kaart in mijn handen.

'Wat is er overigens de vorige keer uit de bus gekomen? Naar die baan wilde je toch ook solliciteren?'

Ik maakte een wegwerpgebaar om mezelf en Lüttich het woord weigering te besparen. Maar Lüttich fixeerde me vol verwachting.

'Ze hadden al iemand,' viel me in, en ik voelde hoe mijn tanden te dicht op elkaar klemden, en merkte aan Lüttichs meevoelende blik dat hij een groter leed in me meende te bespeuren dan ik zelf waarnam. Ik legde de kaart tussen ons in en hij pakte hem op.

'Daar moet je door, man. Vooral de moed niet verliezen.' Met de kaart in zijn hand keek Lüttich me onderzoekend aan. Vervolgens streek hij over zijn volle baard. Ik voelde bijna lijfelijk hoe zijn blik over mijn gezicht ging en met een mengeling van medelijden en onbegrip over mijn mismoedigheid naar beneden gleed, tot hij weer op zijn ordelijk opgeruimde bureau landde. Losjes, alsof je er geen lucht voor nodig had of alsof hij op elk ogenblik van zijn bestaan genoeg lucht had om te kunnen praten, zei hij: 'Moeten we niet zo zoetjesaan kijken of je niet iets anders kunt doen?'

Ik keek op, dacht na en vroeg me af, met een blik uit het raam, welke ideeën hij vandaag voor me in petto had.

'In Schleswig-Holstein bijvoorbeeld worden inseminators gezocht. Het is geen grap, er is daar een grote boerderij waar ze twee inseminators zoeken.'

'En dit soort vacatures wordt naar Berlijn gestuurd?'

'Ze gaan soms naar het hele land, iedereen moet gelijke kansen krijgen.'

'Gelijke kansen.' Besluiteloos knikte ik.

'Nou? Wil je dat doen?'

'Ik weet niet of ik een geschikte inseminator zou zijn. Kijk eens, een meter zestig, als ik me uitrek.' Ik vermeed het op te gaan staan en strekte alleen maar zittend mijn rug.

Lüttich lachte. 'Lichaamslengte doet er toch niet toe, man, Pischke, er zijn injectiespuiten en weet ik veel wat nog allemaal. In ieder geval staat hier niets over een minimale lichaamslengte.'

'U bent in Berlijn opgegroeid, niet waar, meneer Lüttich?'

'Jawel, mijn hele leven heeft zich in het zuiden van Berlijn afgespeeld, opgegroeid, naar school geweest, gewerkt, verliefd, verloofd, gescheiden – allemaal in Berlijn.' Hij lachte tevreden.

Ik schudde mijn hoofd. 'Een inseminator moet minstens lang genoeg zijn om met een uitgestrekte arm tot helemaal binnen in de koe te komen.'

'Vakman?'

Weer schudde ik mijn hoofd. 'Landbouwcoöperatie.'

'Wat? Nou, dan neem je toch een kruk of een ladder.' Lüttich kon een grijns niet onderdrukken.

'Liever niet, ik heb hoogtevrees en heb aanleg voor onderkoeling. Schleswig-Holstein zou voor mij met zekerheid de bevriezingsdood betekenen.'

Lüttich trok de kaartenbak weer naar zijn kant van de tafel en bladerde in de kaartjes. 'Geef maar toe, de echte reden voor je vlucht was uitgesproken afkeer, diepe afkeer.' Hij lachte en verslikte zich in de rook die blijkbaar nog in de fijne vertakkingen van zijn longen zat. 'De vlucht voor de collectieve arbeidsdienst in de landbouw, hè?' Er viel wat as van zijn sigaret in de kaartenbak, maar hij leek het niet te merken.

Ik schudde mijn hoofd. Het idee alleen al om Lüttich een juist beeld te schetsen van de voor- en nadelen van die collectieve oogsten vermoeide me net zo erg als het idee dat ik hem een juist beeld moest geven van de beweegredenen voor mijn vlucht. Mijn ogen vielen toe.

'Niet inslapen, Pischke, hier heb ik iets voor je. Wat zou je denken van een omscholing: metrochauffeur. Man, dat zou een veilige carrière in staatsdienst betekenen, besef je dat? Bij de Berlijnse openbare vervoersmaatschappijen kun je er in feite niet meer uit vliegen.'

'Metrochauffeur?'

'Hé, kijk toch niet zo dom,' Lüttich drukte zijn sigaret uit en klopte op mijn schouder, 'mijn zwager onderhoudt als kaartjesverkoper zijn hele gezin, zijn pensioen is verzekerd en ze zijn zelfs beginnen te bouwen.'

'Bouwen?'

'Huis. Snappie? *Huis*.' Zijn arm haalde uit in de lucht, om me de omvang van het huis duidelijk te maken.

'Moet ik een huis bouwen?' Verbaasd keek ik in zijn richting. Nog nooit in mijn leven was ik op het idee gekomen een huis te bouwen.

'Ach, ik zie het al, dat is niets voor jou. Voor een huis heb je echt wel een heel gezin nodig. En waar moet je dat vandaan halen, hè?' Hij trok aan zijn sigaret, het vermeende medeleven was opgegaan in een behaaglijke zelfingenomenheid. 'Tja, het is niet zo simpel. En ook niet voor iedereen weggelegd.' Terwijl Lüttich opnieuw in de kaartenbak bladerde, had hij blijkbaar even geen passende gespreksstof meer, maar zijn bemiddelingstaak getrouw gaf hij het niet op om die toch te vinden. 'Maar je krijgt wel een lening als metrochauffeur.'

'Ik wil geen lening. Ik heb nog nooit schulden gehad.'

'Hoe edel.' In de opmonterende stemming van Lüttich kwam een ondertoon. 'Maar of het zo kan blijven, Pischke? Even ernstig, bijna iedereen heeft tegenwoordig een lening nodig. We zijn hier niet in het Oosten. En als je het mij vraagt, ben je goed gek als je het niet doet. Denk nou eens na, je wil toch niet eeuwig in dit kamp blijven zitten? Het is toch geen leven hier, in die metalen stapelbedden, met een groot hek eromheen en met allemaal vreemde mensen in een woning?'

Lüttich klapte resoluut de kaartenbak dicht. 'Vertel eens, is het waar dat jullie hier de eerste week niet buiten mogen? Dat jullie in een speciaal huis wonen?'

Onzeker keek ik om me heen en haalde mijn schouders op. Bedoelde hij zijn arbeidsbemiddelingsdienst? Het kamp? De stad?

'Dat moet jij toch weten.'

'Nou, het is al een poos geleden, mijn eerste week. Ik denk daar allemaal niet graag aan terug,' beweerde ik en ik moest desondanks aan de medische onderzoeken denken, het uit- en aankleden, de uitgestrekte tong, het stoelgangonderzoek, het optillen en neerlaten van de armen, de selectiedienst die me verschillende dagen had laten opdraven omdat er maar geen eind kwam aan de vragen van de drie geallieerde geheime diensten over mijn persoon en mijn politieke opvattingen en aan de plattegronden van de gevangenissen die ik moest maken en die zij moesten controleren, de CIA in de residentiële wijk, de beoordelingsdienst, de nationale erkenningsdienst, en de aanvraag die ik twee keer had moeten invullen omdat de eerste verloren was gegaan, de voorselectie en ten slotte de overhandiging van de verblijfsvergunning – een soort pas voor het kamp die niet naar buiten leidde, maar integendeel er steeds dieper in, naar het recht op onderdak, op arbeidsbemiddeling, op financiële steun, etensbonnen, naar het hart van een overgangs- en opvangkamp, een kamp van vluchtelingen en asielzoekers. En toch, zolang als ik hier zat en nadacht over de reden van mijn verblijf, schoot me geen antwoord meer te binnen. Ik heb het ooit geweten en ik wist ook hoe het luidde. Ik had vrij willen zijn en willen denken en doen waar ik zin in had. Maar ik wist niet meer waar ik toen zin in had gehad, en daarmee was ik ook mijn gevoel kwijtgeraakt voor de betekenis van vrijheid, voor een mogelijke invulling van dat denken en handelen. Het antwoord was zo ongeldig geworden dat het er geen meer was. Opeens moest ik aan warme handen denken, aan sterke handen. De grote handen lagen op mijn huid, en ik plakte eraan vast, net zoals zij aan mij plakten. Die handen konden aangenaam zijn, maar zeker was ik er niet van.

'Al goed, Pischke.' Lüttich maakte een afwijzend gebaar. Hij dacht waarschijnlijk dat hij me daarmee spaarde. Vervolgens lachte hij luidop. 'Ik denk opeens aan iets, Pischke, niet dat ik er hier behoefte aan heb, maar ik heb al eens een en ander opgevangen, nu we het toch over arbeidsbemiddeling hebben. Heb jij wel eens gehoord over vrouwen die hier tippelen?'

Verwonderd keek ik naar de kalender tegen zijn muur. Hij stelde vragen als iemand van de geheime dienst of een politieman.

'Tippelen? Ik spreek toch geen Chinees? Prostitutie. Dat bestaat toch in de kampen.' Lüttich rolde haastig met één hand een sigaret, hij lachte nerveus, likte aan het papier, slikte, stak op en inhaleerde diep. 'Gebrek aan geld, gelegenheid en zo, nou ja, je kunt er begrip voor opbrengen.'

Ik blies mijn wangen op en trok mijn wenkbrauwen omhoog.

'Gaat er geen belletje rinkelen, nee? Oké, het was maar een vraag.' Lüttich worstelde met het speeksel in zijn mond, slikte en kwam overeind. Onverwacht heftig klopte hij op mijn schouder. 'Wil jij niet ook eens een Wrangler kopen?'

'Een Wrangler?'

'Ja, een echte spijkerbroek. Zoiets,' hij klopte op zijn broek. 'Je loop de hele tijd rond in die – ik wil je niet beledigen – in die afgesleten ribfluwelen broeken. Weet je, ik doe hier niet alleen aan arbeidsbemiddeling. Ik zie mezelf ook als, laten we zeggen, adviseur. Met zo'n ribfluwelen broek, zo'n voorkomen, is het voor een werkgever ook niet makkelijk om zich voor te stellen wat voor een toffe kerel je bent.'

'Dat moeten ze zich ook niet voorstellen. Ik ben geen toffe kerel. Ik voel me goed in een ribfluwelen broek. Dat die afgesleten is, stoort me niet.'

'Je wilt helemaal niet, Pischke. Ik draai hier al maanden dezelfde plaat af. In werkelijkheid wil je gewoon niet. Waarschijnlijk lach je me uit zo gauw je weer buiten staat, geef maar toe, Pischke. Je wilt geen werk. Je voelt je er te goed voor, hè?'

Meer en meer verdween de vriendelijkheid uit Lüttichs stem en houding. Opgelucht keek ik hem voor het eerst recht in zijn gezicht.

'Totaalweigeraar.' Lüttich knikte naar me. 'Waarop wacht je?'

'Waarop ik wacht?' vroeg ik, om wat tijd te winnen, en vervolgens flapte ik eruit: 'Op het geluk,' en ik glimlachte omdat het antwoord me opeens zo voor de hand liggend en juist leek als niets anders dat de voorbije maanden geleken had.

Lüttich hield zijn borende blik, die alles leek te omvatten en te herkennen, op mij gericht. Hij schudde zijn hoofd:

'Ik begrijp het niet,' zei hij zachtjes en gewild mild, 'jullie komen hierheen, zonder wat dan ook, zonder winterschoenen en wasmachine, niet eens het ondergoed voor één wasbeurt, ja, zonder dak boven jullie hoofd en zonder geld, ja, en jullie houden je handen op en pakken aan en wijzen af, stellen eisen, ja.'

De woorden van Lüttich bleven hangen. Elk van zijn woorden weerklonk in me. Ik woog ze, elk woord apart, alle woorden samen, legde de winterschoenen aan de ene kant, het niets aan de andere kant, legde de wasmachine aan de ene kant en het niets aan de andere kant, ontdekte een vleugje spot in Lüttichs ogen die bij het opsommen van al die gaven en tekorten de hele tijd strak op mij gericht bleven, en sloeg mijn ogen neer. Ook hier, dacht ik: niets. Er schoot me geen enkel woord te binnen dat ik hem als antwoord had kunnen aanbieden. Ik trok de rits van mijn anorak voor de helft omhoog, verder ging hij niet omdat hij klemde, klopte bij het opstaan uit verlegenheid op Lüttichs tafel en maakte dat ik de deur uit kwam.

'Met niets in jullie koffer,' hoorde ik hem nog achter me, misschien lag er wel radeloosheid in zijn stem, en het voorwerp van zijn radeloosheid liep weg en liet een onaangenaam en loswoelend gevoel bij hem achter, iets dat leek op woede die te groot was en dus niet mocht gevoeld worden, en dus riep hij me nog na: 'Wie niets wil, die heeft genoeg!'

Niet iedereen in de gang had een zitplaats, ik moest me langs een rij wachtenden wurmen, over voeten en uitgestrekte benen stappen. Vanuit mijn ooghoek zag ik de vrouw in de zomerjurk, die ooit een fractie van een seconde lang een Tsjechische sprookjesprinses was geweest, ze stond tussen twee overvolle banken en bestudeerde een affiche die aan een kurken prikbord hing. *Opgepast, schietwapens!* las ik in het voorbijgaan. Op de kleine zwart-witfoto's stonden jonge gezichten, terroristen. Vlug draaide ik mijn hoofd weg, ik wilde haar hier niet tegenkomen. Ik balde mijn handen achter mijn rug tot vuisten en liep door de massa. Toen ik bij de trap kwam, hoorde ik de stem van Lüttich door de gang brullen: 'Je stempel, Pischke!' Hij stond in zijn open kantoordeur, er viel licht op de gordijnen en stoffen, een fel zonlicht door zijn kantoor. Ik draaide me weer om naar de trap en zei tegen mezelf dat Lüttichs stem en zijn verschijning op inbeelding berustten. Ook toen ik hem een tweede keer hoorde brullen, wilde ik niet terugkeren, niet voor Lüttich die met een papier boven de hoofden van de werkzoekenden zwaaide, niet voor het papier met de stempel, dat ik aan de kampdirectie moest overhandigen, niet voor mezelf. Voor mij lag niets minder dan het wachten op het geluk. De zon was eventjes door de wolken gebroken en verdween weer, natte sneeuw joeg tussen de huizenblokken door en waaide in mijn halfopen anorak. Onder de gesloten hemel lopen, de sneeuwregen op mijn gezicht voelen en geen gehoor geven, daarvan genoot ik.

Krystyna Jabłonowska let niet op

Met een kopje schepte ik warm water uit de kom en liet het over het haar van mijn vader lopen. Op zijn achterhoofd deed ik zeep. Hij gaf geen kik, perste zijn lippen op elkaar en ik lette op dat de zeep niet in de wond achter zijn haargrens kwam.

'Let toch op.' Met zijn vlakke hand haalde hij naar me uit, maar hij kreeg alleen de zoom van mijn schort te pakken. Ragfijne zeepbellen zweefden in de lucht. Toen ik zijn haar droogde en hij zijn hoofd optilde, was het water in de kom rood. Voorzichtig streek ik over zijn blote, een beetje harige schouder, zijn hele bovenlichaam was bezaaid met rode vlekken.

'Wat doe je daar?' Weer haalde zijn vlakke hand naar me uit.

'Niets.'

'Dat doet pijn, au, laat dat. Waarom ben je toch zo onhandig, je moeder was heel anders. Onbeholpen ben je, au! Grof. Krystyna, laat dat.'

Maar ik ging voort met het inwrijven van zijn rug met de zalf die de dame van de eerste hulp me voor hem had meegegeven.

'Hou je bezig met je broer en laat me met rust,' mopperde hij. Ik verzweeg hem dat Jerzy me niet meer herkende. Toch beweerden de dokters dat hij met Kerstmis weg mocht. Naar huis, zeiden ze, en ze bedoelden het kamp, dat hij nog minder dan ik zou herkennen als thuis. Uit de badkamer haalde ik vers water en ik pakte de laatste schone punt van de handdoek om die in het kommetje te dopen, ik streek voorzichtig om de wonden heen en veegde het bloed op en het vuil dat het bloed uit de wonden spoelde.

'Doe je mond open,' zei ik tegen hem, maar hij perste zijn lippen op elkaar en wachtte tot ik me had omgedraaid om de handdoek uit te spoelen.

'Dik en grof.'

'Waarom moest je zo nodig uit je bed klimmen?'

'Dik en grof.'

'Geen wonder dat ze je aframmelen.'

'Ik ben danser, en wat voor een.'

'Maar je kunt die vrouw toch niet dwingen.'

'Zij wilde dansen.'

'Ah ja?'

'Ja, zij wilde het. Ik niet. Au!'

'En daarom heeft haar man je een pak rammel gegeven?'

'Daarom, ja. Ik wilde boven blijven.'

'Je moet duidelijker praten, vader, ik versta je amper. Je mummelt almaar meer. Als je nu niet stil zit, komt er zeep in de wonden.'

'Poeh. Helemaal niet. Hij heeft me uit mijn bed getrokken. Hij vond het een belediging dat ik niet met zijn vrouw wilde dansen.'

'Een belediging.' Natuurlijk geloofde ik geen woord van wat mijn vader zei, maar dat hoefde hij niet te weten.

'Een wens van zijn vrouw sloeg je niet af, zei hij.'

'Ach, vader.'

'Ze was me te oud. Gewoon te oud. Waarom zou ik met zo'n oude taart dansen?'

'Ze is zeker twintig jaar jonger dan jij, als het er geen dertig zijn.'

'Poeh, twintig jaar jonger. Hoe oud is ze dan? Halverwege de vijftig? Zelfs als ze twintig was, dan nog zou ik met zo iemand niet dansen. Die Nelly, met haar wil ik dansen. Wil ze niet nog eens op visite bij ons?'

'Ze was niet op visite, vader. Ze wilde ergens heen en had haar kinderen bij mij gelaten.'

'Met haar dans ik, met niemand anders.'

'Ach.'

'Dat is goed, krab me daar onderaan nog eens. Ja, daar.' Ik krabde mijn vader aan zijn stuitbeen, tot hij opnieuw 'au!' riep en ik de handdoek haalde om hem af te drogen.

Zijn gezicht bette ik. 'Wat is er met je mond, waarom pers je je lippen zo op elkaar? Geen wonder dat ik maar de helft versta van wat je zegt. Je moet je mond open doen.' Mijn vader antwoordde niet.

'Wat heb je daar?' Ik duwde mijn vinger in zijn mondhoeken, duwde hem naar binnen, tot hij toegaf.

'Au!'

Er ontbrak een snijtand, de andere was afgebroken. 'Vader?'

'Ik wilde niet met haar dansen.'

'Hij heeft je tanden uitgeslagen.'

'Helemaal niet.'

'Jawel. Hij heeft je tanden uitgeslagen.'

'Omdat ik niet met haar wilde dansen.'

'Hij heeft je tanden uitgeslagen omdat je niet met zijn vrouw wilde dansen?' Onbegrijpelijk. Hoe ouder mijn vader werd, hoe meer hij een wereld voor zichzelf fantaseerde.

Mijn vader zweeg en perste zijn lippen weer op elkaar, alsof dat iets aan de situatie veranderde.

De deur ging open en de nieuwe kamergenoot kwam binnen. In zijn hand droeg hij een zwarte tas van kunststof waarop met rode letters 'Beate Uhse' stond. Verbaasd keek hij mijn vader aan, best mogelijk dat hij hem voor het eerst uit bed zag. De hele tijd al dat de man met ons samenwoonde, droeg hij diezelfde tas van kunststof met zich mee. Hij legde de sigaret op de rand van de asbak die naast de waskom met het rode water stond. De rook brandde in mijn ogen. Hij was een Duitser. Zijn schoenen lieten natte sporen van roodachtige as achter. Kennelijk was er eindelijk gestrooid. Met zijn beslijkte laarzen die hem het uitzicht van een cowboy gaven, klom de Duitser op het onderste bed om op het bovenste, het zijne, iets te zoeken. Ik was het beu hem erop te wijzen dat het onderste bed dat van mijn broer was, en dat er geen voetafdrukken op mochten komen, ook al had mijn broer dit bed al maandenlang niet gebruikt en zou hij het pas met Kerstmis opnieuw gebruiken. Met een sprongetje gooide hij zich op het bed. De zwarte tas knisperde en er ritselde papier. De kamergenoot deed een smalle kartonnen doos open. Er kwam een kleine transistorradio te voorschijn. Hij zette hem aan en zocht naar een zender. Eerst hoorde je Engelse stemmen, RIAS Berlin, daarna vond hij een muziekzender. *Let the words of our mouth and the meditation of our heart be acceptable in thy sight here tonight.* Ik kon elk woord meezingen, zonder er een van te begrijpen. Overal, in de kantine, in het washuis, zelfs uit de grote luidsprekers die tussen de blokken stonden en daar wellicht voor instructies waren opgesteld en op evacuatiebevelen leken te wachten, weerklonk het lied verschillende keren per dag. Het leek je te verplichten tot een goed humeur, vergeefs. De Duitser haalde een draagkarton bier uit de tas. Hij deed een flesje open en nam een slok. Op het ritme van de muziek klopte hij op zijn knie en zong het refrein mee. Mijn vader perste nog altijd zijn lippen op elkaar en vroeg of ik iets gezegd had. Ik schudde mijn hoofd.

'De radio staat aan,' ik wees naar boven.

'Wat?'

'De radio.'

'Aah.' Mijn vader hield zijn hoofd scheef. 'Muziek, ja?'

'Ja.' De rook brandde in mijn ogen. Mijn vader wiegde met zijn hoofd alsof hij de muziek opeens kon horen.

'Uw sigaret,' zei ik in het Duits tegen de man. Maar de muziek stond te hard om me te kunnen horen. De sigaret gloeide, een lange rups van as kromde zich over de rand van de asbak en viel er ten slotte in. Mijn vader wiegde zijn hoofd in driekwarts- in plaats van in vierkwartsmaat. De gloeiende peuk viel aan de andere kant op tafel. Daar begon hij te smeulen. Het stonk naar verbrande kunststof.

'Waar zijn ze, je tanden?'

Uitdrukkingsloos keek mijn vader me aan, ik was niet eens zeker of hij had gehoord wat ik zei. Zijn driekwartsmaat deed zijn hoofd heen en weer wiebelen.

Moskou – vreemd en vol geheimen, torens van rood goud, koud als ijs, klonk het uit de transistorradio, de kamergenoot brulde: 'Moskou, Moskou, Moskou.' Hij brulde de hele melodie lang alleen maar die ene naam, tot er een nieuw herkenningswoord viel en hij naar 'Hé, hé, hé, hef de glazen' overschakelde. Zijn sigaret liet hij in het bierflesje vallen en hij strekte zijn arm met de fles tot aan de plafondlamp. 'Hé, hé, hé, op de liefde.' Met zijn tanden deed hij een nieuw flesje open.

'Je moet het me zeggen, hoor je?' Ik trok aan het oor van mijn vader. Hij perste zijn lippen op elkaar. 'Waar zijn ze? Haren en tanden, dat weet je heel goed, vader, haren en tanden.' Ik streek over zijn haar, raakte per ongeluk de wond aan en voelde hoe hij zich terugtrok. 'Haren en tanden,' herhaalde ik zachtjes.

'Waarom brul je altijd zo, Krystyna?' Verontwaardigd en beledigd keek mijn vader me aan, vervolgens draaide hij zich hoofdschuddend naar de Duitser, die geen notie van ons nam en boven op zijn bed zittend in een magazine bladerde en de liedjes uit de radio meezong.

'Ik ben toch niet doof,' zei mijn vader, zonder zich om te draaien.

'Jawel, je hoort niet goed.'

Mijn vader wiegde zijn hoofd op de maat van de muziek en hoorde me niet, of hij deed in ieder geval alsof.

'Haren en tanden, die moet je altijd bij je houden,' zei ik tegen zijn rug. Maar mijn vader bleef als een standbeeld zitten, alsof ik hem niet alleen lastig viel met mijn vragen maar ook met het bijgeloof waarover hij gewoonlijk alleen maar glimlachte. Het bracht ongeluk als haren of tanden in onbevoegde handen vielen. Een vogel bijvoorbeeld die een haar in zijn snavel de halve wereld door droeg, lokte het ongeluk van overal aan, en ik herinnerde me hoe ik als kind me probeerde voor te stellen wat dat betekende, ongeluk, en hoe ik het woord verschillende keren luidop uitsprak, om de betekenis ervan tenminste in een van de verschillende klemtonen te vatten. Wat me niet lukte. Toch moest ik altijd weer aan een vogel denken die over geluk en ongeluk zou beslissen als ik ook maar één van mijn haren achteloos overliet aan de wind.

Onder het bed stonden mijn rubberen laarzen. De schoenen waren intussen veel te koud. In het tweedehands kledingdepot bij de wasruimte werd ik elke week weer aan het lijntje gehouden. Of ik soms geen familieleden had die me iets konden sturen, had de dame gevraagd, en hoe het zat met andere kledinginrichtingen, of ik het niet ergens anders kon vragen. De volgende keer zou er zeker iets voor me bij zijn, maar in mijn maat, vierendertig, kwam gewoon niet zo vaak iets binnen. Ik had echter al twee keer gezien dat de dame van het kledingdepot moeders met kinderen laarzen in de hand stopte die hoogstwaarschijnlijk maat vierendertig waren. Natuurlijk had ik me niet opgewonden, tenslotte waren die anderen Duitsers, weliswaar uit het oosten van Duitsland, maar toch. De laatste keer had de dame van het kledingdepot een paar rubberen laarzen maat zesendertig voor me neergezet. In de ene laars was de stof binnenin gelig verkleurd. Ze roken sterk en ongewoon. Met twee paar kousen en een dikke laag krantenpapier kon ik er enigszins mee lopen – hoewel het een lelijk geluid maakte. Maar ik wilde de rubberen laarzen niet dragen bij de bontjas. Ook wanneer mijn vader niet zo goed naar me keek. Alleen al het idee dat iemand op straat, in de bus of in de metro me zou zien met een bontjas en rubberen laarzen joeg me het schaamrood op de wangen.

Niet vanwege mijn vaders gebit, maar om mezelf gerust te stellen ging ik op zoek naar zijn tanden. Had hij voorheen niet iets gezegd over de arbeidsbemiddeling? Maar waarom was hij zo ver gelopen? De arbeidsbemiddeling bevond zich in het laatste blok aan de zuidkant van het terrein. Er brandde nog licht, maar toen ik aanbelde, kwam er niemand opendoen. Op de kiezels voor de ingang ontdekte ik een donkere vlek, later een tweede. Ik volgde de bloedvlekken, die wegleidden van het pad, en in het schijnsel van een lantaarn kon ik nog net iets donkers vermoeden. De paar verdorde halmen waren omhuld met ijs, ook het rood was bevroren. Om in het halfdonker beter te kunnen voelen trok ik mijn handschoenen uit. Met mijn blote handen tastte ik over de grond. Er waaide sneeuw in mijn gezicht. Ik stak mijn tong uit en ving een vlok op. Door het lange hurken gingen mijn benen slapen, en dus kroop ik op mijn knieën voort.

Meter voor meter zocht ik de grond af. Ik vond sigarettenpeuken en kroonkurken, die in het ijs oplichtten als munten. Snoepjespapier. Gelukkig waren in het kamp geen huisdieren toegelaten, anders had ik nog moeten opletten voor katten- en hondenhoopjes. Ik kroop tot aan een struik waar aan de takken ijsdruppels groeiden in plaats van bladeren. Het bevroren loof knisperde en kraakte onder mijn knieën. Ik voelde iets in mijn vlees snijden, tastte naar scherven, legde ze opzij en zette voorzichtig mijn knie neer. Mijn hand voelde iets zachts, een stukje rubber, een in de lengte getrokken, vuilwit voorwerp dat aan een ballon zonder lucht deed denken. Ik liet het vallen en draaide me naar rechts, waar de scherven lagen. Daar ontdekte ik iets dat er als een bloedspoor uitzag, maar ik was er niet zeker van omdat het licht te zwak was. Het kon net zo goed mijn eigen bloed zijn, dat van mijn gewonde knieën door mijn kousen sijpelde. Vanwege de vele scherven ging ik weer op mijn hurken zitten. Onder mijn rubberen laarzen knarste en kraakte het zachtjes. Ondanks de kou meende ik de scherpe geur van de laarzen te ruiken. Er lag een pakje sigaretten voor me. Op de witte verpakking kon ik duidelijk rode sporen zien. Het pakje was nog halfvol, ik legde het terug en tastte voort. De tanden, dacht ik, en ik probeerde niets meer te voelen en niets meer te zien, alleen nog de tanden die ik wilde vinden. Achter mij hoorde ik gelach. Ik draaide me om. Een paar meter verderop stonden twee kleine kinderen in de lichtkegel van een lantaarn, en tenminste een van hen lachte.

'Willen jullie me niet helpen?' Ik riep het in het Duits. Mijn stem klonk als die van een kraai.

'Wat?'

'Of jullie niet willen helpen?'

De kinderen kwamen dichterbij. Het meisje giechelde. De

jongen duwde met zijn vinger zijn bril op zijn neus en boog zich voorover. 'Wat zoekt u dan?'

'Ah, jullie zijn het, ik had jullie uit de verte niet herkend.'

Nelly's dochter stak me haar handje toe. 'Waarom kruipt u over de grond?'

'Tanden, mijn vader is zijn tanden kwijt.'

'Kwijt?' Katja giechelde.

'Heeft hij een gebit?' Aleksej keek nieuwsgierig op me neer.

Met één hand steunde ik op de grond om overeind te komen.

'Er hebben hier mannen gevochten.' De kleine bukte zich en pakte een snoeppapiertje van de grond.

'Het zag er vreselijk uit.'

Pas nu viel me op dat Aleksejs dikke en vast zware bril links geen beugel meer had. Er spande een elastiekje tussen het montuur en zijn oor.

'Ja, en een paar mensen schreeuwden almaar ophouden, ophouden. Maar ze hielden niet op.' Katja stopte haar handen in haar jaszakken.

'Ja.' Meer viel me niet in. Om het niet koud te krijgen zette ik een paar stapjes, en voor ik erop bedacht was, liep het tweetal al naast me. We liepen de weg af, links van mij het meisje, rechts de jongen.

'Die ene man was uw vader,' zei Aleksej, en ik voelde dat hij mijn blik vermeed, waarschijnlijk uit schaamte, misschien uit consideratie. Misschien had hij het ook aan zijn zus gezegd: 'Die ene was haar vader.'

'Komt u uit de Sovjet-Unie?' vroeg het meisje.

'Nee, uit Polen.'

'Ach, uit Polen.' Er klonk teleurstelling in de stem van het meisje.

'Onze vader komt namelijk uit de Sovjet-Unie. En Polen ligt daartussen, dat is toch zo, hè, tussen ons en de Sovjet-Unie?' Aleksej struikelde.

Ik bedacht dat het voor hem in ieder geval ooit zo geweest moest zijn. 'Dan spreken jullie Russisch?'

'Nee.' Als uit één mond zeiden ze het.

Ik deed de deur naar onze trap open.

'Hebt u nou gezegd dat u een tand zocht?' Aleksej haalde zijn hand uit zijn jaszak.

'Ach,' zei ik. Wat moesten de kinderen van me denken dat ik zo koppig naar een tand zocht?

'Nou ja, het doet er niet toe. U mag hem hebben.' De jongen stak me zijn hand toe: 'Alstublieft.'

'Ach.' De tand in zijn hand zag er schoon uit, hij blonk wit als een parel, ik pakte hem aan en hield hem tegen het licht. 'Waar heb je hem gevonden?'

Aleksej schoof de bril weer op zijn neus en haalde zijn schouders op. 'Ik weet het niet meer precies, hier ergens in het trappenhuis.'

'Ik heb geld gevonden,' zei Katja, 'drie mark vierentwintig, alles bij elkaar.'

'Werkelijk?'

'Ja, maar ik denk dat ik het mag houden. Ik weet niet wie het verloren heeft.'

'Ik heb ook geld gevonden, maar dat was maar een klein muntje. De tand geef ik u, die mag u houden. Misschien heeft uw vader hem toch verloren en weet u het niet.'

Het jongetje praatte als een volwassen man. Ik moest bijna lachen. Maar ik haalde ernstig mijn schouders op en bedankte hem voor zijn cadeau. We waren op de tweede verdieping aangekomen.

Als aan de grond genageld bleven de kinderen voor me staan en keken me aan.

'Ik woon hier,' zei ik.

'Dat weten we toch,' antwoordde het meisje, 'we waren toch al eens bij u.'

'Willen jullie iets hebben voor de tand?'

'Iets hebben? Nee hoor. Nee, nee.'

'Nou dan,' ik deed de deur open, 'erg bedankt.'

'Hmm,' zeiden de twee kinderen, ze bleven als aan de grond genageld staan.

'Slaap lekker,' zei ik en deed de deur voor hun neus toe.

In de kamer was alles als voorheen. Mijn vader lag in zijn bed, de Duitser in het andere, ze sliepen beiden. Ik deed het licht aan en controleerde de tand. Hoe langer ik ernaar keek, hoe akeliger ik me voelde. Hij leek gewoon te wit en te intact voor een meer dan zeventigjarige tand. Welk ongeluk zou het brengen als ik de tand van een vreemde in mijn handen hield? Ik deed het raam open en gooide hem in een hoge boog door de nacht.

'Het tocht, verdomme, wie doet het raam open?' Mijn vader trok de deken over zijn hoofd, hij gromde.

'Licht uit! Stilte!' brulde de Duitser vanuit zijn bed.

Ik deed het licht uit. Vlug trok ik mijn rok en trui uit, trok het nachthemd over mijn hoofd en ontdeed me pas onder de dekens en met enige moeite van mijn ondergoed. De dekens waren dun maar warm, ze jeukten een beetje door de lakens heen. Ik stelde me voor dat ongeluk voor hem de dood kon betekenen. Maar hoe zou de dood ongeluk kunnen zijn als hij hem zelf niet zou voelen? Voor ik insliep, bedacht ik het ene ongeluk na het andere dat mijn vader en mij kon overkomen.

Nelly Senff hoort wat ze niet wil horen

Ik werd wakker van een knabbelgeluid. Het was nog donker. De kinderen sliepen rustig in hun bed tegenover het mijne. Katja was bij Aleksej gekropen, dat deed ze vaak sinds we hier waren. Ze zei dat ze het daarboven koud had en dat de lucht er te benauwd was. Het knabbelen en ritselen boven mij klonk alsof er een knaagdiertje zat. Het was zo donker dat ik maar met moeite de witte strepen van de matrasovertrek boven mij kon onderscheiden. De veren piepten en ik vermoedde hoe er iets op zijn zij ging liggen om beter te kunnen knabbelen. Met Wassilij had ik een keer een paar weken in een huis aan de Kreidesee doorgebracht. Boven ons bed knabbelde en knaagde het 's avonds en in de ochtendschemering. Wassilij zei dat de marter knaagde om te overleven, zoals alle dieren, muizenpoot na muizenpoot, dag in, dag uit. Maar ondanks die uitleg had ik heel erg gewenst dat het ophield.

Ik sloeg als bij toeval tegen de bedstijl, eventjes was het stil en vervolgens kwam blijkbaar de wervelkolom van de muis aan de beurt, onvermoeibaar werd er voortgeknaagd.

Vaak werd ik wakker als Susanne in de vroege ochtend thuiskwam. Ze deed haar best om stil te zijn, maar ik hoorde het toch als ze de sleutel in de kamerdeur omdraaide, en soms keek ik dan naar haar schaduw, hoe ze binnen kwam, eerst haar laarzen uittrok, iets uit een laars haalde, een bundel biljetten die ze telde en vervolgens in haar vak van de kast opborg, daarna pas haar gewatteerde jas uittrok, en ten slotte, laag na laag, het ene kledingstuk na het andere, tot haar naakte lichaam in het donker blonk en ik haar kapsel kon herkennen omdat mijn ogen aan het donker gewend waren. Meestal droeg ze haar haar in een paardenstaart. Ze kwam nooit voor vijven en zelden na halfzeven thuis. Dan kroop ze in bed en knaagde, alsof ze knaagde om te overleven.

Toen de wekker ging, hoorde ik een luid geritsel en geknisper, vervolgens verstomde het geknabbel, misschien had ze vlug de muizenschedels en andere hapjes verstopt, de metalen veren piepten nog één keer, en ik was er zeker van dat ze zich naar de muur draaide. Ik glipte in mijn sandalen en liep naar de wc.

Toen ik terugkwam deed ik het leeslampje aan dat ik van het begroetingsgeld had gekocht. Op een van de vier stoelen die om onze tafel tussen de twee bedden stonden, lagen haar kleren. Ze stonken naar rook en zweet, over de leuning lag bovenaan haar ondergoed, een bijna doorzichtig, fel roze slipje, een bh in dezelfde kleur met kant en kleine pailletten aan de bovenzijde van de cups. Onder het ondergoed zag ik een nylon panty en een of ander met imitatiebont versierd bovenstuk. De minirok van felblauw imitatieleer had ze op de zitting van de stoel gelegd. Eronder stonden de laarzen, met een plasje water eromheen. Zoals elke ochtend pakte ik mijn handdoek en legde die over de stoel, om hem ongemerkt weer weg te nemen zodra de kinderen uit huis waren.

'Opstaan.' Katja had haar arm stevig om Aleksej heen geslagen, ze lagen beiden met hun rug naar me toe.

'Hé, tijd op om te staan.' Ik fluisterde om Susanne niet wakker te maken.

'Ik wil niet.'

'Ik kan niet.'

'Jawel hoor, jullie kunnen het best. Het moet. Kom.' Ik tilde Katja het bed uit en droeg haar naar de stoel. Ze was erg licht, zo smal als een jongen. Haar haar had een afdruk achtergelaten op haar wangen die rood waren van de slaap. Haar ogen traanden, de randen waren opgezet. Ze hoestte en haalde haar neus op. Met een lege blik staarde ze naar de tafel. Om niet te hoeven zeggen 'hou je hand voor je mond' hield ik de mijne ervoor toen ze geeuwde.

'Hier zijn je spullen, Katja. Aleksej, jij ook. Ik maak jullie ontbijt klaar.'

'Geen honger.' Katja veegde een traan uit haar ooghoek, haalde haar neus weer op en stak haar vinger erin. Op tafel lag haar schoolschrift, ik deed het open en bladerde erin. Een heleboel rode strepen en halen maakten duidelijk hoe weinig ze het westerse schoonschrift nog maar beheerste.

'Jawel, jullie moeten iets eten,' zei ik, en las wat er in rood potlood onder haar regels stond: *We schrijven de hoofdletter L met een krul, evenals de S en de V. De hoofdletter Z onderscheidt zich van de kleine door het streepje in het midden. Voor morgen de drie regels twintig keer overschrijven.* Katja had de taak niet gemaakt. Alleen maar lege regels.

'Nee.' Katja rilde.

'Dan pak ik iets in om mee te nemen. Kom, kleed je aan, geen wonder dat je zo verkouden bent.' Ik bladerde naar voren in het schrift. Elk woord, hoe ordelijk geschreven ook, was boven- en onderaan en soms ook aan de zijkanten met rood aangevuld.

Katja zuchtte. 'Aan deze kant maken ze aan alle letters krullen.'

'Aan deze kant?'

'Nou, hier. Hier op school,' zei ze en ze sperde haar mond wijd open. Opnieuw hield ik mijn hand ervoor. Ze deed hem weg: 'Doe dat niet, je hand ruikt gek.'

'Het is toch niet zo erg als je eens een minder cijfer hebt.'

'Nee, maar de regels lopen heel anders, kijk maar, wij hadden heel andere voorgedrukte lijnen, en de buik van de B kwam hier aan de bovenkant en niet daar. Kijk.'

'Nou, het is toch niet zo belangrijk, Katja.' Ik sloeg het schrift dicht.

'Natuurlijk is het belangrijk. Je kijkt niet eens goed.' Katja trok het schrift naar zich toe en stopte het in haar schooltas.

In de keuken stonden de flessen van de medebewoners overal op de schappen, de vloer kleefde onder mijn voeten. Er waren sigaretten uitgedrukt op een conservendeksel, in de gootsteen stond een troebele smurrie, en ook in die smurrie dreven sigarettenpeuken, waaruit de onverbrande tabak was los gekomen. Uit de brij viste ik papieren zakjes waarop 'kruidenmix voor glühwein' stond. De keuken was zo smerig dat je niet kon zien dat ik hem nog gisteren van boven tot onder had schoongemaakt.

'Mama, mijn schoenen passen niet meer.' Katja was achter me aan de keuken in gelopen en hield een been omhoog. 'Hier, voel maar.'

'Hoezo, zo opeens?'

'Ik groei gewoon.'

'We hebben deze schoenen pas twee weken geleden gekregen.'

'Dat was minstens drie weken geleden. Bovendien zitten er gaten aan de zijkanten in, hier, de hele zool komt los. Kijk. Ik heb de hele dag natte en koude voeten.'

'Je vergeet ook om er 's avonds krantenpapier in te stoppen.' Ik streelde Katja over haar hoofd, ze had haar haar nog niet gekamd. 'Ik heb je toch laten zien hoe dat gaat. Geen wonder dat ze 's morgens nog nat zijn.'

'Behbehbehbeh,' mokte ze, en terwijl ze de keuken uit liep, zei ze: 'De andere kinderen hebben sneeuwlaarzen, met van die dikke zolen, in het rood en lichtblauw voor meisjes.'

'Hmm, van plastic.'

'Ja, die passen bij de schooltassen.'

'We hebben het daar al over gehad.'

'Maar als,' Katja leek na te denken, 'als, ik bedoel, kun je er nu niet een paar kopen als wij dan een hele tijd geen zakgeld krijgen?'

Aleksej kwam de keuken in. 'Hè ja, mama?'

'Jullie krijgen vijftig pfennig zakgeld, daarvan kan ik geen schoenen kopen.'

In Katja's blik zag ik de vraag naar de schooltas al zitten en die wilde ik voor zijn: 'Allemaal mooi gekleurd en van plastic. Vuurrode schoenen van polyester, felgele schooltassen van polyester, hemelsblauwe jassen van polyester. In 's hemelsnaam, waarom willen jullie nou absoluut zulke tassen? Ze zien er echt stom uit. Alle kinderen hebben dezelfde, dat is toch belachelijk.' Geschrokken over mijn missioneringspoging voegde ik er nog aan toe: 'Jullie hebben iets speciaals, echte...' en ik schaamde me.

'... ouwe tassen uit het Oosten.' Medelijdend keek Aleksej me aan. 'Je kunt wel zien dat jij geen kind meer bent, mama.'

Op zulke momenten vroeg ik me af waar Aleksej zijn bedaarde houding tegenover mij vandaan had. Zijn medelijden was bijna arrogant. Katja en Aleksej vermeden mijn blik.

'Lachen de kinderen jullie uit?'

Aleksej bukte zich en knoopte zijn veters vast. Katja verdraaide haar ogen alsof het een ongepaste vraag was. Alleen al uit trots zouden ze het me niet zeggen als ze werden uitgelachen. Even was ik er niet zeker van of mijn vermoeden klopte dan wel of hun toespelingen alleen maar een verzinsel waren om me te overtuigen van de aankoop van een boel nieuwe spullen. Katja had alleen maar nieuwe schoenen gevraagd. De andere wensen stonden uitsluitend in mijn herinnering tussen ons in en ze maakten mijn kinderen tot vreemden voor me. Ik haatte die vervreemding tussen ons, maar hoe meer ik die haatte, des te meer werden ze vreemden. Ik vond het niet prettig als ze om schooltassen of modieuze stoffen diertjes bedelden. Ik kon geen enkele van hun wensen vervullen. Ik wilde het ook niet meer. Hun hebzucht stuitte me tegen de borst. 'Als je schoenen niet meer passen, gaan we toch gewoon weer naar het klerendepot en brengen ze terug, we zullen kijken of ze andere hebben.'

Aleksej ging op de keukenvloer zitten en knoopte het afgebroken eindje van zijn veter aan het eindje in zijn schoen. Zijn bril gleed van zijn neus, hij viel op de grond.

'Deze middag hebben we een afspraak bij de oogarts.' Ik raapte de bril op. Goed dat hij zulke dikke glazen had, die braken niet zo gauw. Ik zette het montuur weer op zijn neus en trok aan het elastiekje. Het was zo uitgerekt en half vergaan dat het de bril nauwelijks nog op zijn plaats hield. 'Dan krijg je een nieuwe bril.'

'Moet dat?'

'Ja, dat moet.'

Er sloeg een deur dicht, de buurman met de bierbuik verscheen in de deur, zijn onderhemd bedekte alleen maar de bovenste helft van zijn buik. Zijn onderbroek en wat eruit te voorschijn piepte wilde ik liever niet in ogenschouw nemen. Ik hielp Aleksej. De buurman stond in de keukendeur en schudde verbijsterd zijn hoofd. 'Lieve help, elke ochtend dat lawaai hier. Kunnen jullie niet wat zachter doen? Een mens doet verdomme geen oog dicht.' Vloekend strompelde hij naar de wc, van waaruit luide scheten en ononderbroken verwensingen te horen waren.

Bij de deur omarmde ik hen beiden.

'Jij brengt Aleksej tot bij de klas?'

'Tuurlijk.'

Ik keek hen na toen ze trap afliepen. Het raam in het trappenhuis was nog zwart. Op de overloop draaide Aleksej zich naar me om en zwaaide. Zijn blik leek alles te weten over de vervreemding en over mijn haat en ook over de schaamte die zijn opmerkzaamheid in mij veroorzaakte. Hij zwaaide en lachte, alsof hij medelijden met me had.

'Kop op, jongens!'

'Mama?' fluisterde hij.

'Ja?'

'Wat is een oostpok?'

'Nou, in ieder geval geen ziekte. Wijnpokken bestaan, en windpokken, maar geen zuid- of noordpokken.' Ik moest lachen.

'Maar oostpokken,' zei hij en hij werd door Katja de trap afgesleurd.

Toen ik de woning weer in liep, kreeg ik het benauwd. De lucht leek zo bedompt alsof er geen tien, maar honderd mensen sliepen, en alsof het niet alleen winter was maar alsof er geen ramen waren die je kon openzetten. Het stonk naar alcohol en naar het zweet van andere mensen. Mensenwalm. En toch zouden ook onze uitwasemingen in deze opeenstapeling zitten, onherkenbaar, maar aanwezig.

Om Susanne niet te storen in haar slaap wilde ik een aantal dingen afhandelen, werk zoeken en bij de portier naar post vragen.

Later begon het te sneeuwen. De sneeuw danste omhoog. Er lag een dunne witte laag op elk voorwerp. Op zulke dagen kwam het licht uit de aarde in plaats van uit de hemel. Ik stond in de wasruimte, haalde de natte was uit de trommel en stopte hem in de centrifuge toen de deur openvloog en Katja binnenstormde. Meekomen, ik moest gauw meekomen. Aleksej voelde zich niet lekker.

'Waarom zijn jullie niet meer op school?' vroeg ik, het was elf uur en de school was pas uit om halféén.

'Gauw, mama, haast je, laat de was liggen.'

Ik volgde Katja door de sneeuw. Voor onze huisdeur zat Aleksej over te geven op het beijzelde roest van de voetenschraper.

'De lerares zei dat hij een uur moest blijven liggen en ze is me komen halen zodat ik in de ziekenkamer op hem kon passen maar hij voelde zich zo slecht, mama. Toen zijn we weggelopen.'

'Weggelopen? Jullie zijn gewoon uit school...?'

'Mama, ze hebben hem tijdens de grote pauze omvergegooid en op hem getrapt.' Katja was buiten adem, ze ging naast haar broertje zitten en legde haar arm om hem heen. 'Mama, doe iets, je ziet toch dat hij er slecht aan toe is.'

'Waar is zijn bril?'

'Geen idee, die ligt vast nog op de speelplaats.'

Aleksej veegde met zijn mouw zijn mond af, zijn gezicht was bleek. 'Een fiets op zijn neus.'

'Wat?' Blijkbaar kon hij niet meer helder denken.

'Een fiets, ze moesten hard lachen, de oostpok heeft een fiets op zijn neus.'

'Kom,' ik pakte Aleksej op mijn arm en droeg hem de trap op. Hij kotste over mijn schouder, er kwam alleen nog maar wat gal uit.

'Hier, blijf eventjes liggen.'

'Nee, mama, nee, alles draait, nee, mama, ga niet weg.'

'Ik haal een dokter, lieverd, Katja blijft bij jou.'

Ik holde het huis uit, naar de portier.

'Ja?'

'Een dokter, alstublieft, belt u een dokter, mijn kind heeft een ongeluk gehad.'

'Een ongeluk?'

'Vast een hersenschudding. Vlug.'

'Welk soort ongeluk? Waar dan?'

'Alstublieft, belt u gewoon een dokter, blok B, ingang twee, tweede verdieping links.'

'Wilt u een zakdoek?' Hij gaf me een papieren zakdoek door het raampje en ik holde terug. Links en rechts zocht ik de sneeuw af, mijn ogen deden pijn van het wit. Misschien had hij zijn bril toch pas in het kamp verloren. Ik veegde de tranen uit mijn ogen. *Where we sat down, ye-ah we wept, when we remembered Zion* klonk het door de luidsprekers. Ergens boven achter een open raam stond een vrouw haar ramen te lappen. Geen wonder dat de kinderen zich zo verzetten, dacht ik, vanaf het begin van het schooljaar kwamen er kinderen in hun klas die na een tijdje weer weggingen, soms bleven ze twee weken, soms vier maanden, en soms twee jaar. Maar dat ze weer weggingen stond vast. Waarom zouden ze zich ook niet tegen die indringers keren, tegen die voortdurende inbreuk van buiten, de vreemden die anders spraken en andere uitdrukkingen gebruikten, die geen sneeuwpakken droegen, andere laarzen en schooltassen hadden dan de rest van de klas? Je pestte ze, en kijk, het pesten had succes, binnen de kortst mogelijk tijd waren ze verjaagd, ze kwamen niet meer terug. Gewoon weg. Dat maken de kinderen van deze school dag in, dag uit, jaar in, jaar uit mee. De vrouw boven hing ver uit het raam, ze wilde de kroonlijst met een borstel schoonmaken. Er werd voor gezorgd dat in één klas terzelfder tijd niet meer dan drie kinderen uit het kamp zaten, zei de directrice me toen ik de papieren en getuigschriften van mijn kinderen bij haar bracht. De laatste jaren ging het weer, er kwamen er niet meer zo veel uit het Oostblok. Maar moeilijk was het toch, vooral met de Polen en de Russen. Ik zou wel begrijpen wat ze bedoelde, nou ja, we zouden zien. Toen had ik er niets bij gedacht en ik begreep er nog altijd weinig van. In tegenstelling tot mijn kinderen had ik weinig te maken met de mensen buiten het kamp. Alleen misschien met de verkopers in de winkel tegenover het kamp, met de verkopers van de meubelzaken waar ik 's ochtends vaak rondliep zonder naar iets bepaalds op zoek te zijn. Intussen had ik wel allang gemerkt dat geen van mijn kinderen vrienden kreeg of ook maar uitgenodigd werd voor verjaardagsfeestjes. Katja beweerde dat het lag aan de kleine blonde pop die ze niet had, net zo min als de juiste kleren, en aan het feit dat ze niet zoals andere meisjes van haar klas naar fluitles ging in de naburige evangelische kerk, omdat ze toch geen fluit had, en al helemaal geen God. Aleksej daarentegen was op een dag thuisgekomen en had langs zijn neus weg verteld dat Olivier, de jongen naast hem in de bank, hem had uitgelegd waarom hij hem niet voor zijn verjaardag kon uitnodigen: om twee redenen, omdat de kampkinderen nooit echte cadeaus meebrachten, hoe zouden ze ook, zo helemaal zonder geld, en omdat de anderen het gek zouden vinden als hij iemand als Aleksej zou uitnodigen. Bij wijze van troost had zijn buurjongen hem twee gummibeertjes gegeven. Ik zou trouwens toch niet gegaan zijn, had Aleksej gezegd, maar hij wilde me niet zeggen waarom niet.

Boven in de kamer zat Katja op Aleksejs bed en ze neuriede een liedje uit de hitparade. Aleksej was ingeslapen.

'Heb je gezien hoe hij omvergeduwd werd?' Ik knielde voor het bed en streelde de smalle schouders van mijn zoon.

Katja hield niet op met neuriën, ze keek me niet aan en schudde haar hoofd.

'Dan is hij misschien gevallen.'

Ze neuriede en haalde haar schouders op.

'Alsjeblieft, Katja, hou op, ik kan dat liedje niet meer horen, overal waar je komt, wordt het gedraaid.'

'Het zit in m'n hoofd, mama.'

'Kan het niet zijn dat hij gewoon gevallen is?'

'Dat denk ik niet, de kinderen hebben gejouwd en geschreeuwd, ze stonden in een kring om hem heen en toen ik me erdoor wrong, heb ik gezien hoe ze boven op hem stonden.'

'Boven op hem stonden?'

'Nou, ze trapten gewoon op hem.'

'Je zegt dat zo koel alsof het de gewoonste zaak ter wereld is. Op hem getrapt, zeg je?'

'Mens, mama, wind je niet zo op, dat helpt nou toch niets meer.' Mijn tienjarige dochter deed alsof ze dit soort situaties elke dag meemaakte en alsof er geen reden was om je op te winden als er verschillende kinderen op Aleksej hadden getrappeld. Onwillekeurig moest ik aan Aleksejs medelijdende blik denken en ik betrapte me op het idee dat zijn klasgenoten zich door hem geprovoceerd zouden voelen. Een achtjarige die de krant las en de halve dag over een boek gebogen zat, dat moest op kinderen een vreemd effect hebben. Aleksej kende de meeste dingen beter dan de mensen om hem heen. Hij was er niet trots op, maar hij maakte er ook geen geheim van, en dus corrigeerde hij mensen. Daarbij maakte hij beslist geen onderscheid tussen volwassenen en kinderen, tussen kennissen en vreemden. Soms noemde ik hem betwetertje en wijsneus. Maar dan lachte hij alleen maar mild en toegeeflijk. Als het op meningen aankwam corrigeerde hij niemand.

'Ik heb dorst.' Aleksej deed zijn ogen open.

'Kraanwater, iets anders heb ik niet, de thee is op. Haal alsjeblieft een glas voor hem, Katja.' Ik boog me over hem heen en voelde of hij koorts had, maar mijn handen waren zo koud dat zelfs het metaal van het bed me nog warm leek.

'Nee, mama, geen water.'

'Goed, Katja, voor één keer mag je limonade kopen.'

'Nee, ik wil niet.' Katja bleef als vastgenageld zitten.

'Je wilt geen limonade?'

'Ik wil er geen kopen, mama, ik wil niet naar de winkel.'

'Nou dat weer, Katja, stel je niet aan. Zie je niet dat Aleksej er slecht aan toe is? De dokter komt zo, ga nu limonade kopen. Mijn portemonnee ligt op tafel. Haal er een mark uit.'

'Nee.'

'Wil je me vertellen waarom je nu al een paar dagen niet meer naar de winkel wilt?'

'Ik wil niet.'

Het geluid van een sirene kwam dichterbij, het werd steeds luider. Ik stond op en keek naar buiten. Tussen de woonblokken liepen geen straten, alleen maar paden, de ambulance was gewoon over de sneeuw op de wei gereden en stopte voor onze deur. Susanne kwam overeind in haar bed en wreef haar ogen uit.

'Is er wat gebeurd?'

'Nee, niets,' antwoordde ik en ik liep naar de voordeur voor de bel iedereen zou opschrikken. De twee verplegers kwamen binnen en vroegen Katja en mij wat er met Aleksej gebeurd kon zijn.

'Mooi ongeluk,' zei de ene voor hij een blik naar boven op Susannes blote benen waagde en daarna mijn zoon op de veel te grote berrie legde. Susanne keek zwijgend van boven toe. We mochten nakomen, zeiden ze ons, maar in de ziekenwagen was geen plaats voor ons beiden. Ze gaven me het adres en ze droegen mijn kind het huis uit. Ik keek hoe ze hem beneden in de auto schoven. Toen pakte ik zijn spullen, de pyjama, de tandenborstel, de pantoffels. Het paste allemaal in een tasje. De pluchen ezel die ik twee jaar geleden in zijn schooltas gestopt had en die de hele weg was meegekomen, tot in het kamp, stopte Katja onder haar arm.

'Denk je dat hij zin in tekenen zal hebben?' Katja wilde zijn kleurpotloden inpakken.

'Ik weet het niet, misschien voelt hij zich daar niet goed genoeg voor.'

'We kunnen viltstiften voor hem kopen.'

'Katja, we hoeven niet de hele tijd iets te kopen, maak me nou alsjeblieft niet gek.'

'Denk je dat het erg is?'

'Prettig is het zeker niet. Een hersenschudding waarschijnlijk, dan heb je een paar dagen rust nodig.'

'Heb je het niet koud?' vroeg Katja en ze keek toe hoe Susanne haar minirok aantrok.

'Nee, eigenlijk niet.' Ze rolde de nylons op die ik al weken ten onrechte voor een panty gehouden had, en bevestigde ze onder de minirok.

'Is die kapotgegaan?'

'Waar?' Susanne keek naar beneden.

'Nou, de panty.'

'Ach onzin, dat is geen panty.'

'Wat dan?'

'Jarretels.' Susanne giechelde en trok de rits van haar laarzen dicht.

'Ik zou het koud hebben.' Katja keek medelijdend naar Susannes benen. 'Rook je?'

'Nee, eigenlijk niet. Of heel soms maar.'

'Je ruikt erg naar sigaretten.'

'Dat zijn mijn kleren.' Susanne lachte nog een keer en streek Katja over haar hoofd. 'Schiet op, hou je liever bezig met je broertje.'

In het ziekenhuis moesten we in een wachtzaaltje op de benedenverdieping gaan zitten. Ze wilden eerst uitzoeken bij welk onderzoek en op welke afdeling Aleksej op dit ogenblik was. Een oudere vrouw zat op de bank voor het raam in een tijdschrift te bladeren. Ze kwam me bekend voor, ik boog me voorover om haar gezicht te zien en herkende mevrouw Jabłonowska, de Poolse uit ons huis die telkens als ik haar tegenkwam in het trappenhuis of de wasruimte een gesprek wilde beginnen over mijn toch zo lieve kinderen. Ze keek op.

'Hallo.'

'Ah, hallo.' Ze liet het tijdschrift op haar bontjas vallen en keek ons verbaasd aan, toen deed ze het tijdschrift weer open en las of keek naar de zwart-witafbeeldingen. Haar vader was de wilde danser, misschien was er iets met hem gebeurd en wachtte ze op hem. Bij onze laatste ontmoetingen had ik haar het woord afgesneden.

'Aleksej heeft aan die mevrouw een tand gegeven,' fluisterde Katja me toe, ze wees met haar vinger naast haar en fluisterde zo luid dat de vrouw het zeker verstaan had.

'Een tand?' Zonder haar vinger te volgen pakte ik de ezel uit Katja's andere hand en legde hem tussen ons op de bank. De vrouw haalde moeizaam adem. Katja stond op en keek naar de boeken die op een laag rek stonden. Ze zocht een boek uit en bracht het me.

'Lees je me wat voor?'

'Nu niet. Lees zelf maar.' Ik keek naar de grote klok, het was iets over halféén. Katja pakte het boek weer van me af en liet het eventjes op haar schoot liggen. 'In de bibliotheekbus zijn die altijd uitgeleend,' zei ze zachtjes, maar ik antwoordde haar niet. Toen stond ze weer op en bracht het boek weer naar het rek. Met voorzichtige zijdelingse blikken probeerde mevrouw Jabłonowska ons onopgemerkt te volgen.

'Kun je zo'n boek niet lenen van een meisje uit je klas?'

Katja haalde haar schouders op. 'Ja, vast wel,' zei ze en ik wist dat ze moest liegen. Ik legde een arm om haar schoudertje, keek weer naar de klok en wipte met mijn voet op en neer. Het liedje klonk van ergens uit de verte. De felbeige geverfde muren weerkaatsten het. Het echode vreemd. Eerst bewogen de stemmen als een springtouw, het was alsof ze spotten met de traagheid in mij die zich tegen het lied verzette omdat het de zwaarte bedreigde, vrolijk en zorgeloos, maar hoe vaker het lied zijn melodie herhaalde, hoe sterker de stemmen zich op de muziek wentelden, een golf, alsof we het allemaal samen voelden en ergens aan een rivier bij Babylon zaten. Het refrein werd gedeeltelijk door een groot koor geneuried, een windzwerm boven een zee, een coulisse van onvoorstelbare uitgestrektheid en vrijheid en liefde, ik slikte, zo benauwd kreeg ik het opeens.

'Wat doet u hier?'

Ik boog me voorover, maar mevrouw Jabłonowska in haar bontjas leek niet te willen merken dat ik tegen haar praatte.

'Neemt u me niet kwalijk,' ik stond op en ging naast haar zitten, 'we hebben elkaar onlangs in de wasruimte ontmoet. Ik heb u het woord afgesneden en ben naar buiten gelopen.'

'Ah?' Op haar schoot lag een magazine met een winters beeld van het Kremlin. De rood omkaderde foto zag er merkwaardig kleurloos uit, alsof de sneeuw of de grove korrel van de afdruk alle scherpte en kleur eruit had weggenomen. De titel in gele inkt luidde: *Wat is er gaande in het Oostblok?* Ze leek het tijdschrift niet te willen lezen.

'Ja hoor, ik ben er zeker van. Wat doet u in het ziekenhuis?'

Mevrouw Jabłonowska keek me lang aan, ze ademde en ademde, haar bontjas leek gewoon te nauw voor haar zware adem.

'Ik wacht op mijn broer. Ze maken hem klaar, hebben ze gezegd.'

'O, hij was dus ziek en hij wordt nu ontslagen?' Ik glimlachte om haar te laten merken dat ik me niet meer afwijzend wilde gedragen.

'Nou, nee, ze maken hem klaar omdat, omdat mijn broer vorige nacht gestorven is.'

'O.' Ik keek naar haar vlekkerige hand die beefde en naar de zakdoek erin. 'Dat spijt me.'

'Nee, nee. U kunt er niets aan doen. Het geeft niet. Hij was erg ziek.'

'Hebt u hem verzorgd?'

'Nee, hij moest de laatste maanden hier liggen. Ze hebben me niet gebeld. Stel u voor. Ik ben deze ochtend aangekomen. Al vier dagen wacht ik op hun telefoon, elke nacht, en elke ochtend of middag kom ik kijken of hij nog ademt. Vandaag was zijn kamer leeg.' Een scherp mengsel van vet en parfum hing om haar heen. Haar zweetreuk drong door het bont, hoewel de haakachtige knopen van haar jas tot bovenaan dicht waren. Ze deed haar mond open om makkelijker uit te ademen.

'Ik wilde bij hem zijn. Begrijpt u dat? En dan gaat hij dood,' ze haalde adem, pauzeerde even, 'gewoon achter mijn rug.' Mevrouw Jabłonowska streek met haar hand over haar bontjas en trok er haartjes uit. 'Ze hadden beloofd dat ze me zouden bellen.'

'In het kamp? Daar is toch geen telefoon.'

'Nou, de centrale toch. Maar ze zijn het blijkbaar vergeten. Misschien hadden ze het te druk.'

'En dit?' Katja hield een boek vlak voor mijn ogen. 'Heb je dit soms liever?' vroeg ze en ze rolde met haar ogen.

'Kom,' ze trok me aan mijn mouw weer op de bank, 'kom naast me zitten en lees me een beetje voor, ja?' Ik draaide me weer naar mevrouw Jabłonowska. 'En nu wordt uw broer – *klaar gemaakt*?'

'Ze moeten zijn handen voor zijn borst vouwen en zijn kin opbinden, dat doen ze voor de familieleden mogen komen kijken.'

'Zijn kin opbinden?'

'Anders valt die naar beneden en staat de mond ver open als de lijkstijfheid begint en de familieleden komen, dan zou zijn kaak openklappen,' mevrouw Jabłonowska sperde onverhoeds haar mond wijd open, 'zo.' Ze had gouden tanden.

'Ah ja.' Ik stelde me een dode man met een wijd opengesperde mond voor.

Ze deed haar mond weer dicht. 'Waarom bent u hier?'

Ik wilde net antwoorden toen de deur openging. De verpleegster keek eerst naar mij, toen naar mevrouw Jabłonowska, en ten slotte viel haar blik op Katja, die weer voor het boekenrek knielde. 'Jabłonowska?'

Ze stond op. Haar benen, die onder haar bontjas uitstaken, zagen er spichtig uit in vergelijking met haar massieve lichaam. Ze staken in plompe rubberlaarzen, waarmee ze slofte alsof ze veel te groot waren. Ze legde het tijdschrift achter zich op de bank.

'Komt u alstublieft mee?'

'Ja, ik kom, een ogenblikje. Mag ik eerst nog even naar de wc?'

'Als het niet te lang duurt, natuurlijk.'

Mevrouw Jabłonowska volgde de verpleegster door de gang.

Katja had een nieuw boek gepakt en zat bewegingloos met het boek op haar knieën, ze las. Ik keek over haar schouder. 'Dat is zeker niet beter.'

'Mama, jij hoeft het niet te lezen. Bovendien heeft vader het boek al gelezen.'

'Hoe kom je daar bij?'

'Ik herinner me de kaft.'

'Ach kom, na al die jaren herinner jij je de kaft? Hoe kwam hij trouwens aan zo'n boek?'

Katja klapte het boek dicht. Er stond een bruine tekening op de omslag. Waarom zou Wassilij een kinderboek hebben gelezen, en dan nog wel een uit het Westen? Steeds vaker meende ik Katja op een leugen te betrappen.

'Ik was niet vlug genoeg,' zei Aleksej toen we in de ziekenkamer kwamen. Ik liep naar zijn bed en trok er een stoel bij.

'Zie je nou, mama, als hij nou ten minste gymschoenen had gehad.' Katja boog zich aan de andere kant van het bed over haar broer en legde haar hand op zijn voorhoofd, alsof zij de moeder was. 'Raad eens.' Ze deed de rits van haar anorak open en liet de ezel naar buiten piepen.

'Denk je dat ik dood moet, zoals vader?'

'Nee, jongen, beslist niet.' Ik dacht aan het rapport dat de dokter me buiten op de gang gegeven had en dat ik had moeten ondertekenen. Dat ik de verantwoordelijkheid voor de gevolgen van de onderzoeken droeg, dat men er weliswaar van uitging dat er geen gevaar bestond maar dat bepaalde gevolgen van de röntgenonderzoeken niet uit te sluiten waren. Terwijl ze alle onderzoeken allang gedaan hadden, er bleef me niets anders over dan mijn handtekening te zetten. Hij had een hersenschudding, een schedelkneuzing, verschillende andere kneuzingen en een gebroken rib. Bovendien, en daar wees de dokter me apart op, hadden ze vastgesteld dat hij ondervoed was. Met zijn lengte moest hij minstens zesentwintig kilo wegen, het waren een paar ponden te weinig. Daarover wilde de dokter nog eens uitvoeriger een gesprek hebben, hij had me streng aangekeken alsof ik mijn kinderen liet verhongeren of ze verwaarloosde.

'Weet je, mama, ik denk altijd dat vader er weer wil zijn en in mij leven.' De wangen van Aleksej waren rood en ruw. Zijn ogen stonden glazig.

'In jou?'

'Ja, omdat hij nu alleen nog maar een lijk is en geen levend lichaam meer heeft, denk ik dat hij graag in mij wil leven, in mijn buik.'

'Hoe kom je daar bij?'

'Grootmoeder heeft een keertje gezegd dat hij in ons voortleeft.'

'Dat bedoelde ze anders. Grootmoeder vindt dat hij in ons voortleeft omdat we aan hem denken.'

'Ik weet hoe grootmoeder het bedoelde. Maar het is niet genoeg, mama. Een ziel wil meer.'

Nu dacht Aleksej al dat hij iets afwist van de wil van de ziel. Ik schudde mijn hoofd en raakte zijn lippen aan, die ondanks de inwendige verwondingen er onnatuurlijk gaaf uitzagen.

De dokter kwam binnen, hij vroeg of ik even wilde meekomen. In zijn spreekkamer verzocht hij me in de oranjekleurige stoel plaats te nemen. Hij bood me mandarijnensiroop met water aan.

'Hebben al uw patiënten een eenpersoonskamer?' Ik sloeg mijn benen over elkaar en wilde hem al bedanken.

'Eenpersoonskamers? Nee, dat zal alleen maar de drie eerste dagen zijn, in verband met het besmettingsgevaar.'

'Besmettingsgevaar?'

'Kijkt u me niet zo geschrokken aan.' Hij glimlachte genereus en proefde nog even het effect van zijn woorden, toen boog hij zich naar voren, vouwde zijn handen op zijn bureau en zei: 'Uw zoon heeft luizen, dat zal u toch niet ontgaan zijn? Zijn hele hoofd vol, we moeten eerst een kuur doen.'

'Ah.' Abrupt onderbrak ik mijn spontane gebaar en deed

mijn hand van mijn hoofd weg, als het jeukte moest ik het maar verdragen.

'U hebt het rapport gelezen?'

Ik knikte.

'Uw zoon beweert dat hij op school in elkaar geslagen is.'

Hij keek me onderzoekend aan en verwachtte blijkbaar een antwoord.

'Ja?'

'We vragen ons af of het waar is. Hij maakt een verwarde indruk. De school had hem zo niet naar huis mogen sturen. Wat ik wilde zeggen: was hij misschien niet op school?'

'Niet op school? Waar had hij dan moeten zijn?'

'Alstublieft, windt u zich niet op, deze gesprekken zijn voor ons ook niet makkelijk. We krijgen steeds meer met dit soort gevallen te maken. Mishandeling komt in de beste gezinnen voor.'

'Wát zegt u?'

'Was hij bij u thuis?'

'Nee, in het kamp was hij niet. Niet voor zover ik weet.'

'Mevrouw Senff, onze verplegers hebben hem uit, wacht even, blok B in het vluchtelingenkamp gehaald. Daar woont u toch?'

'We wonen daar, ja. Maar...'

'Rustig maar, mevrouw Senff, ik ben niet van de politie. We hebben hier ook een zwijgplicht. Maar het is voor ons erg onwaarschijnlijk, ziet u, de ernst van de verwondingen, kneuzingen van deze aard, een gebroken rib, de puntachtige verwondingen op zijn armen en rug, duidelijk veroorzaakt door een puntig voorwerp, naalden, liefst hete, zijn geliefd.' Terwijl de dokter sprak, slurpte hij op een merkwaardige manier door zijn tanden, alsof het een ongehoord genot en tegelijkertijd een kwelling voor hem was om over die dingen te praten. 'Een hersenschudding met schedelkneuzing, daarvoor moet je al veel kracht hebben. Hij heeft een bril nodig en hij heeft er geen. En daarbovenop zijn ondervoeding.'

'Het is me helemaal niet opgevallen dat...' Ik dacht snel na of het misschien fout zou zijn te zeggen wat ik wilde zeggen. Ik stak een sigaret op.

'Niet opgevallen dat uw zoon te mager is, te weinig weegt? Iedereen heeft vandaag de dag toch een weegschaal.'

'Nee, meneer... Hoe heet u?'

'Dokter Bender. Wilt u alstublieft uw sigaret weer uitdoen?'

'Meneer Bender, in het kamp zijn er geen weegschalen, behalve bij het medisch onderzoek, en wie komt er nou op het idee om zijn kind te wegen. Ik bedoel, behalve bij de kinderarts. Ja, en bij de laatste onderzoeken was alles in orde, er heeft in ieder geval niemand wat gezegd over ondervoeding.'

'We moeten in dit geval uw verklaring opnemen en voor de verzekering ook aan het ziekenfonds doorgeven. Die zullen zeker ook een nader onderzoek doen op school, want ofwel hebt u uw plicht om toezicht te houden verzuimd, ofwel was het de school.'

'Mijn kinderen eten. Ze eten niet veel, maar dat doen we geen van allen. Als u elke dag uw eten in porties zou krijgen toebedeeld, zou u de eetlust ook wel vergaan.'

'Wordt u alstublieft niet persoonlijk, mevrouw Senff.'

'U werd zelf persoonlijk.'

'Is dat zo? Nou ja, zoals ik zei, zal de verzekering zich daarmee bezighouden. Het is niet aan mij om een beslissing over de oorzaak van de verwonding te nemen. Ik kan alleen maar mijn vermoedens hebben.'

'Ach, uw vermoedens?'

'Mevrouw Senff, laat ons alstublieft zakelijk blijven. Ik begrijp dat het niet makkelijk is voor u.'

'Nee, dat is het zeker niet,' ik stond op, 'maar ik bemoei mij ook niet met uw gezinsleven.'

'Soms is bemoeienis belangrijk, mevrouw Senff.' Hij slurpte tussen zijn tanden en slikte. Dokter Bender deed alsof het hem nu om het even was of ik in zijn kantoor bleef of niet, hij maakte aantekeningen op zijn formulier, nam een slok mandarijnensiroop, die hij puur dronk, en pakte ten slotte de telefoon om iets in de hoorn te fluisteren.

'Belangrijk, belangrijk,' zei ik, maar hij tilde niet eens zijn hoofd meer in mijn richting, ik kon praten wat ik wilde, hij liet zich niet meer afhouden van het in orde brengen van zijn formulieren. 'Mooi in uw rol blijven, niet waar? Wat hebben jullie het toch mooi makkelijk in jullie rollen. Rollen voor het leven. Kun je die misschien ergens kopen?' Ik liet de deur wagenwijd open en liep de gang door.

Katja lag op het bed van Aleksej. Ze was schuin boven op hem gaan liggen, haar benen bungelden naar beneden en ze zong het liedje dat ik niet meer wilde horen.

'Bastaard.' Katja ging rechtop zitten.

'Bastaard?'

'Ja, bastaard, dat riepen een paar jongens toen ze op Aleksej trapten, bastaard, bastaard. En natuurlijk Oostpok.'

'Waarom bastaard?'

'Weet ik niet,' ze haalde haar schouders op, 'misschien omdat ze weten dat wij geen vader hebben en dat jullie niet getrouwd waren.'

'Ach kom, hoe zouden zij dat weten?'

'Nou, de lerares vraagt toch altijd: welk beroep heeft je moeder, wat doet je vader?'

'En wat heeft dat te maken met getrouwd zijn?'

'Wel, ik zei dat mijn vader dood was.'

'En?'

'Toen zei de lerares: dan is je moeder weduwe. Weduwe, dat is zo'n akelig woord. Ik weet best wat een weduwe is, dat is de oude vrouw van een man die doodgaat. En toen zei ik dus dat jij geen weduwe bent omdat jullie helemaal niet getrouwd waren en dat je ook nog erg jong bent, helemaal geen weduwe.'

'Nou en? Het komt toch wel vaker voor tegenwoordig dat mensen ongehuwd samenwonen. Wat betekent dat nou nog. Mijn ouders waren ook niet getrouwd, denken jullie dat mijn moeder zo makkelijk had kunnen trouwen?'

'En waarom is grootmoeder niet getrouwd?'

'Dat was niet toegestaan.'

'Waarom niet?'

'Dat heb ik jullie toch al eens verteld.'

'Vertel het nog een keer, mama, alsjeblieftt.'

'Ze mochten niet. Zij was joods en hij niet.'

'Vertel nog een keertje hoe ze elkaar leerden kennen.'

'Nu niet.' Onzacht schoof ik Katja opzij. 'Je doet hem nog pijn als je zo op hem gaat liggen.'

'Ik lag helemaal niet meer op hem.'

'Kom eens hier.' Voorzichtig tilde ik Aleksejs arm op, natuurlijk was hij licht, de armen van Aleksej waren altijd al licht geweest, maar over ondervoeding had nog nooit iemand gesproken. Eerst streelde ik Aleksejs arm, toen schoof ik zijn mouw omhoog. 'Wat is dat hier?' Met mijn vinger ging ik over de kleine blauwzwarte puntjes, die op twee plekken ontstoken waren en eruitzagen als kratertjes, met ringen van gedroogd etter rond de opening, waarin een doorzichtige vloeistof stond.

'Niet doen.' Aleksej probeerde mijn hand weg te duwen.

'Wat is dat?'

Katja boog zich over Aleksejs arm en streelde hem.

'Waarom antwoord je niet?' Ik schreeuwde bijna.

Aleksej keek moe en uitgeput langs me heen, hij draaide zich op zijn zij en staarde naar het kussen voor hem.

'Mama, vraag dat toch niet zo.' Bestraffend keek Katja me aan, alsof ik iets onbetamelijks gevraagd had. 'Dat doen ze in mijn klas ook met een jongen. Tijdens de les prikken ze hem met hun vulpen.'

'Ze prikken hem met hun vulpen?'

'Ja, zoiets. Of met hun potlood. Eén keer heeft een jongen een passer gebruikt. Maar dat had de lerares gezien. Tijdens de les moet je stil zijn, en dus durft de jongen niet te roepen, anders lachen ze hem tijdens de pauze uit en zeggen ze dat hij een schijtebroek is, een sul.'

'Een schijtebroek?' Waarom huil je zo vlug? had Wassilij me vroeger gevraagd. Ik kon geen antwoord geven. Sinds ik zijn overlijdensakte gekregen had, kon ik niet meer huilen. Ook niet als ik er behoefte aan had en als het naar mijn mening gepast was geweest dat ik huilde. Ik streek over de puntjes, waarvan sommige kringen en patronen leken te vormen. 'Dat zijn tatoeages.' Ik schudde mijn hoofd.

'Ze doen nog heel wat andere dingen,' zei Katja, 'ze hebben bijvoorbeeld laatst na de sport in zijn schoenen geplast,' Katja giechelde, 'ze waren helemaal nat.'

Ik deed mijn ogen dicht en voelde hoe de kratertjes uitstaken boven de gladde kinderhuid. 'Brandwonden,' zei ik zachtjes en dacht aan dieren die gebrandmerkt werden.

'Of, stel je voor, mama, stel je voor, die jongen, ik denk dat hij geadopteerd is maar ze noemen hem altijd gestichtskind, hij is de enige behalve ik namelijk die ook niet zo'n dikke pennenzak heeft. In de plaats daarvan heeft hij een tas met een rits, en daar hebben ze hondenpoep in gestopt.' Katja rilde en hield op met giechelen. 'Vies hè, mama?'

'Hou nou even op met dat geratel.' Mijn ogen waren zwaar, Katja leek in topvorm.

'Nog één ding, mama, echt nog één ding, ze hebben eens met een balpen op zijn jas geschreven: ik ben stom. En op mijn jas wilden ze ook iets schrijven, maar ik ben weggelopen, heel vlug, zo vlug als ik kunnen zelfs de jongens niet lopen.' Katja bleef maar giechelen.

'Vind je dat soms grappig?'

'Nee, helemaal niet.'

Op sommige ogenblikken kon ik het niet verdragen dat Katja met alle geweld haar kinderlijke vrolijkheid met mij wilde delen. Die vrolijkheid leek me kinderlijk omdat ze openbarstte in situaties waarbij ik van uitputting ter plaatse had willen inslapen en niets vuriger wenste dan tien minuten alleen te zijn. Misschien waren dat ook de ogenblikken waarop ik had willen huilen en ik niet huilde omdat ik niet meer kon huilen. Als ik haar afwees, schaamde ik me, vooral omdat het geen toeval was dat ze met steeds meer volharding lachte naarmate ik vertwijfelder was.

'Mama, zal ik je een grap vertellen?'

'Nee, geen grap.' Ik stond op, pakte de spullen die we hadden meegebracht uit de tas en legde ze in het lege vak van de kast. Voor het bed lag de ezel. Mijn benen waren zo moe dat ik weer op bed ging zitten. Zijn bril moest Aleksej op de speelplaats verloren hebben, goed dat hij nu sliep, ik zou hem niet wakker maken om het hem te vragen, alleen de afspraak bij de oogarts moest ik uitstellen. Als die Bender, die zich dokter noemde, niet in zo'n andere wereld leefde, had ik hem kunnen vragen of Aleksej niet hier al in het ziekenhuis een nieuwe bril aangepast kon krijgen. Hoewel gezichtstests bij een hersenschudding waarschijnlijk moeilijk uitvoerbaar waren.

'Ik wil je toch alleen maar troosten,' zei Katja en ze sloeg haar dunne armen om mijn hals.

Eerst voelde ik me als een dode berg, reusachtig in de armen van mijn dochter. Maar toen kriebelde er iets van binnen, schaamte breidde zich uit, lava kroop in mijn gezicht en koelde af aan mijn handen. Onbeweeglijk bleef ik onder haar omarming. Er viel me gewoon geen enkele zinvolle handeling in. Ook de woorden leken niet meer dan nutteloze geluiden.

Bij de bushalte zat mevrouw Jabłonowska in haar bontjas. Ze zwaaide toen ze ons zag komen.

'We moeten dus dezelfde weg op,' sprak ik haar aan. Haar bontjas zag er dof uit. Onwillekeurig vroeg ik me af of er in zo'n jas ook luizen zouden wonen, hij werd tenslotte elke dag van binnen uit gewarmd.

'Het spijt me, nee, ik ben op weg naar mijn werk, dagploeg.'

'Wat doet u?'

'In een snackbar, het eten. Vanaf volgende week mag ik misschien aan de kassa.' Trots drapeerde ze de bontjas over haar knieën en hield hem aan twee kanten vast zodat hij niet weer zou openvallen. Haar glimlach had wel het vredige robuuste lachje van een boerin kunnen zijn. Ik dacht aan wat haar vader achter haar rug gezegd had: ze was celliste, een slechte. Tussen haar ronde knieën moest ooit die cello gestaan hebben die het gezin verkocht had om haar broer hier te begraven. De trotse blik van mevrouw Jabłonowska joeg me angst aan.

'Dat is zeker vermoeiend, de hele dag zonder frisse lucht en daglicht.'

'Zonder daglicht? Dat is me helemaal nog niet opgevallen. Zonder daglicht.' Mevrouw Jabłonowska streelde het doffe bont. 'Maar ik doe het graag. Zo vermoeiend is het niet.'

Haar robuustheid kwam me gekunsteld voor. Met haar pink wreef ze in haar oog. Ze zweeg en haar zwijgen leek me dat van een vrouw die in zichzelf rustte, die heel anders was dan ik en die dus zeker geen kwellende gedachten moest verjagen. Ik was er zeker van dat boerinnen een leven zonder zorgen hadden. Over cellistes wist ik weinig. Met haar ringvinger wreef ze in het andere oog. Deze nacht was haar broer gestorven. Nu zou hij daar liggen met een opengeklapte kin als ze hem niet hadden klaar gemaakt. De momenten dat ik me Wassilij dood voorstelde, waren steeds zeldzamer geworden. Zijn ledematen waren verdraaid, zijn donkere ogen, die niets meer zagen, waren verminkt, en er verkrampte iets in mij. De kinderen verplichtten me voort te leven. Eerst voelde ik tegenzin om voort te leven, later schaamte voor mijn overleven. Tot ik op een dag voor het eerst de stille vreugde over een moment van vergeten voelde. Door mevrouw Jabłonowska's beschrijving van de opengesperde kaak van haar broer was Wassilij weer eventjes dicht bij me geweest. Maar ik kon hem nu dichtbij laten komen zonder te blijven stilstaan. Die superioriteit voelde vreemd aan, vreemd aan mijn eigen lichaam, alsof ze er niet bij hoorde. Je zou jezelf onzichtbaar moeten maken. Poolse zigeuners, zo werden ze in het kamp genoemd, alle Polen. Waarschijnlijk omdat ze zo graag feestjes bouwden, omdat ze in het kamp vaak bijeenkwamen en zo schaamteloos vrolijk konden zijn. Nachtenlang zongen ze. Ook de man in de wasruimte had me verteld dat hij vaak niet kon slapen omdat de Poolse bende in zijn huis de hele nacht door feestvierde. Dat grieft onze ernstige Duitse gevoeligheid, had de kleine man me gezegd en hij had zijn ogen naar me opgeslagen. Ik wist niet of ik moest lachen.

De bus kwam aan en we stapten op. Zigeuners hadden niet

alleen geen huis, het waren ook mensen zonder land en zonder beroep. Mensen die behalve aan hun clan aan niets of niemand gebonden waren, vrije mensen, zoals Wassilij dacht, mensen zonder rechten, zoals ik hem geantwoord had. Niemand wilde zijn als zij, niemand behalve Wassilij, die op sommige kinderachtige momenten beweerde dat hij altijd als zigeuner ter wereld had willen komen – maar jammer genoeg was hem dat niet vergund, en omdat je geen zigeuner kon worden, moest hij zijn hele leven onvrij blijven. Dat idee van hem leek me een beetje onnozel omdat hij zijn eigen bestaan uitsluitend aan zijn geboorte vastknoopte, alsof hij in het noodlot geloofde – en dat geloof van hem had me zo ongewoon kinderlijk geleken dat ik daardoor van hem hield.

Een paar dagen geleden nog hadden ze me bij de arbeidsbemiddeling een baan als hulpje in een drankwinkel aangeboden. Ik had het afgewezen. Tenslotte was ik scheikundige en had ik al heel wat ander werk verricht, bijvoorbeeld op de begraafplaats, toen ik van de Academie van Wetenschappen de mededeling kreeg dat men mij niet meer kon gebruiken, maar daar was tenminste frisse lucht en daglicht geweest. Er kwam bijna niemand op de begraafplaats van Weissensee. Welke jood stierf er nu nog in Oost-Berlijn? Klimop en grote rododendronstruiken. Vochtige schaduw. Boomstammen van zandsteen waarop korstmossen leefden. Inscripties en namen. En alleen maar het gefluister in je eigen hoofd, geen geklets en geen bevelen. Maar de man van de arbeidsbemiddeling zei dat hij graag geloofde dat ik scheikundige geweest was, en hij keek daarbij diep in mijn ogen en lang naar mijn borst, maar dat ik volgens zijn papieren niet geschikt was voor zo'n baan. Want waar zou ik mijn kinderen de hele dag onderbrengen? En bovendien, na zo'n lange tijd niet meer in mijn vakgebied actief geweest te zijn, en dan nog de verschillende standen van het onderzoek in de twee landen, *en die vluchtelingenstatus – B-attest – was u niet gedwongen, nee, geen echt gewetensconflict*? Zijn blik gleed langs de halsuitsnijding van mijn jurk. – Nou ja, wat ik ooit ook geweest mocht zijn, zijn hand onder het tafelblad werd onrustig, als scheikundige kon hij me zeker niet meer aan een baan helpen. Nee, zei ik als tegenzet, in een drankwinkel voor niet eens twaalfhonderd mark per maand bruto, hoeveel het netto ook mocht wezen, zou ik beslist niet gaan werken. Ook toen de man me verzekerde dat het geen slecht loon was, dankzij de toelage van Berlijn zelfs een goed loon. Ik hoorde hoe hij zijn overtollige speeksel inslikte. Waartoe diende de hele westerse vrijheid als het niet was om zelf beslissingen te kunnen nemen? Ik was in vreemde schoenen gestapt en in een mij toegewezen kamer, in een bed van ontelbare voorgangers en in het beddengoed van het kamp, maar in een vreemd leven zou ik niet stappen, geen tweede keer, geen derde en geen vierde. Daartegenover leek me die mevrouw Jabłonowska, die op weg naar haar werk fier haar bontjas optilde zodat ik naast haar zou kunnen plaatsnemen, zo ongebroken en in het reine met zichzelf, dat ik er opeens zeker van was, ook als ik in het woord zigeuner niet geloofde, dat er in Polen geen snackbars waren. Merkwaardig zwijgzaam leek mevrouw Jabłonowska me. *Ze hoort muziek vanbinnen*, had Aleksej me gezegd toen ik de kinderen die eerste zondag in het kamp uit haar naar kool en varkensvet ruikende woning had getrokken en ze tegenstribbelden omdat ze de halfvolle glazen cola niet wilden laten staan. Onlangs in de wasruimte had ik haar het liefst de mond gesnoerd. *Wat een klein jurkje* had ze met vochtige ogen gezegd en een van Katja's jurken in haar handen gepakt alsof het een kostbare zijden avondjapon was. Ze babbelde over de welopgevoedheid van mijn kinderen en zweeg over haar zonderlinge vader en haar verleden als celliste, dat misschien alleen maar een verzinsel van haar vader was en haar zelf totaal onbekend. Haar geklets had me zo vermoeid dat er me geen andere uitweg leek dan midden in een van haar nooit eindigende zinnen mijn was te pakken en zonder een afscheidswoord de wasruimte uit te lopen. Kennelijk had ze me die laatste ontmoeting niet kwalijk genomen, en toch leken haar hartelijkheid en liefdevolle aandacht vandaag wel weggeblazen. Ze liet me achter met mijn speculaties over haar leven. Krystyna

Jabłonowska nam afscheid, ze moest overstappen, en Katja sprong op de plaats naast me.

Terug in het kamp liep ik met Katja over de weg naar ons blok toen er opeens een fles voor ons bengelde. We bleven staan en keken omhoog. In het open raam hurkte de kleine man.

'Alstublieft, neem hem gerust, alstublieft.' Hij trok aan zijn sigaret en knipte die met zijn vingers in een grote boog weg. De fles danste op en neer. Katja rukte zich al los uit mijn hand en onderzocht de fles.

'Niet doen. Kom,' fluisterde ik tegen Katja, in de hoop dat ze haar nieuwsgierigheid zou bedwingen.

'Het lukt al, wacht.' Ze trok aan de fles tot de knoop om de hals loskwam. Toen Katja haar hoofd in haar nek legde, kon ik niet meer doen of ik hem niet zag en keek ik ook omhoog.

'Vooruit, vooruit.' Hij maakte een duidelijk gebaar dat ik de flessenpost moest aanpakken. 'Waarom draagt u uw zomerjurk niet meer?'

'In de winter?' Ik keek naar hem op.

'U hebt hem toch ook in de herfst gedragen.'

Deze kleine man achtervolgde me. Hij dook almaar vaker en opdringeriger op, alsof het zijn grootste ambitie was, me geen seconde uit het oog te verliezen. Dagenlang al ontdekte ik hem overal, ofwel liep hij achter me aan, of hij kruiste toevallig mijn weg of zat in de wasruimte als ik er aankwam. Katja gaf me de fles en ik trok die stijf tegen mijn lichaam. Soms zag ik hoe hij voor ons blok op en neer liep alsof hij wachtte tot ik een voet uit het huis zette. Het rolletje beschreven papier viel makkelijk uit de opening.

'Wat staat erop?' Katja wilde het rolletje uit mijn handen pakken. Ik gaf haar de lege fles.

'Maakt niet uit, kom.' Ik hield het rolletje vast en stak mijn hand in mijn jaszak.

'Vast een aanbidder, mama.'

'Kan best.' We liepen de trap op. Ik legde het papierrolletje boven op de kleerkast en besloot het niet open te doen. De mensen die na ons in de kamer zouden wonen en de kast gebruiken moesten maar lezen wat de dwerg geschreven had, ik zou het niet doen.

Op een keer had ik bij de portier naar post willen vragen, ik was er zeker van dat mijn moeder me zou schrijven wanneer mijn oom uit Parijs kwam, hij had toch zijn bezoek aangekondigd, en ik wist nog altijd niet wanneer dat zou zijn. Het goot. De kleine man stond bij de portier en bladerde in een dik telefoonboek en wilde blijkbaar niet zien dat er iemand achter hem stond te wachten en te bevriezen. Hij stak de ene sigaret na de andere op, en pas toen ik op zijn schouder tikte, deed hij een stap opzij. Ik vroeg de portier naar post, maar hij had geen brief voor me. Teleurgesteld liep ik naar onze kamer terug, langs het eerste en het tweede woonblok, en ik merkte al dat hij naast me kwam lopen. Hij begon een gesprek. Dat hij al langer naar me keek, hoewel het helemaal niet zijn gewoonte was want normaal gaf hij niets om vrouwen, helemaal niets. Alleen naar mij keek hij. Of ik alsjeblieft niet zou lachen, hij wilde graag kennis met me maken omdat ik zo'n mooie jurk droeg die niet bij de regen paste. Zijn woorden waren zo dringend, zijn hoop was zo onontkoombaar dat ik absoluut geen zin had om te lachen. Alleen maar een voorwendsel, dacht ik, dat verhaal van die jurk, dat hem dichter bij mij moest brengen, daar was ik bang voor, en ik beantwoordde zijn ongetwijfeld bedelende blik niet. Tijdens het lopen probeerde hij telkens een stap voor me te blijven, hij struikelde haast alsof het hem moeilijk viel me bij te houden. Om de haverklap raakte hij daarbij met zijn schouder mijn borst aan. En ook dat leek me niets anders dan een wat onnozele toenaderingspoging. Een looser was hij, verzekerde hij me, een zwakkeling, niet eens zijn vlucht was hem gelukt. Als door een wonder was hij vrijgelaten, maar hij geloofde niet dat de staat uit zichzelf op het idee gekomen was om hem te kopen. Vermoedelijk hadden ze hem op de koop toe moeten nemen toen ze iemand anders wilden hebben. Ik knikte, maar daarmee was hij niet tevreden. Ook ik, zei hij, had hem aanvankelijk onwerkelijk geleken, een sprookjesprinses. Zijn ogen blonken. Drie noten voor Assepoester, die film moest ik kennen. Nog een keer stootte hij als bij toeval tegen mijn borst. Nu zag hij me al anders, menselijker, maar ik hoefde me niet ongerust te maken, hij kon met vrouwen niets aanvangen, hij had het geprobeerd maar het ging niet. Ik geloofde niet dat hij het geprobeerd had, maar dat het niet ging hield ik voor mogelijk.

Zelfs het verhaal van een vrouw die hem verlaten had wilde ik niet horen. Ik had geen geduld om naar deze opgejaagde man te luisteren. Maar hij had geen enkele aansporing nodig om zijn verhaal te doen. Hoe ze samen aan het strand waren, hoorde ik en ik vermoedde dat het om die vrouw ging. Ik wilde het niet vragen omdat ik bang was zijn woordenvloed nog aan te moedigen. Hoe ze in haar strandstoel gezeten had, helemaal alleen, naar de zee had zitten kijken en daar niet bij gestoord wilde worden. Terwijl hij zich voor haar in het zand had gewenteld als een hond en alleen maar een geringschattende blik van haar gekregen had. Misschien was het de schrik geweest, de diepe ontzetting, waarom het zijn enige herinnering aan die zeven jaar was. Dat moest ik me eens voorstellen, na zeven jaar was ze gewoon weggegaan.

Ik wilde me niets voorstellen, en ik had midden in een zin afscheid van hem genomen, midden in zijn uitroepteken had ik hem laten staan, ook in zijn vraagteken, hier woon ik, had ik gezegd en ik was in de ingang verdwenen.

Na een week in het ziekenhuis was Aleksej twee pond afgevallen en lag hij in een kamer met vier andere jongens.

'Is dit de juiste kamer, ligt hier een Aleksej Senff?'

We keken met z'n drieën op en zagen in de deuropening een grote slanke gestalte. Met angstige ogen keek de vrouw om zich heen, bestudeerde elk gezicht, tot ze aan de onze bleef hangen. Ze trok een jongetje achter zich aan.

'Dit is mijn zoon Olivier, hij wil zich verontschuldigen. Olivier. Olivier, zeg dat het je spijt.' Olivier werd achter de rug van zijn moeder vandaan gesleurd en keek belangstellend naar de deken. 'Ga je nu gehoorzamen, Olivier? Moet eerst je vader met je...?' Olivier wilde met zijn voet op de grond stampen en stootte per ongeluk met zijn laars tegen de poot van mijn stoel.

'Let u alstublieft niet op onze kledij. We hebben het zo druk vandaag.' De moeder gaf me geen hand. Moeder en zoon droegen rijbroeken. De vrouw trok een dunne leren handschoen uit. 'We wisten het helemaal niet, lieve God, als de lerares ons vrijdag niet gebeld had. Tijdens het weekend hadden we bezoek, en nu dit nog. Olivier, verontschuldig je. Hier.' Olivier tilde zijn hand een beetje op en verwachtte blijkbaar dat ik die aanpakte. Alles wat ik te pakken kreeg waren zijn koude vingertoppen, die hij gehaast terugtrok alsof hij bang was voor besmetting. Oostpokken, dacht ik. Hij stak zijn handen in zijn jaszakken en keerde ons zijn rug toe. Zijn moeder haalde uit haar tas een pakje dat in glanzend papier ingepakt was en waar een grote zilveren strik omheen zat. Ze duwde het pakje in de handen van haar zoon. Als een nog maar juist onschadelijk gemaakte bom gooide die het op Aleksejs bed, maakte prompt rechtsomkeert en liep met korte, stevige stappen richting deur. De vrouw schudde haar hoofd, ze droeg een bril met grote, gekleurde glazen waardoorheen haar ogen glimlachten. Tegelijkertijd vermeed ze in mijn ogen te kijken. Met geen enkel woord richtte ze zich tot Aleksej en Katja. Ze glimlachte naar haar knieën. 'Ach, die kinderen, niet waar? Je kunt doen wat je wilt. Nog maar pas de beste van de klas, en nu krijgt hij rare streken.' Liefdevol keek ze haar zoon na, die de deur achter zich dichttrok. 'Maar ja, wat doe je eraan?' Ze trok haar handschoen weer aan. 'Zoals gezegd, mevrouw Senff, het spijt Olivier heel erg. Verschrikkelijk, nietwaar, als de telefoon gaat en je neemt nietsvermoedend de hoorn op.' Geen blik verspilde de vrouw aan Aleksej en Katja, ze pakte het pakje van Aleksejs deken en trok aan het zilveren lint. 'De lerares heeft er meteen bijgezegd dat hij niet de enige was. Nou, maar zorgen maak je je toch.' Opgelucht haalde de vrouw adem en schoof het pakje op de deken terug. Ze tilde even haar recht geknipte haar op. Met een vingertop bette ze haar mondhoek, links en rechts, alsof ze bang was dat de glanzende lipstick uitgelopen was. 'Gelukkig is er niets ergs gebeurd. Olivier heeft me de hele tijd verzekerd dat het niet zijn schuld was en dat een andere jongen de kinderen heeft opgestookt. Maar ik zei hem dat hij zich toch moest verontschuldigen.' Een bijna treurige uitdrukking kwam op haar gezicht, andermaal depte ze haar mondhoeken. 'Tenslotte is hij toch welopgevoed,' lachte ze en trok het zijden sjaaltje vaster om haar hals, 'we doen in ieder geval ons best.' Zwaaiend liep ze de kamer uit.

Hans Pischke ontmoet Nelly Senff in de wasruimte

Op de bodem van de trommel plakte nog een donker stuk stof. Ik stak mijn hand in de machine om de sok eruit te halen en wrong hem uit voor ik hem bij de andere spullen in de mand legde en die naar de centrifuge aan de andere kant droeg. Eerst haalde ik de pluizen uit de centrifuge. De lucht in de wasruimte was zwaar, ik had het gevoel dat ik pluizen inademde, warme, dichte, vochtige pluizen. Een voor een legde ik mijn gewassen kleren in de centrifuge. Toen ik opkeek, keek ik recht in zwarte ogen, en het bloed schoot naar mijn wangen. Ik zag hoe ze naar de wasbak liep, dansend, en de kraan opendraaide. Ze draaide een kleine broek om en om, hield die onder de waterstraal en wreef waspoeder op de knieën van de broek. Daarna draaide ze de kraan dicht. Mijn mond was droog, ik schoof mijn tong naar voren en weer naar achteren. Haar haar zag er zijig uit en toch was het alleen maar glans, en glans was niets. Mensen als zij hadden het goed, die konden kleine broeken wassen en moesten zich niet afvragen waarom.

'Wat is er?' Ze vroeg het luid en draaide zich onverwacht naar me om.

Geschrokken keek ik over mijn schouder, maar behalve ons beiden was er niemand in de wasruimte.

'Niets, neemt u me niet kwalijk.' Ik wendde mijn hoofd af zodat ze mijn rode kleur niet zou opmerken.

'Hoezo, niets? Je kijkt de hele tijd naar me.'

'Nee, werkelijk, ik keek alleen maar in uw richting, in jouw richting.'

Om haar nek bungelde een dunne ketting met een eivormige ronde hanger die me aan een amulet deed denken. Haar zilveren ronde bril was beslagen. De vrouw die tot een paar weken geleden nog een zomerjurk droeg en naast wie ik soms in een vlaag van melancholie een eindje was meegelopen om haar iets te vertellen, haalde haar schouders op en wreef over de stof van de kleine broek.

Het ene kledingsstuk na het andere legde ze in de centrifuge. Ik had op een keer toevallig gehoord hoe twee andere vrouwen het over haar hadden. Ze zeiden dat ze geen man had en dat ze hun mannen voor haar moesten verstoppen. Maar ze zag er heel ongevaarlijk uit. Misschien was ze van haar man weggelopen. Er liep een traan over haar wang, die een spoor achterliet en naar beneden viel.

'Neem me niet kwalijk.'

'Ja?' Ze kneedde de stof en leek niet gestoord te willen worden. 'Wat is er?' Nu keek ze toch op, en haar zwarte ogen waren vochtig.

'Waarom huil je?'

'Hoe kom je erbij me zoiets te vragen? We kennen elkaar helemaal niet.' Met de bundel in haar hand wreef ze met haar onderarm over haar gezicht en veegde het traanspoor weg.

'Soms zien we elkaar in het voorbijlopen,' zei ik en ik merkte dat dat als een rechtvaardiging in haar oren moest klinken en dat het niet volstond. 'Ik vraag het alleen maar omdat er een traan over je wang liep.'

'Ik huil niet. Ik was, en het waspoeder brandt in mijn ogen.'

Ik drukte het deksel van de centrifuge dicht. Hij begon langzaam te draaien. Hij schokte een beetje.

'Heb jij soms ander waspoeder?' De vrouw glimlachte me toe.

'Ander waspoeder? Het spijt me, nee. Ik gebruik ook alleen maar dat,' ik wees op de doos. Het waspoeder werd in het kamp verdeeld. Als je ander waspoeder wilde, moest je het kamp uit, naar de winkel aan de overkant van de straat. Je moest langs de portier en langs de rood-witte slagboom. Ze knikte teleurgesteld.

'Zullen we een sigaret roken?' Ze legde de broek op de wastafel. 'Je praat maar zelden met mensen, hè?' Ze likte met haar tong over haar lippen.

'Waarom?'

'Omdat je dat zo direct vroeg. Zoiets vraag je toch niet.' Ze lachte. Met dat lachje wilde ze me vast vergeven. 'Zelfs als ik echt gehuild had. Zeker dan niet.'

'Zo.' Ik zoog de rook van de sigaret naar binnen en proefde de zoetigheid ervan aan mijn gehemelte, een aangenaam walgelijke bijsmaak die alleen maar sigaretten uit het Westen hadden.

Nu kan ik alles zeggen, dacht ik, en ik zei: 'Je hebt geen man.'

'Waarom vraag je dat?' Ze kneep haar ogen samen en bekeek me van boven tot onder.

'Ik vraag het niet, ik weet het. De mensen vertellen hier dingen over elkaar.'

'Welke mensen?'

'De mensen in het kamp.'

'Ach,' ze draaide me weer haar rug toe en spoelde, met haar sigaret in haar mond, de broek onder de kraan uit. 'Nelly.' Ze keek naar me over haar schouder en stak haar natte hand uit.

'Je hebt weer een traan aan je ooglid.'

'De rook,' lachte ze, ze ging met haar vinger onder haar bril en veegde de traan weg.

'Ik zie het al, er zijn veel redenen.' Ze hield haar hand naar me uitgestrekt en wachtte. Ik durfde die niet pakken en tegelijk popelde ik. Ik wilde haar niet kwetsen.

'Hans.'

'Wat een handdruk.' In haar ogen las ik afschuw.

'Welke?'

'Nou, geen.' Ze knipperde met haar ogen en wuifde met haar hand de rook weg.

Toen ze zich opnieuw naar de kraan draaide, veegde ik mijn hand aan mijn broek af.

'Heb je mijn flessenpost geopend?'

'Je flessenpost?' Verwonderd keek ze me aan, vervolgens

klaarde haar gezicht op, alsof ze zich nu pas herinnerde dat ik een paar dagen geleden een fles uit het raam had laten zakken waarnaar eerst haar dochter en nadien zij gehengeld had. 'Ach, die.'

'En?'

'Ik heb hem niet gelezen, nog niet.' Ze lachte. 'Jij was dat ook met het parfum, heb ik gelijk?'

'Welk parfum?'

'Je hebt parfum bij de portier achtergelaten. En de bloemen die een paar dagen geleden aan mijn kamerdeur hingen. Die zijn van jou. Heb ik gelijk? Word maar niet verliefd.'

'Je hoeft je geen zorgen te maken, ik kan niet beminnen.'

Vragend keek ze me aan.

'Je hoeft je geen zorgen te maken, ik kan niet beminnen!' Ik zei het hard om boven het geluid van de centrifuge uit te komen. Maar haar blik was nog altijd zeker van mijn verliefdheid en dus ongelovig. Ik duwde op de knop van de centrifuge, het deksel sprong open en met een paar rukken kwam de centrifuge tot stilstand.

'Is het zo erg?' Ze leek me niet ernstig te willen nemen.

'Nee,' ik moest lachen, boog me naar voren om spullen uit de centrifuge te nemen, 'je vergist je. Erg is dat niet.'

'Als je in de trommel fluistert, versta ik geen woord.'

'Erg is dat niet.' Ik kwam overeind en wrong het hemd uit.

'Hoe jij je was vastpakt. Alsof hij breekbaar is.' Spottend wees ze naar mijn handen.

'Ah ja?'

'Ja.'

'En is de was dan niet iets kostbaars?' Ik bukte me en legde het wasgoed in de mand.

'Het is maar hoe je het bekijkt.' Ze haalde haar schouders op en nam plaats op de bank. 'Kom eens naast me zitten.' Hoewel mijn was klaar was en ik weg kon, ging ik naast haar zitten, en omdat ze zweeg en ik niet wist wat ik moest zeggen, zei ik: 'Stel je voor dat ik nieuwe kleren moest kopen omdat ik mijn was niet zorgvuldig behandeld had.'

'Nou en? Dan moest je nieuwe kopen.'

'Daarvoor moet ik langs de portier.'

'Ongetwijfeld moet je daarvoor langs de portier.' Nelly keek me aandachtig van opzij aan.

'Dat heb ik al dertien maanden niet meer gedaan.' Ik lachte omdat ik er opeens aan dacht dat het niet strookte met de bloemen. Er was geen enkele bloemenwinkel op het terrein en waar hadden de bloemen dus vandaan moeten komen als het niet van buiten was?

'Je bent gek.'

Om haar te bevestigen in haar twijfels lachte ik, hoewel het vals klonk, maar dat zou ze niet kunnen merken. Toch zei ik: 'Geen parfum en geen bloemen, het spijt me.' Ik schudde mijn hoofd en verbaasde me over de zekerheid waarmee ze mij verdacht. Hoe meer ik het bestreed, hoe zekerder ze leek. Ik vond haar zekerheid wel prettig, die vleide me.

Nelly lachte alsof ik haar op een leugen betrapt had. 'Nou, je wordt in ieder geval bedankt. Maar neem mijn waarschuwing serieus. Je geeft je geld voor niets uit .'

'Waartoe ik allemaal in staat geacht word,' zei ik stilletjes en nog ongelovig bij mezelf. Ze kon inderdaad mijn flessenpost niet geopend hebben, en meteen wenste ik niets liever dan dat ze hem nooit zou openen en dat ik het lege papier nooit in de fles had geduwd, of het ten minste nog in mijn bezit had. Het idee haar te beminnen beviel me, en dat ze me in staat achtte tot liefde maakte me eventjes licht en vrolijk. Welke bloemen hadden er voor haar deur gehangen? En welke bloemen koos je voor een vrouw? Ik benijdde haar aanbidder. Zelfs een parfum kon hij uitkiezen, terwijl ik hier haar sigaretten rookte en met zijn veren ging strijken.

'Ooit wilde een celgenoot door mij bemind worden,' zei ik.

Nelly bood me een tweede sigaret aan, die ik aanpakte alsof ik een ander was, iemand die midden in het leven stond en elke dag met een vrouw als Nelly praatte, die bloemen cadeau deed, beminde en lachte.

'Zat je in de gevangenis?'

'Maar ik kon het niet, begrijp je. Hoewel hij echt aardig was. Niet zoals degenen met wie ik hier in het kamp moet wonen.'

'Een man beminnen vereist misschien iets anders.' Ze glimlachte.

'Waarom?'

'Nou ja. Als man, bedoel ik. Waarom zat je in de gevangenis?'

'Niets opwindends.'

'Toen je me een keer naar huis achtervolgde, heb je iets verteld over een mislukte vlucht.'

'Een belachelijk verhaal.'

'Lang?'

'Weet ik niet meer.'

Ongelovig keek ze me aan.

'Vier jaar misschien.'

Ze zweeg even, misschien probeerde ze zich voor te stellen wat vier jaar betekende. Nadenkend tikte ze met de punt van haar voet tegen de wasmachine. 'Je zou me graag aanraken, hè?'

'Omdat ik in de gevangenis zat?' Het was eruit voor ik het wist, maar het gaf me de tijd om te bekomen van de schrik en van haar beeld dat voor mijn ogen uiteenviel, alsof ze van as was. Grijs leek ze, en berekenend. Een grijs hoopje, allang geproefd en allang verbrand.

'Het spijt me. De hele tijd al dat we hier met elkaar praten...' Ik stopte en overwoog of het haar onnodig zou kwetsen als ik haar bekende dat ik er nog geen seconde aan gedacht had om haar aan te raken.

'Goed hoor,' zei ze alsof ze wist wat ik wilde zeggen. Ze wikkelde een haarstreng om haar vinger en duwde zich met haar voet van de wasmachine af. Onze bank schoof een stukje naar achteren. 'De vader van mijn kinderen is een drietal jaren geleden verdwenen. Je bent hem niet toevallig tegengekomen?'

'Verdwenen?'

'Dood, zeggen sommigen. Anderen geloven dat niet. Ik weet het niet. Ik kan me hem dood voorstellen, maar levend ook. Ik geloof niets.' Ze pakte het eivormige kleine hangertje aan haar ketting vast en liet het door haar vingers glijden.

'Hoe heet hij?'

'Wassilij. Maar wat betekent een naam? Batalow, Wassilij Batalow.'

'Een Rus?'

'Waarschijnlijk.'

'Je lijkt hem wel goed gekend te hebben.'

Ze wilde mijn scepsis niet opmerken. 'Goed genoeg,' zei ze en klapte het ouderwetse medaillon open en liet me een foto zien.

Ik wierp een vluchtige blik op het zwart-witfotootje in het medaillon, dat dicht bij haar borsten in haar hand lag. Het gevoel van lichtheid verdween, net als het idee dat ik haar zou kunnen beminnen. Ik knikte goedkeurend. 'Hij was lang, heb ik gelijk?'

'Lang genoeg.' Nelly hield de foto nog altijd voor mijn neus maar ik pakte hem niet vast. 'Nou? Ken je hem?'

'Waarom zou ik hem kennen?'

'Uit de gevangenis misschien.'

'Meestal was ik alleen.' Ik keek nog eens naar de foto. 'Nu komt hij me bekend voor.'

Nelly klapte het medaillon dicht en liet het in de halsopening van haar jurk tussen haar borsten glijden. 'Ach, je bent gek. Als je nog een derde keer kijkt, ben je er zeker van, en bij de vierde keer was hij je celgenoot. Nou?'

'Zou kunnen,' knikte ik betrapt. Het is waar dat je de indruk krijgt dat je een persoon kent als je een paar keer naar zijn foto kijkt. Juist omdat er op foto's geen bewegingen waren en omdat de gefotografeerde in de gedachten van degene die keek onwillekeurig bewoog, ook al waren het maar seconden die je had weggekeken en weggedacht. Telkens als de staatsveiligheidsdienst of een westerse geheime dienst me foto's onder de neus geduwd had – waren die personen me op een of andere manier bekend voorgekomen. 'Mis je hem?'

Ingespannen tuurde ze naar de wasmachine, haar lippen bewogen, zochten naar het juiste woord, een begin, toen sloeg ze haar ogen neer en stond op. 'Je was is klaar, hè?' Ze wierp een blik op mijn volle mand die naast onze bank stond. 'Dan wil ik je niet langer ophouden.'

Je houdt me niet op, had ik kunnen zeggen, maar daarvoor voelde ik me te zwaar, en ook de vrolijkheid die gegroeid was uit haar zekerheid dat ik op haar verliefd was, was verdwenen. Ik stond ook op en pakte mijn mand. Ze hield me niet tegen, zei geen woord waarop ik had kunnen antwoorden, en dus duwde ik de deur open.

'Tot gauw,' zei ik bij het naar buiten gaan, maar ze had het wellicht niet gehoord. De koude lucht sloeg me in het gezicht.

Er huilde een sirene over het terrein, en vanuit de richting van de portier kwam een brandweerauto in mijn richting gereden. Voor mijn woonblok stond al een ambulance, die zijn blauwe, onrustige licht over de mensen strooide. In de schemer waren de gezichten bijna onherkenbaar. Het blauwe licht flakkerde op de muren van de huizen. Ik versnelde mijn pas, liep langs de eerste twee ingangen. De mensen vormden groepjes en staarden naar boven. Hun blikken volgde ik niet. Met mijn wasmand voor mijn buik perste ik me door de menigte, de mensen stonden dicht op elkaar. Ik herkende Nelly's kinderen, ze hielden elkaars handen vast. 'Maak plaats, alstublieft, maak plaats, opgelet, opzij,' klonk het uit een megafoon. De mensen bewogen een beetje, maar kwamen amper van hun plaats. Een vrouw achter mij lachte luid. 'Die is me nog een tientje schuldig.' 'Nou, dat kun je wel vergeten,' hoorde ik een man antwoorden.

De ladder van een brandweerwagen werd uitgeschoven. Tussen de schemering en het blauwe licht leken de beelden elkaar over en weer in stukken te breken. Ik kon amper een overzicht krijgen. Opeens pakte een hand de mijne vast, ik sloeg hem weg. Toen ik me omdraaide, zag ik angst op Nelly's gezicht. Ze was me gevolgd, met haar wasmand onder haar arm. Toen ze zo dicht naast me stond, leek ze me een hoofd groter. Haar adem was dichtbij.

'Je kinderen staan daarginds,' zei ik tegen haar en ik wees over de hoofden heen in de richting waar ik haar kinderen vermoedde. Nelly knikte en maakte rechtsomkeert, ze probeerde zich een weg naar haar kinderen te banen.

In mijn gang stonden de bewoners zo dicht op elkaar dat ik moeite had om naar binnen te komen. De trap naar boven was vrij, ik ademde diep in en uit. Nog voor ik het licht in mijn kamer aandeed, zag ik door het raam de brandweerman die op slechts een paar meter van me op zijn ladder stond en wild gesticulerend zijn collega beneden iets probeerde duidelijk te maken. Ik bleef in de deur staan en durfde het licht niet aan te doen en al evenmin naar het raam te lopen om de gordijnen dicht te doen. In de boom hing een witte doek, een stuk stof, een nachthemd. Daaruit haar hoofd. Het blauwe licht flakkerde over de muren van de kamer. Op ooghoogte met de brandweerman zag ik hoe hij het witte nachthemd over zijn schouder legde, moeite had met het touw, dat ze zeker goed vastgemaakt had, en voorzichtig met het lichaam de ladder af klom. Ik wachtte tot zijn helm en het witte stuk stof verdwenen waren. Ook zonder het goed gezien te hebben, wist ik dat het de oude vrouw was die sinds ik hier woonde de kamer recht tegenover mij bewoond had. Ook haar was de sprong uit het kamp naar buiten in de vrijheid niet gelukt, leek het. Of misschien toch. Ik benijdde haar.

Krystyna Jabłonowska verandert van idee

De ene portie patat na de andere gooide ik in het vet, ik keek hoe de staafjes dansten en het vet pruttelde, bellen maakte, tot de staafjes bruin werden en de volgende portie volgde. Mijn ogen plakten van het vet. De tijd wilde maar niet voorbijgaan. Eén keer probeerde ik mijn haren weer onder het kapje te stoppen, maar toen werd de patat zwart voor ik de zeef eruit haalde.

'Vlugger,' riep de caissière, 'je moet vlugger zijn.' Ongeduldig trommelde ze op de kassa. Haar voorhoofd blonk. Soms vroeg ik me af waarom ze zo gedreven was, tenslotte werkten we niet tegen stukloon. Misschien kreeg ze een procent op de omzet. Een paar dagen geleden was ik begonnen te denken dat het geen vreemd, maar haar eigen geld was dat in grotere hoeveelheid in het laatje kwam als ik in kortere tijd meer aardappelstaafjes klaar had. Ik moest nodig naar de wc, maar ik durfde het niet te vragen.

'Vlugger, hé, heb je me niet begrepen?'

Ik draaide me om en knikte naar haar. Hoe erg ik ook mijn best deed en hoe vlug ik ook was, haar tijd rende en de mijne wilde maar niet voorbijg gaan.

'Te slap,' zei ze en ze gooide de portie opnieuw het vet in. 'Hoor eens, de klanten klagen. Weet je niet wat werken is?' De caissière vroeg het zonder een antwoord te verwachten. Ze geloofde toch al dat ik amper Duits begreep, net zoals ze ook mijn Duits niet wilde begrijpen. Ik was ermee opgehouden haar te antwoorden.

'Mag ik naar de wc?'

'Wát wil je?' Niet-begrijpend keek ze me aan. Ze hield haar

hand achter haar oor. 'Praat duidelijk als je het tegen me hebt, Duits en duidelijk.'

'Naar de wc, mag ik?'

'Moet dat nu?' De caissière wees op de rij voor haar buffet en ik gooide nog meer patat in het vet en draaide de worstjes om, legde nieuwe op het rooster, haalde mijn zakdoek uit mijn schortzak en probeerde mijn neus te snuiten, die gezwollen was en door de vetdamp verstopt leek. Ik duwde mijn billen tegen elkaar om een ongelukje te vermijden. Mijn gezicht brandde. De hitte liet zich niet bestrijden, de lucht was zwaar en de mensen om me heen bewogen zich als in slow motion, ze trilden voor mijn ogen alsof de hitte zo groot was. Ook de wijzer van de klok leek door het vet traag geworden.

'Met darm,' riep de caissière, alsof ze het al de tiende keer riep, wat best mogelijk was.

'Met darm, dat snap je niet, hè.'

Ik controleerde de worsten, die allemaal naakt waren en geen darm hadden. Ik moest naar de koelvitrine en kon amper nog lopen, vier stappen naar achter, worst met darm, vier stappen naar voren, vijf zonder darm, tien met, en overal kerrie op. Het poeder jeukte in mijn neus. Maar meer nog hinderde de jeuk onder aan mijn rug me, waar mijn handen haast niet bij konden en er bovendien de tijd en de toestemming niet voor kregen. De worsten barstten open, de ene na de andere. Mijn vader had een litteken op zijn arm dat er zo lang en opengebarsten uitzag alsof het nooit was genezen. Als hij boos op me was, beweerde hij dat het mijn schuld was, dat ik hem dat litteken bezorgd had. Als twaalfjarige liep ik met mijn cello opeens de straat op toen we op weg waren naar het conservatorium van Warschau, waar ik moest spelen. Blinde kip die ik was, had ik de tram niet gezien. Omdat hij maar een paar meter achter me liep, had hij de cello een flinke duw gegeven, zodat hij niet onder de wielen zou belanden. En dat had hij eraan overgehouden, die opengereten arm. Ik draaide de worsten om en ging met de tang over het vel zodat ze vlugger zouden openbarsten. Als je van boven begon en met een bepaalde snelheid naar het andere uiteinde ging, lukte het meestal dat de worst maar één enkele, min of meer rechte scheur had.

'Twee sjasliek.' De caissière keek over mijn schouder. 'Vertel me nou niet dat je geen sjasliek hebt opgelegd?' Ze zuchtte en graaide met haar rode handen boven mijn armen twee sjasliekspiezen weg om ze op het rooster te gooien, er viel een stuk vlees af dat in het vet plonsde. Er spatte vet op mijn arm. De caissière zuchtte. Sonate voor cello en piano in g-mol, de dag dat Jerzy stierf en ik te laat kwam omdat ze me in het kamp niet hadden kunnen waarschuwen, was ik op weg naar het werk een halte eerder uitgestapt en een platenzaak binnengelopen. Ik had ernaar geluisterd. Hoe die Jacqueline Du Pré speelde, zo zou ik het nooit kunnen. Maar voor het eerst begreep ik waarom Jerzy zo enthousiast was geweest.

De snackbar leek opeens leeggeveegd, er stond nog maar één gast voor de kassa op zijn twee sjasliekspiezen te wachten. 'Zo zijn die uit het Oosten, allemaal dezelfden. Waar ze ook vandaan komen. Ja. Die daar beweerde dat ze ervaring had, kom nou.' De caissière had een sigaret opgestoken en wees in mijn richting. Om een ongelukje te vermijden stond ik licht voorovergebogen met gekruiste benen de spiezen om te draaien. De man nipte van zijn bier. De caissière deed dit keer geen moeite om zachtjes haar beklag te doen, ze dacht waarschijnlijk dat ik haar niet begreep. 'Die weten gewoon niet wat werken is. Je kunt het ze honderd keer uitleggen. Ze snappen het niet.' De man antwoordde iets dat ik niet verstond. Ze lachte instemmend.

De spiezen waren klaar, paprika, kerrie en ketchup. Ik schoof het kartonnen bord naar haar toen de klapdeur openging en Petra naar binnen kwam.

'Ploegwissel. Omkleden,' zei de caissière tegen me. Met kleine stappen liep ik naar de wc-deur. Ik zat er nog maar amper op of de klink werd naar beneden geduwd. Door de dunne deur hoorde ik buiten iets als 'ah' en 'uren'. Uit het hoofd rekende ik uit wat ik al bijeengespaard had en ik besloot vanaf vandaag niet meer vijftien, maar de hele tweeëndertig mark van mijn dagloon te sparen. Op die manier kon ik de cello van de antiquair binnen twee weken meenemen.

In het kleine berghok trok Petra een T-shirt over haar hoofd. Haar borsten waren rond als die van jonge meisjes in reclamefolders van ondergoed. Geschrokken draaide ze zich naar me om: 'Ik had je helemaal niet gehoord.'

De caissière liep naar ons toe. 'Er is weer tekort,' zei ze over mijn hoofd heen tegen Petra.

'Veel?'

'Nou, toch bijna twaalf mark. En dat op een dag als vandaag.' Van woede vloog haar speeksel in het rond toen ze het zei. Ze telde de bankbiljetten voor onze ogen nog eens een voor een na op het smalle kastje alsof ze het bewijs moest leveren. Tussendoor likte ze aan haar vingertoppen. Ze pakte de munten en stapelde die in torentjes naast de biljetten. 'Nou ja, tien mark drieëntwintig,' zei ze tegen Petra, vervolgens keek ze naar mij: 'Je jat toch niet?'

Ik schudde mijn hoofd, overwoog wat ik kon zeggen.

'Ik laat me niet bestelen, begrepen? Ik neem de sleutel altijd mee als ik eventjes weg moet.' Haar blik dwaalde van mij naar Petra en weer naar mij. Toen keek ze Petra aan: 'Ik zal het van haar loon moeten aftrekken. Zo ver komt het nog, dat ik op een dag als vandaag zelf moet bijleggen. Ze moet niet denken dat ze er zo afkomt. Werkelijk, je kunt hier niet eens je rug omdraaien, achterbaks als ze zijn.'

'Misschien heb je verkeerd teruggegeven?' Petra zei het zachtjes, als terloops.

'Ik?'

'Dat kan toch iedereen overkomen.'

'Mij niet, meisje, niet na vijfentwintig jaar, dat verzeker ik je.' De caissière wierp nog een bestraffende blik op mij en liep zonder nog iets te zeggen weer naar haar kassa. Daar begroette ze Herta, die haar afloste.

'Trek het je niet aan,' zei Petra tegen me, toen ze haar schort dichtknoopte. Ze knipperde met haar linkeroog en ik was niet zeker of ze het met opzet deed. Elke keer vroeg ik me af of het een zenuwtrek dan wel een knipoog was. Ze pakte een spiegeltje uit haar tas, zette haar lippen aan en rolde ze over elkaar. 'Als je het mij vraagt, steekt zij het geld elke keer in haar eigen zak.' Petra had smalle lippen, die ze aan de bovenkant hartvormig verfde. Nu haalde ze een donkerder lipstick te voorschijn en verfde er alleen haar onderlippen mee. 'Zou ik ook doen als ik caissière was.' Op haar oogleden bracht ze witte oogschaduw aan en ze keek nog even in haar spiegeltje voor ze het dichtklapte. 'Ik neem een nieuwe baan.'

'Wat ga je doen?'

'Verkoopster. Zie je die lipstick hier? Die kun je in normale winkels niet krijgen. Exclusief. Ik nodig mijn vriendinnen thuis uit, serveer ze wat zoutjes en cola. Alles met een bonnetje natuurlijk.' Ze stak een kauwgum in haar mond en hield me het pakje voor. Ik pakte er eentje uit, hoewel ik helemaal niet van kauwgum hield.

'Mooie kleur,' knikte ik naar haar.

'Zou jij best ook kunnen.' Petra haalde een doosje te voorschijn en poederde haar neus, voorhoofd en kin.

'Ach nee, dank je. Onze woning is te klein.' Ik moest aan mijn vader denken die in het kamp op zijn bed lag en hoopte dat op een dag een Nelly of een ander wonder zou binnenwaaien. 's Avonds, als ik van mijn werk kwam, zeurde hij dat hij door mij hier verkommerde. Door mijn stomme idee om mijn broer in het Westen te laten behandelen, waar hij toch ook doodgegaan was. Gisteravond zei hij voor het eerst dat Jerzy door mijn schuld gestorven was, hij had de verhuizing niet overleefd. Ik heb niet geantwoord. *Als we in Szczecin waren gebleven, dan zou hij nog leven.* De voorbije weken was ik ermee opgehouden hem te antwoorden, ik liet hem maar praten, en het maakte geen enkel verschil. Ik zou hem ook nog het graf in krijgen, daar was hij nu al zeker van. Ik kauwde voorzichtig, zodat mijn vullingen er niet uit zouden vallen. De kauwgum smaakte naar aardbeien en was zo groot dat ik het gevoel kreeg dat ik erin zou stikken.

'Dat dacht ik eerst ook, dat ik het in mijn woning niet zou

kunnen. Maar toen zei de baas dat geen enkele woning te klein was. Behalve de nor.' Ze lachte. 'Waar het klein is, is het gezellig en dan lijkt het of er meer spullen zijn. Als de sfeer maar goed is.'

'Zijn jullie van plan om hier nog koffie te drinken? Vort, eruit!' De caissière keek vermanend in onze richting en zette haar gesprek met Herta voort. Vort. Ik stelde me Petra's goede sfeer voor en wilde dat ik hier nog langer kon blijven zitten en naar haar luisteren. Elke dag had ik minder zin om naar mijn vader in het kamp terug te keren. Moest dat mijn thuis voorstellen? Petra woonde in het noorden van de stad, in een van de nieuwbouwwijken. De woningen daar waren betaalbaar en met alles erop en eraan: warm water, centrale verwarming, ingebouwde keuken. In elk gebouw was een lift. In de flats lag vast tapijt, en het afval gleed vanuit de keuken direct de kelder in. Er waren naar verluidt zelfs bellen met deurtelefoons. Waarom niet zo'n flatje als Petra er een had? Ik zou de cello niet eerst naar het kamp hoeven te brengen en bloot te stellen aan de blikken van mijn vader, maar zou hem door de antiquair meteen in de woning kunnen laten afleveren en solliciteren bij een muziekschool.

'En voor sfeer kan ik zorgen. Zeker weten.' Petra klapte de poederdoos dicht.

Ik deed het kapje van mijn hoofd. Petra pakte mijn arm vast. 'Maar niets zeggen, hè?'

Ik knikte.

'Ze hoeven het nog niet te weten. Pas als ik het contract heb ondertekend, neem ik ontslag.'

'Maak je geen zorgen,' zei ik en trok mijn schort uit.

'En nog iets,' ze pakte mijn arm weer vast. Ik hing de schort aan de haak en pakte mijn bontjas, die ik in een grote tas van kunststof bewaarde zodat hij het vet niet te veel zou opnemen.

'Ja?'

'Het is misschien wat gênant, maar nu we toch zo vertrouwelijk met elkaar zijn, Jabłonowska, gebruik je geen deo?'

'Geen wat?'

‘Deo. Deodorant.’ Ze sprak de t aan het eind van het woord scherp en duidelijk uit. ‘Ken je dat niet? Zo’n spray waardoor je niet naar zweet ruikt. Weet je, als je de hele dag hebt gewerkt en dan in zo’n kleine ruimte. Nou ja, ik wou het maar even zeggen, goed?’ Ze maakte haar speld los, ging voor de kleine spiegel naast de garderobe staan en schudde haar haar. Ze zag hoe ik naar haar keek en knipoogde. Mooi haar had ze, roodblond, alleen aan de haargrens zag je de donkere uitgroei. Uit haar tas haalde ze een bus waarmee ze iets op haar haar spoot. Ik kon niet zeggen of het lekker rook. Mijn neus was verstopt door het vet.

‘Wat is er? Doe je mond dicht of er komt een vlieg binnen.’ Ze lachte naar me, en ik deed mijn mond dicht.

‘Je bent toch niet boos, hè, Jabłonowska?’ Ze bond haar haren in een staart, wat niet bij haar leeftijd paste.

‘Nee hoor.’

‘Komt er nog wat van, daarachter?’ Herta had de kassa overgenomen.

‘Het is een kwestie van vertrouwen, hè?’ Handig glipte Petra in een dik roze sneeuwjack. Een witte krans van namaakbont vlijde zich om haar nek. ‘Gisteren gekocht. Hoe staat hij me?’

Ik moest aan Russische kinderen denken, maar ik zei: ‘Als een kerstkindje, iets tussen het kerstkind en een eskimo in.’

Petra knikte tevreden, trok de jas weer uit en hing hem aan de haak. ‘Ik moet aan het werk.’ Ze duwde me voor zich uit, langs de toestellen, de kassa en het buffet.

‘Tot kijk.’

Behalve Petra, die eventjes opkeek en knipoogde, antwoordde er niemand.

Wanneer twee mensen elkaar buiten ontmoeten

'Nee maar, wat een toeval, bent u niet mevrouw Senff?' De aangesprokene draaide zich om, er hing een slappe en lege tas over haar schouder. Ze kneep haar ogen samen en nam me van boven tot onder op om erachter te komen wie ik was.

'U woont in Marienfelde, is het niet? In het kamp.' Ik leunde met één hand op mijn auto en glimlachte naar haar.

'Wie bent u?' Op haar brillenglazen zaten kleine druppeltjes.

'John. John Bird. Ik werk bij de Amerikaanse selectiedienst, we hebben zo'n twee maanden geleden een gesprek gehad.'

'Wat hebt u?'

'We. Ik zei dat we een gesprek hadden. Herinnert u het zich niet meer? Het ging over de motieven voor uw vlucht.'

'Het spijt me.' Ze hing de tas weer over haar schouder en maakte aanstalten om haar weg door het fijne nevelgordijn voort te zetten.

'Wacht u even, ik wilde u niet overvallen. Kan ik u een eindje meenemen?'

'Nee, dank u.' Haar hoest klonk droog en schor.

'Komt u toch, we kunnen een kopje koffie drinken. Hier verderop is een café.'

Tot mijn verbazing glimlachte ze en zei: 'Waarom niet?'

We liepen naar het café, ze ging zitten op een van de gecapitonneerde banken die met rood fluweel overtrokken waren, en ik kon in de grote dof wordende spiegel achter haar het 's ochtends bijna lege café overzien. Er zaten een paar krantenlezers met kopjes koffie die op zilveren schaaltjes naast kleine en nooit lege waterglaasjes stonden, elk voor zich aan een tafeltje, ze rookten pijp of Franse sigaretten zonder filter. Nelly draaide een haarlok om haar vinger en wachtte tot ik tegenover haar ging zitten.

'Wilt u uw jas niet uittrekken?'

Omslachtig trok ze zittend haar jas uit, die dun en doorweekt was. Daaronder kwam een witte blouse van heel fijne stof te voorschijn. Dat ze geen bh droeg, was overduidelijk. Ik bracht haar jas naar de garderobe, een bijna vertrouwde geur stroomde uit de vochtige stof, en ik kwam terug toen ze met een doosje lucifers weer op de bank ging zitten en een sigaret opstak. In de spiegel kon ik zien hoe de oudere man achter mij die haar kennelijk de lucifers gegeven had, vriendelijk bleef knikken.

'Bent u begonnen met roken?'

'Waarom begonnen?' Ze wapperde met de lucifer en liet hem in de asbak vallen.

'Tijdens ons gesprek twee maanden geleden rookte u niet.'

'Dat kan ik me niet herinneren. Ik steek nu ook pas de eerste op,' ze probeerde haar geeuw niet eens te onderdrukken, 'misschien wel vanwege de kinderen, de kamer hangt gauw vol rook.' Haar sigaret gloeide, ik zag haar adem in de gloed.

'U bent jong.' Dat stelde ik vast, ik vroeg het niet.

Ik aarzelde nog altijd of ik haar zou zeggen dat ik haar daarnet op straat voor een kinderlijk hoertje had gehouden, wel had moeten houden, omdat ze langs het trottoir liep met een huppelende en zwaaiende pas, nog vaardiger dan het meisje dat voor haar liep en dat ik al vaker over de Kurfürstenstrasse had zien lopen. In haar stap lag een kracht die onverhoopt een meisje beloofde dat er plezier in zou hebben en dat niet vanwege een pakje heroïne of een grote kerel met een leren jak, die vanuit de auto om de hoek en met een mastino op de achterbank haar gangen naging, haar mond zou opendoen en haar tong laten zien. De opmerking over haar jeugd leek haar te bevallen. Ze speelde met het luciferdoosje tussen drie vingers. In haar ogen zag ik een vluchtige glimlach.

'Dat denkt u.'

'Nee, dat weet ik. Niet meer nauwkeurig, maar u bent nog geen dertig.'

'Wie weet.' Haar glimlach trok een dunne grens, geen muur, eerder een springtouw dat me uitnodigde om erover te springen. De lucifers in het doosje tussen haar vingers maakten een zacht geluid. Toen hield ze haar vingers stil, alsof ze op mijn volgende vraag wachtte.

'Hoe gaat het met uw twee kinderen? Ze gaan naar school, neem ik aan?'

'Nu wel, ja. Mijn zoon lag tien dagen in het ziekenhuis. Maar sinds twee weken gaat hij weer naar school.'

'Toch niets ergs?'

'Hebt u geen kinderen?'

'Jammer genoeg niet.'

'Maar u bent wel getrouwd?'

'Wilt u *mij* nu verhoren?'

'Wie heeft het over verhoren? Ik zie uw ring en ik vind dat u er als een getrouwde man uitziet.'

Weer hoorde ik het geluid van de over elkaar vallende lucifers. Als ik haar vroeg of ze hier op de Kurfürstenstrasse wat extra zakgeld verdiende, zou ze antwoorden met de vraag of ik hier wel vaker kwam, daar was ik zeker van. Dus aarzelde ik en vroeg: 'Hoe ziet een getrouwde man er dan uit?'

'Sommige getrouwde mannen zijn op sluipjacht. Dat merk je meteen aan hun gang en aan de manier waarop ze naar vrouwen kijken.'

'En hoe kijken zulke getrouwde mannen dan naar vrouwen?'

'Nieuwsgierig, met een bepaald soort zelfzekerheid en een vanzelfsprekende superioriteit, hongerig en tegelijk al een leven lang verzadigd. Verlangend en toch zonder echt risico in hun blik. Alsof ze een koning waren met zin in iets lekkers, die 's nachts naar de slotkeuken sluipt en daar het deksel van de potten en pannen oplicht om met zijn vinger in zijn zelf uitgekozen spijzen te gaan, te proeven wat lekker is en dat dan haastig te verorberen, om zo de hele nacht uit de pannen te eten wat hij de volgende dag zoals altijd op zijn tafel krijgt.'

De koffie werd gebracht, ik legde een klontje op mijn lepel, liet er koffie op lopen en keek hoe de suiker bruin werd. Ik stak de lepel in mijn mond. 'U denkt dat ik zo iemand ben?'

Onbeschroomd keek ze toe hoe de suiker in mijn mond verdween, vervolgens dwaalde haar blik naar het raam en ik was al bang dat ik haar aandacht kwijt was, toen ze zei: 'Kersenbomen. Wat merkwaardig. Kersenbomen midden in de stad en midden in de winter.'

Haar blik naar buiten volgde ik niet, ik wilde hem vasthouden waar we zo-even nog waren, en dus keek ik haar afwachtend aan. Ze had mijn vraag nog niet beantwoord.

'Bovendien bent u een man met een merkwaardig beroep, u werkt voor uw regering, op een belangrijke plaats, in de geheime dienst, op zoek naar de waarheid en zo dicht mogelijk op de huid van de potentiële vijand. In zekere zin kunt u geloven dat u een deel van de regering bent, dat getuigt van machtshonger en van een duidelijke wil om je te onderwerpen aan een hogere zaak. Waarschijnlijk ligt de uitdaging in het dagelijkse bedwingen van de machtshonger, zodat die niet van die hogere zaak los komt.'

'Denkt u dat ik een koning in een slotkeuken ben?'

'Een getrouwd man.'

'Wat zou u zeggen als ik u vroeg of u met mij naar een hotel in de buurt wilt?'

'Kersenbomen in de winter zijn zo zwart en oud dat hun bloesem in de lente vooral vanwege het contrast zo mooi lijkt.'

Ze keek niet naar de kersenbomen maar naar mij.

'Komt u mee?'

'Waarom niet.'

De munten rinkelden op het zilveren schaaltje dat de kelner me toeschoof. Over zijn arm droeg hij haar jas en mijn overjas.

Fijne nevel was wisselvallig. Haar geur zoet en pittig. Ik tilde mijn overjas op en hield hem als een paraplu over ons tot bij de auto.

De kamers in het hotel waren klein, je kon nauwelijks een

voet voor de andere zetten. Haar oren gloeiden en ze haalde snel adem. Haar huid was zacht. Pas nadien kleedde ik haar helemaal uit en droeg haar die paar centimeter naar het bed. Ze bleef op haar buik liggen en wilde de deken niet die ik haar aanbood. In oktober al had het me verbaasd dat ze het niet koud had in haar gebloemde zomerjurk en de bruinachtige panty. Onder haar donkere haar strekte haar nek zich lang en blank uit, ik streelde over haar schouders, langs haar rug naar beneden, tot aan haar knieholte, waar een donkere moedervlek een land schilderde. Met mijn vingertop gleed ik langs de grens, tot ze haar been boog en het land in de knieholte verdween.

'Waarom verstopt u die donkere huid?'

'Ik hou er niet van.'

'Kijk eens hoeveel ik ervan heb.' Ik pakte haar hand en leidde die naar mijn schouders.

'Dat is iets anders.' Haar hand bleef koel in de mijne, alsof hij niet bij haar hoorde en alsof elke opwinding en aanraking van zo-even die van een andere vrouw waren.

'Zo groot zijn de verschillen niet. Mens en mens. Huid en huid. Kleur en kleur.' Haar kleur smaakte zout, haar huid was zilver. Haar geur, zoet en pittig, een beetje zurig, trok me aan, maar de koelte van haar huid en het zilver dat niet te proeven, alleen te zien was, deden me het koud krijgen en stootten me af. Dat leek haar niet te deren. Ik kwam overeind en legde mijn hand op haar borst.

Aandachtig keek ze me aan. Terwijl haar lichaam in de koelte verzonken was, leken haar gedachten niet te willen rusten. 'En toch komt uw hand altijd van boven. Bent u niet bang voor de verveling en de afkeer?'

'Waarom komt hij van boven?' Ik schoof mijn hand onder die van haar en droeg hem vlak boven mijn borst.

'Tegenover ons. U bent degene, of toch tenminste een deel en dus ook een lichamelijk deel van een staat, die beslist of wij mogen blijven en in welke hoedanigheid.'

Om haar hals lag de fijne zilveren ketting. Met mijn wijsvinger trok ik eraan en ik wilde het kleine medaillon pakken dat bij haar hals te voorschijn kwam, maar ze duwde mijn hand weg.

'Is dat *wij* een groep?' Ik pakte haar hand en liet die mijn gezicht voelen, mijn jukbeenderen, mijn neus en korte haar.

'Nee, het is een *wij* van individuen. Vluchtelingen, emigranten, ballingen. Bij iedereen komt er een hand van boven en die houdt hem tegen of wenkt hem toe.' Traag bewoog haar hand in de mijne, kwam tot leven en begaf zich op weg, ik voelde haar kleine hand op mijn rug en mijn zitvlak, een hand die altijd te klein zou zijn om ook maar één bil te omvatten. Van alle kanten kwamen nu haar handen, ze raakten mijn littekens aan, de verdoofde plekken, ze raakten de huid ertussen aan, soms streelden ze en pakten niet, soms pakten ze, al die handen van haar.

'Ze komen met bepaalde eigenschappen en wij kijken welke dat zijn. Het maakt toch een verschil of je vervolgd werd of niet.' Niet voor het eerst sinds ik haar op straat ontmoet had, moest ik aan Batalow denken, wiens aanwezigheid ik zo duidelijk voelde alsof hij achter het gordijn verstopt zat of zich in mijn plaats in haar ogen weerspiegelde.

'Kijken. Nee, het is geen kijken, eerder onderzoeken of de eigenschappen die ontdekt moeten worden wel passend zijn.' Haar stem was schor, haar ogen weerspiegelden, ze gunde me niet de minste blik in haar binnenste.

'En, zijn ze passend?'

Nelly glimlachte niet, haar blik viel tussen ons in.

Op het fotobehang was veel blauw te zien, en palmen op een Zuidzee-eiland. Ik was er bijna zeker van dat er in Knoxville nergens een fotobehang aan de muur hing, alleen in Duitsland leek me dat mogelijk. Telkens als ik de andere kant opkeek, viel mijn blik op het smalle, ietwat scheve raam dat beslist op een of andere binnenplaats had uitgekeken als die roze gordijnen er niet voor hingen. Het oude bed steunde. Eruit vallen zou je zo gauw niet omdat het als een schelp naar binnen boog en ons geborgen hield. Het was geen zacht, meegevend nest maar een notendop in de oceaan. Met koers richting Zuidzee-eiland. Nelly's geur bleef om ons heen hangen, hoewel het uur in de kamer bijna om was. Ik betrapte me erop dat ik hoopte dat de volgenden niet meteen achter ons kwamen en onbevoegd in haar geur doken.

'Als je zo naar u kijkt, zou je haast vergeten waar u woont en waar u vandaan komt.' Haar wang was warm, een ogenblik liet ik mijn lippen op haar rusten. Ze mocht me voor een man houden die slaaf was van zijn driften, voor een nooit te bevredigen koning. Koning Nooittevree. 'Wie u bent,' vulde ik aan, fluisterend.

Ik leunde even achterover om haar nog beter te kunnen zien en aanraken, en toen zei ze: 'Niet mezelf.'

'U bent uzelf niet?'

'Nee. Of toch. Nee,' ze wreef haar neus in het zweet van mijn borst, in haar ogen meende ik afkeer te lezen, 'ik kan mezelf niet vergeten.'

Mijn armen wilden haar antwoorden. Het blauw trok je mee naar de verte en de palmen leken zo dichtbij dat je ze kon aanraken. Op zo'n Zuidzee-eiland kon Batalow zitten, ondergedoken, en in zijn eenzaamheid zou hij alleen maar de geluiden van een stripfiguur maken. Krssssst, als hij het vlees van een kokosnoot opat, of zssssst, als hij in een banaan beet, en hij zou wachten tot ze kwam, en ze kwam, langs geheime en toch te overziene wegen, zoals het in een sprookje hoort, en verloste hem van zijn stripgeluiden. Maar op dit ogenblik was Batalow nog niet te zien, in de plaats daarvan zag ik in de spiegel hoe mijn handen haar borsten grepen en hoe haar mond openging, met een uitdrukking van genot of van pijn, dat wist ik niet, en hoe de spiegel hem in twijfel vertrok. Mijn armen bleven haar het antwoord niet schuldig.

Toen ik haar aankleedde en haar bril eerst poetste en hem toen op haar neus zette, vroeg ze of ik mijn vrouw ook aankleedde. En ik stelde de tegenvraag waarom ze niet bij vrienden woonde maar in het kamp.

'Wilt u weer namen horen?' Haar stem klonk scherp en zacht

tegelijk. 'Echte vrienden heb ik hier in het Westen niet. En zeker geen waar ik zo zonder meer met mijn twee kinderen terecht zou kunnen.'

Ik voelde haar blik op mijn bovenlichaam, op de littekens die ze zo-even nog had aangeraakt. De tong van de gesp van mijn broeksriem viel met een zacht en dof geluid op de pluchen vloer. Ik raapte de tong op maar ik kreeg hem niet meer in de gesp.

'U weet dat het gevaarlijk is om in het kamp vrienden te maken.'

Ze was op het bed gaan zitten en keek naar mijn pogingen om de riem zonder gesp vast te maken.

'Er zitten spionnen. Tientallen jaren al sluist de staatsveiligheidsdienst zijn mensen daar binnen. Vorig jaar was er nog een poging tot ontvoering. Waarom lach je?'

Nelly lachte onderdrukt achter de hand die ze voor haar mond hield.

'Ook Russische organisaties steken hun hand naar hun verloren schaapjes uit.'

Ze proestte nu achter haar hand. 'Hoe bloedserieus u uw zaak opneemt.'

'Ze is ook serieus.' Zo zoetjesaan begon me haar lach te storen. Met het uiteinde van de riem maakte ik een lus.

Haar lach, die me eind oktober al aan een jong meisje deed denken, werd in mijn oren nu die van een kind, en uiteindelijk klonk hij meer als die van een kobold dan van een mens.

'En wie zegt u dat ik geen spionne ben?'

'Ik hou er rekening mee.'

Verbaasd keek ze op. Haar gezicht was glad alsof ze nooit gelachen had.

'U houdt er rekening mee?'

'Als een van de onbekende factoren hou ik ook daar rekening mee. Anders zou ik niet kunnen werken.'

'Wilt u nu zeggen dat u daarjuist gewerkt hebt? We gaan met elkaar naar bed en dat is uw werk?'

'Nee, maar mijn werk hoort bij mijn identiteit. Op geen enkel ogenblik in mijn leven kan ik ophouden die verantwoordelijkheid te voelen. En dus hou ik altijd rekening met een onbekende factor zoals u.'

De radiowekker sprong aan. *Let the words of our mouth and the meditation of our heart, be acceptable in thy sight here tonight.*

Met een ruk trok ik mijn das recht.

'Kan dat ding niet uit?' Nelly klopte met haar vlakke hand op de radiowekker. Het hielp niets. Ze sloeg er met haar vuist op, en de radiowekker zweeg.

Ik liep voor haar de smalle trap af en stopte de kamerverhuurster nog een fooi in haar handen. Haar bedankje klonk stug, amper te horen, ze keerde ons haar rug toe, pakte schoon beddengoed uit een schap en liep de trap op.

De voorbijrijdende auto's deden regenwater opspatten, ik hield het portier voor Nelly open. 'Wat een vals lied,' zei ze toen ze naast me zat.

'Waarom windt u zich zo op over een liedje?'

'Ik wind me niet op. Wie van hen heeft ooit om Sion gehuild. Het is een lied dat de spot met ons drijft.' Haar adem hing wit tussen ons in.

'Ons? De groep die geen groep is maar uit individuen bestaat?'

Ze antwoordde niet. Tijdens de rit hield ze haar handen in haar jaszakken.

'Het wordt almaar voller,' zei ik bij een kruispunt. Ze tuitte haar lippen, toen stulpte ze ze naar binnen tot ze strak over haar tanden zaten en het leek of ze geen mond had en of de bleke huidplooi in de plaats ervan nog maar net vanbinnen was gehecht.

Toen we onder de bruggen van de S-Bahn reden, probeerde ik opnieuw haar stilte te doorbreken. 'De president geniet sinds een paar weken een onverwachte populariteit. Buitenlandse politieke activiteiten hebben Kennedy indertijd al stemmen opgeleverd. En nu ziet het ernaar uit dat Camp David deze president zal redden. Alleen jammer dat er bij ons maar zo weinig mensen gaan kiezen.'

Nelly keek dof voor zich uit en speelde met een haarstreng. Ze draaide haar gezicht een beetje van me weg. Het gasreservoir verdween bijna in de mist.

Pas toen we langs het bordje Marienfelde reden, deed ze haar handen uit haar jaszak en zei: 'Uw president doet me altijd aan een kat denken, een gelaarsde kat.'

'Vanwaar kent u Engels?'

'Ik ken geen Engels.' Opnieuw begroef ze haar handen in de jas.

'Jawel. En dat vind ik ongewoon voor iemand die uit het Oosten komt.'

'Nee.'

'U begrijpt de tekst van het liedje.'

Ze zweeg en perste haar lippen opeen.

'Toen al, toen we dat gesprek hadden, kreeg ik die indruk.'

Opeens proestte Nelly het uit. 'De spionne,' lachte ze, 'die stiekem Engels spreekt.'

Geduldig liet ik haar uitlachen, remde en draaide een zijstraat in. 'We zijn er.'

'Nog niet helemaal.'

'We rijden niet samen langs de portier.'

'Nee, dat zou uw aanzien schaden. Werkt u nu?' In haar blik lag tegelijk spot en ernst, die misschien alleen maar gespeeld was.

'Over een halfuur wel.' Ik zette de motor af en bleef zitten.

'Wetenschappers kregen een basiscursus Engels, althans in mijn afdeling was dat zo. Niet iedereen, maar ik behoorde tot die groep. We moesten tenslotte westerse publicaties kunnen lezen.' Ze knikte, alsof ze haar woorden zelf niet geloofde.

'U hebt helemaal niet zo lang als wetenschapper gewerkt. En zo'n basiscursus vaktaal is voldoende om teksten in de dagelijkse omgangstaal te begrijpen?'

'Nu kijkt u me wel erg sceptisch aan, John Bird. Gelooft u dat niet?' Haar ogen fonkelden. Ze nam me niet ernstig.

'Ik weet het niet.'

'Geloof heeft niets te maken met weten.' Nelly lachte, en ik herinnerde me de uiteenzetting over het geloof waarop ze Harold en mij in oktober had getrakteerd.

'Daarom zeg ik dat ik het niet weet,' zei ik en ik dacht aan het gesprek dat ik 's avonds met de CIA zou hebben, een gesprek waarvan ik hoopte dat het me uit het kamp zou halen en in een functie brengen waar mijn werk en inzet gehonoreerd zouden worden.

'Wat wilt u van me?'

Haar vraag kwam heel direct, en ik aarzelde een ogenblik of ik haar zou antwoorden. Ze wist vast dat ons onderzoek zelden langer duurde dan de opnameprocedure. Wat had ik ook van haar te willen? In oktober hadden we nuttig voor haar kunnen zijn, intussen was het december, haar opnameprocedure was afgesloten, en ze woonde in het kamp. Onze goede wil had nu geen enkel nut meer voor haar. Nog altijd keek ze me aan, haar grote bruine ogen waren ondanks de lange wimpers niet omfloerst. Er zat geen enkele snit in het kastanjebruine haar, krachtig en zwaar lag het over haar schouders en het glansde roodachtig in het licht van de zon die net doorbrak. In afwachting van mijn antwoord leken haar ogen verstard, niet één keer werd haar blik door een wimperbeweging onderbroken.

'Huilt u nooit?'

'Moet ik huilen, is het dat wat u van me wilt?'

'Ik vraag me alleen af waarom u niet huilt.'

'Dat vraag ik me nooit af.'

Buiten liep er een vrouw met een wit hondje langs, de hond droeg een rode cape die over zijn rug hing en onder zijn buik was vastgemaakt en die hem tegen de kou en de regen moest beschermen. Ik pakte het pakje sigaretten uit mijn borstzakje en bood er Nelly een aan. Ze haalde de lucifers uit haar tas voor ik mijn aansteker kon aanbieden. Door de gloed zoog ze lucht in waarvan de zuurstof al verbrandde voor hij haar mond kon bereiken.

'Uw tranen zijn opgebruikt, heb ik gelijk?'

'Als u het zo wil zien.' Er kwam rook uit haar mond. Zacht welfden haar lippen naar voren. 'Ik denk niet dat u belangstelling hebt voor tranen. Het enige wat u wilt veroorzaken en zien is nederigheid.' Ze glimlachte.

De autoraampjes besloegen, je kon het alleen nog maar vaag zien wanneer er buiten iemand langs liep. Aan de CIA zou ik zeggen dat ik er klaar voor was, al voor mijn eerste studie was ik er klaar voor geweest, tijdens de opleiding en de tweede studie, elke seconde van mijn leven had ik me er klaar voor gevoeld, zou ik denken, en ik zou zeggen: reeds lang ben ik er klaar voor, en rijp. Wat voor mij telt is onze vrijheid, en de voorwaarden daarvoor zal ik behoeden en creëren. Veiligheid. Daarom gaat het. Vanwege die grote idee had ik zes jaar geleden mijn kist dagenlang boven de velden gevlogen, begeleid door vele kameraden, hoewel ik net als zij een jaar voordien de *Pentagon Papers* had moeten lezen, misschien vlogen we omdat al het andere ons het opgeven van onze identiteit had geleken, ook wanneer het voor het eerst in onze geschiedenis niet naar de overwinning leidde. Mijn vlucht liet een kaal spoor achter, een litteken in het landschap, en daarboven dichte vuile wolken, maar op kerstdag stortte ik neer in de buurt van Haiphong. Ik zou hun zeggen dat ik bereid was om te gaan waarheen ze me ook wilden sturen, naar operaties die uitzichtloos leken, en ik zou niet toegeven dat ik erop gebrand was om hun opdrachten te aanvaarden en dat ik had moeten huilen toen ik een paar dagen geleden de film *The Deer Hunter* had gezien, ik zou zeggen dat ik mijn land zou beschermen. Mijn vrouw vormde daarvoor geen belemmering, nee, dat was ze nog nooit geweest.

'Waarom worden die onderzoeken gedaan?' Nelly trok aan haar sigaret en blies de rook in haar schoot.

'Welke onderzoeken?'

'De medische. De eerste week. Waarom moeten de nieuwaangekomenen in quarantaine, en waarom worden er stalen van hun lichaam in buisjes bewaard, waarvoor moet je bloed- en ontlastingsmonsters afgeven, waarom worden de lichamen onderzocht en gemeten? Welk doel dient dat, als het niet de vernedering is?' Telkens wanneer Nelly de woorden nederigheid en vernedering gebruikte, leek het alsof ze moest glimlachen.

'De onderzoeken worden voor de veiligheid uitgevoerd. Vanwege de geïsoleerde politieke situatie van de stad wordt er gevreesd voor het binnensmokkelen van ziekteverwekkers, er zouden zich epidemieën in de kampen en over de hele stad kunnen verspreiden.'

'Meent u dat nou?' Ze lachte en slikte, drukte de sigaret uit, slikte en lachte.

'Zo grappig is dat niet, ergens in Rusland worden pokkenvirussen gecultiveerd, ze experimenteren daarmee.' Ik vermoedde opeens dat de buitenwereld niets afwist van die experimenten en dat ik een stukje geheime informatie had verklapt. 'Stelt u zich maar eens voor dat er iemand met tbc komt. Als we de bloedtesten niet zouden uitvoeren, bij twijfel geen röntgenopnames maken en de nieuw-aangekomene niet zo lang apart onderbrengen, dan zou binnen de kortste tijd het hele kamp geïnfecteerd zijn. De kinderen zouden met het virus naar school gaan, en zij die werken zouden de ziekte de stad in brengen.'

Ze deed mijn overjas open, duwde de revers van mijn jasje opzij en legde haar hand op mijn borst. Wilde ze mijn huid voelen, mijn hartslag? Haar hand dwaalde naar de linkerkant, mijn hart sloeg onder haar hand voor de vrijheid en de veiligheid en de onafhankelijkheid, zo veel wist ik nog. En toch veroorzaakte die koele hand nog iets anders. Verlangen, misschien, verlangen om een gevaar te bedwingen, het verlangen haar te overweldigen, mijn kracht met de hare te meten. Ze trok het pakje sigaretten uit mijn borstzakje en glimlachte, net zoals wanneer ze *vernedering* zei. Ik hield haar mijn aansteker voor. Het vlammetje was klein. Ze pakte de aansteker uit mijn hand en gaf zichzelf vuur.

Met mijn vingers gleed ik door haar haar en ik raakte haar hals aan, die blank en warm was, maar alleen het buitenste van haar binnenste was, een stukje huid bij de overtuiging dat het nederigheid was die ik van haar verlangde.

'Wat ik van u, net als van andere mensen, verlang, is alleen maar nederigheid vanwege de onafhankelijkheid en de vrijheid die u kunt genieten zo gauw u uit het Oostblok ontsnapt bent,' zei ik, en ik legde ironie in mijn stem, een valse ironie die ze hopelijk niet zou horen, omdat ik de ironie voor deze bewering nog maar net had uitgevonden, om haar niets duidelijks, laat staan iets waars over mij te verraden. Maar ze keek me aan zonder te vermoeden dat ik brandde van verlangen naar de opdracht die ik zou krijgen nadat men me tijdens een gesprek vanavond geëvalueerd en aangenomen had. Die opdracht, vond ik, vervulde ik al in deze auto, waarin de beslagen ruiten en het ontbrekende zicht op de buitenwereld, maar ook van de buitenwereld op mij en mijn daden, niets veranderden aan het feit dat ik de onvoorwaardelijke doelstellingen van mijn regering trouw toegedaan was en ik ze in die mate verinnerlijkt had dat ik de versmelting van vrijheid en veiligheid en onafhankelijkheid in me voelde branden. En dat branden, die korte pijn die haar tanden veroorzaakten, deden me vermoeden dat ik zelf de vrijheid belichaamde. En tegenover de vrijheid mocht ze toch wel nederigheid betonen, dus liet ik haar hoofd in mijn schoot en haar mond aan de vrijheid, gleed met mijn vingers door haar haar langs haar nek, voelde haar wervels en dacht aan het vrijheidsbeeld en aan niets anders.

Niet eens toen ze opkeek en glimlachte zoals ze glimlachte als ze het woord nederigheid uitsprak, had ik zin om haar glimlach te beantwoorden. Nederigheid kon alleen maar in volle ernst ontvangen worden, en ik was voor alles klaar. Haar glimlach werd een masker waarvoor ik me niet eens de moeite gaf om het af te rukken. Over zeven minuten begon mijn dienst, als ze nou eindelijk eens ophoepelde en voor mijn part die laatste meters tot aan het kamp te voet terugholde, haalde ik het nog net om een parkeerplaats te vinden en op tijd boven in mijn kantoor aan te komen. Maar in plaats van uit te stappen, streek ze met een vinger over mijn voorhoofd.

'Waar komt die vandaan?'

'Een andere keer,' zei ik en boog me voorover om langs haar

heen het portier open te doen zodat ze kon uitstappen. Als ik haar gezegd had dat ik er geen idee van had en alleen maar wist dat mijn kist was neergehaald, mijn springstoel weliswaar gefunctioneerd had maar mijn geheugen een hele tijd niet, zou ze waarschijnlijk sarcastisch antwoorden: '1972? Toen gingen wij via de open grenzen naar Polen, naar een land dat na de grote staking zo revolutionair was als geen ander.' Ze zou me over Amerikaanse films vertellen die ze daar gezien had en hoe ze de hemel boven Mazurië bewonderde.

Ze stapte inderdaad uit en zei, terwijl ze zich nog een keer naar me omdraaide: 'Iedereen zijn heldendaden.'

Op de beslagen ruiten waren fijne stroompjes ontstaan die het melkglas dooraderden. Het kon zijn dat ze amper kranten had gelezen en dat men in haar wereld niet geweten had hoe weinig wij in die oorlog helden hadden kunnen worden. Omdat ik niets anders vond, veegde ik de ruiten met de mouw van mijn overjas af. Het zicht bleef nog wazig maar het was voldoende om te starten. Hoewel ik vlug reed en meteen een parkeerplaats vond, kwam ik net langs de portier toen zij er naar haar post vroeg. Ze draaide zich niet eens meer naar me om. Daarom kon ik me niet inhouden, een paar meter voorbij de ingang op haar te wachten en haar te zeggen: 'U beweerde toen dat er geen veiliger plek bestaat dan een communistisch land met een Muur. Jammer genoeg moet ik u zeggen dat u of voor mijn part uw moeder zich vergist. De veiligheid wordt niet door een simpele Muur gewaarborgd. Alleen het schietbevel zorgt voor de veiligheid.'

Bevreemd keek ze me aan en ze leek me niet te herkennen, daarna draaide ze zich om alsof ik een gek was die op straat luidop stond te praten en voorbijgangers aan te spreken zonder op antwoord te wachten, en ze vervolgde haar weg met die huppelende pas die me nog maar twee uur geleden op de Kurfürstenstrasse op haar opmerkzaam had gemaakt.

Een zware hand klopte op mijn schouder. 'John, je gaat toch geen gesprekken aanknopen met de kampbewoonsters?' Rick hield zijn pakje sigaretten voor mijn neus en ik pakte er een.

'Ken je haar?' Zijn aansteker was leeg.

'Moet dat dan?' Mijn aansteker kon ik niet vinden, vermoedelijk had Nelly hem bij zich gestoken.

'Nee, knappe vrouw, ze is me ook al opgevallen.' Hij vond lucifers en ik hield mijn handen om mijn sigaret zodat de wind het vlammetje niet uitblies.

'Gaat nogal.' We liepen langs de hoofdweg en over de parkeerplaats naar ons kantoor. 'Ik vroeg haar hoe laat het was omdat mijn horloge is blijven stilstaan.' Ter bevestiging klopte ik op mijn Omega. 'Maar hier lijkt niemand Duits te begrijpen.'

'Probeer het eens in het Engels.' Lachend hield Rick de deur voor me open. De gedachte schoot door me heen dat zijn suggestie een aanwijzing kon zijn, misschien kende hij Nelly beter en was ik niet de enige die wist dat ze Engels sprak. Maar toen besloot ik dat hij haar nauwelijks kon kennen, er woonden hier te veel mensen, en met geen enkele ervan had iemand van ons van nabij te maken, dat besloot ik, en met een zeker genot, dat bijna verboden, of tenminste pervers aanvoelde, ademde ik de geur van de gang in en voelde de ontspanning zich in me uitspreiden. Elke ochtend, en op dagen als vandaag pas 's middags, wanneer ik onze dienstlokalen betrad, veroorzaakte alleen al de stap over de drempel in mij een goed en aangenaam verdovend gevoel. Bij dat goede gevoel hoorde de muffe reuk, alleen aan de oppervlakte was het een koude en frisse geur, eronder zat een mengeling van mannelijke urine, omdat de wc's blijkbaar niet grondig schoongemaakt werden, en zweet, zoals dat in de overjassen van allang gestorven mensen hangt, maar ook in de okselstof van de moderne hemden van polyester die wij allemaal droegen. Hoewel niemand hier andere schoenen aantrok of zijn schoenen uitdeed, kwam er op de tweede verdieping nog een penetrante reuk van boterzuur bij.

Op de stoel in de vergaderruimte zat een vrouw van ongeveer veertig jaar, haar haar was met henna geverfd, haar broek uit zilveren imitatieleer had brede pijpen. In haar dossier kon ik zien dat ze onder hoog risico gevlucht was. Ik zou haar alleen maar standaardvragen hoeven te stellen.

'Uw naam?'

'Grit Mehring. Geboren in Chemnitz, laatste woonplaats Dimitroffstrasse 64 in Berlijn.' Ze sloeg haar benen over elkaar en keek me provocerend aan.

'Dank u, waar en wanneer u geboren bent kan ik in mijn dossier wel zien.' Ik bladerde en vond de schets die de vrouw op ons verzoek van de vluchtplaats had gemaakt. Ik vermeed haar blik en probeerde me voor te stellen hoe ze het had klaargespeeld om in die kleren in het holst van de nacht te vluchten – haar rode haar als een vuurtoren om haar hoofd, en die zilveren stof blinkend in het schijnwerperlicht.

'Kunt u me kort vertellen hoe en waar u de grens bent overgegaan?'

'Overgegaan,' ze barstte in hoongelach uit, 'ik ben helemaal niets overgegaan, gezwommen heb ik, door het Teltowkanaal.'

'U wist dat er daar een schietbevel van kracht was?'

'En of ik dat wist, maar ik had ook mijn informatie, welke plaatsen door de schijnwerpers slecht bereikt werden, waar de oever een sprong mogelijk maakte.'

'Overal vol mijnen.'

'Dat hoeft u me niet uit te leggen.' Met geheven hoofd en half dichtgeknepen ogen keek ze me aan.

'In uw verklaring lees ik dat u in Oost-Berlijn vervolgd werd. Hoe moeten we dat opvatten?'

'Ah, dat weet u niet?'

'We willen het van u horen.'

Ze boog voorover en begroef haar gezicht in haar handen. De CIA had al mijn getuigschriften opgevraagd en ik was er zeker van dat die een goede indruk zouden maken. Op dit ogenblik zat er misschien iemand in de Argentinische Allee de laatste voorbereidingen te treffen voor het gesprek met mij. Ik gaf Lynn een teken om op te staan en de vluchtelinge een zakdoek te geven. Het snuiten duurde een paar minuten.

'Bent u klaar?' Mijn geduld liet te wensen over, in gedachten was ik al bij vanavond, toen me opeens te binnen schoot dat Eunice morgen jarig was.

'Waarom trekt u uw neus op?' vroeg de vrouw, er lag onzekerheid in haar stem. Haar zo-even nog trotse gelaatsuitdrukking was na het wegstoppen van haar gezicht veranderd in het tegendeel. Met grote ogen, bijna onderdanig keek ze me aan en wachtte op mijn antwoord. Waarom trok ik af en toe mijn neus op zonder me er bewust van te zijn? Het was niet de eerste keer dat iemand me daar opmerkzaam op maakte, en af en toe zag ik aan niet mis te verstane, verontschuldigende en beledigde reacties van mijn gesprekspartners dat ik het weer gedaan had. Eunice had me iets kunnen zeggen. Niet dat ze me moest waarschuwen, en natuurlijk was ze niet verplicht om me aan haar verjaardag te herinneren, maar in dat consequent verzwijgen ervan meende ik een zekere boosaardigheid te herkennen, die ik de laatste tijd vaker bij haar opmerkte. Het pakje sigaretten in mijn borstzakje was bijna platgedrukt, ik kneep met twee vingers in de filter en trok er de laatste sigaret uit. Ongetwijfeld schepte Eunice er genoegen in me mijn nalatigheid onder de neus te wrijven, en terwijl ze zelf het huishouden verwaarloosde, stuff rookte en de telefoonrekening de hoogte injoeg, waren de door haarzelf gecreëerde grote luchtgaten die uit mijn nalatigheden tegenover haar leken te volgen het meest geschikt voor dit doel. Ik blies de rook in kringetjes uit.

'Mag ik er een?' De vluchtelinge met het hennakleurige haar wees naar mijn sigaretten. Een voordeel van deze baan was de nooit eindigende sigarettenvoorraad. Lynn gaf me een nieuw pakje Camel, ik opende het zilverpapier, stond op en bood de vrouw een sigaret aan. Met trillende hand pakte ze die uit het pakje en verboog hem daarbij zo hard dat hij dreigde te breken. Ik gaf haar een vuurtje.

'Dank u, hartelijk dank.' Haar haar zag er vettig uit, alsof ze het in geen weken gewassen had. Misschien mochten de vluchtelingen de eerste dagen niet douchen, of had ze gewoon vergeten haar haar te wassen.

'Nou. Het beste is dat u die vervolgingen maar eens beschrijft.' Ik ging weer achter mijn bureau zitten en deed mijn best een aandachtige indruk te wekken. Onlangs had Eunice me gezegd dat ze een vlucht geboekt had en dat ze al in februari met haar vriendin de tatoeagestudio zou beginnen. Ik antwoordde dat dat een schitterend idee was maar dat Berlijn-Zehlendorf me daar nou niet bepaald de geschikte plek voor leek, en toen barstte Eunice uit. Dat ik eindelijk eens moest luisteren. Had ze niet juist daarvoor gezegd dat ze een vlucht geboekt had? Ze wilde die tatoeagestudio niet hier beginnen, maar thuis in de States. Ik had geknikt en me erop betrapt hoe alleen al het idee dat ik haar niet meer in huis zou aantreffen, niet meer elke avond haar dieren met uitpuilende darmen en gevleugelde wolven moest zien, een grote ontspanning in me teweegbracht. Toen ik opstond om de kamer uit te lopen, hoorde ik haar achter me zeggen dat ik behoorde tot het soort dat zijn medemensen gewoon niet meer zag zoals ze waren, dat ik leed aan ouderdomsvérziendheid, zoals de meeste oudere mensen, en dat die vérziendheid ertoe leidde dat ik het meest nabije, met name haarzelf, gewoon niet meer zag, of in ieder geval alleen nog maar heel wazig. In de deuropening had ik me omgedraaid. Ze deed haar best om er oprecht verontwaardigd uit te zien, maar ik had het gevoel dat er achter haar gelaatsuitdrukking leedvermaak schuilde. Eunice wond zich op over zulke kleinigheden, alsof we een wedstrijd hielden wie er schuldig was aan het mislukken van ons huwelijk.

'Pesterijen. Pesterijen is eerder het woord.' De roodharige inhaleerde de rook. Ik keek in mijn dossier. Grit Mehring, dat was haar naam.

'Het begon al tien jaar geleden. Ach, waarschijnlijk veel vroeger, maar toen begon ik het te merken. Toen hebben ze de firma op mijn dak gestuurd.'

'De firma?'

'Nou, die uitdrukking kent u toch zeker wel. De staatsveiligheidsdienst, de firma dus.' Grit Mehring steunde met haar arm op haar knie en met de hand met de sigaret erin op haar kin. Zo kon ze makkelijk aan haar sigaret trekken zonder recht op haar stoel te hoeven zitten.

'Hoe hebt u dat gemerkt?'

'Nou, het was heel duidelijk. In de woning naast mij woonde een ouder echtpaar, mijn brieven werden opengemaakt, en op een dag betrapte ik de vrouw toen ze voor mijn brievenbus stond en haastig een brief in elkaar frommelde. De brief vond ik later in de afvalcontainer.'

'Dat was de enige repressie waaraan u onderworpen was?'

De roodharige barstte in snikken uit, maar trok toen dapper aan haar sigaret, veegde de tranen uit haar ogen en vervolgde: 'Later heb ik door het spionnetje gezien hoe ze voor mijn deur stonden te luisteren wanneer ik bezoek had. En toen kreeg ik geen toestemming om rechten te studeren, en mijn dochter mocht, ondanks haar goede cijfers, geen toelatingsexamen voor de universiteit doen.'

Terwijl de notuliste tikte, maakte ik met mijn balpen notities om mijn aandacht niet te laten verslappen. Er waren honderden gevallen zoals zij.

'En toen ik vroeg waarom ik alleen maar negatieve berichten kreeg, stelde de firma me tegenvragen, hoe lang ik met wie bevriend was, ze konden soms hele gesprekken woord voor woord herhalen.'

'En u hebt de hele tijd naast dat echtpaar in de Dimitroffstrasse gewoond.'

'Nee, dwaas zijn die niet. Op een dag kwam er in de plaats van het echtpaar een jonge, alleenstaande man. Het was gewoon al opvallend omdat hij alleen woonde in een appartement met vier kamers. Dan word je toch vanzelf wantrouwig. Meestal doet de gemeentelijke huisvestingsadministratie nogal moeite om rechtvaardig te zijn bij het toewijzen van de woningen.'

'U denkt dat de nieuwe buurman ook een spion was?'

'Ik ben er zeker van. Eerst probeerde hij mijn dochter te versieren en later haar uit te horen.'

'Hoe oud was uw dochter toen?'

'Het is nog niet zo lang geleden, misschien vier jaar, toen was ze vijftien.'

'Waar is uw dochter nu?'

'Ze wilde daarginds blijven. Ze heeft pas een vriend. U kunt zich toch wel indenken dat je op die manier niet met z'n tweeën vlucht.'

'Wat bedoelt u met versieren?'

'Nou, hij is een relatie met haar begonnen. Ze had een abortus. Minderjarig. Ik hoef u niet te vertellen wat dat voor een moeder betekent. Ja, en later heb ik hem betrapt toen hij mijn kast stond te doorzoeken. Vraag me niet waarom mijn dochter hem überhaupt nog in onze woning liet. Maar ik moest overdag werken, tot ik op een keer een ziekenbriefje vroeg en gewoon om tien uur 's morgens weer naar binnen kwam.'

'Het kan zijn dat hij gewoon nieuwsgierig was.'

'Nee, die was niet gewoon nieuwsgierig. En hij was bovendien nog stom ook. Toen alles eindelijk achter de rug was, heeft ze me verteld, mijn dochter, dat hij geprobeerd had om haar aan te werven.'

Vragend keek ik naar de roodharige.

'Voor de firma natuurlijk.'

'En die man woont daar nog altijd?'

'Weet ik veel waar hij nu uithangt, hij is weggegaan. Dat was hem ook geraden. Zo'n smeerlapperij.'

Ik wierp een blik in het dossier.

'Wilt u zijn naam weten?'

'Ogenblikje. Alles op zijn beurt. Wie kwam er toen in de woning naast de uwe?'

'Een gezin met drie kinderen. Maar ik zeg u, die waren er ook bij. Helemaal zeker ben ik er niet van, maar toch bijna.'

'Wanneer hebt u besloten te vluchten?' Om de woordenvloed van de roodharige niet te onderbreken, bood ik haar zwijgend een sigaret en vuur aan. Miss Killeybegs bracht koffie, en Lynn gaf ons de kopjes.

'Dat was omstreeks die tijd, maar u weet wel, zo'n besluit neem je niet zomaar opeens. En mijn dochter was nog niet volwassen. Ik had helemaal geen perspectief. Aan de studie mocht ik niet beginnen, en als technisch tekenaar wilde niemand me in dienst nemen. Allemaal pesterijen, zeker weten. Ik ken er honderden die in die tijd werk kregen. En die waren heus niet beter dan ik. Alleen mij hebben ze steeds afgewezen, zonder opgave van redenen. Op een dag hebben ze me als postbode werk gegeven. Dat is toch geen leven?' Ze trok aan haar sigaret en wachtte geduldig tot ik stopte met schrijven op het vel papier voor me. Niet dat ik de notuliste niet vertrouwde, maar ik mocht de draad niet kwijtraken en dus schreef ik de voornaamste feiten mee op, om in geval van twijfel preciezer te kunnen navragen.

'Mag ik er soms nog een?' Ze wees naar de sigaretttten.

'Natuurlijk.' Ik stond op en bracht er haar een. Toen ik de aansteker voor haar hield, keek ze onzeker glimlachend naar me op.

'Maakt u zich geen zorgen,' zei ik toen ik naar mijn bureau terugliep, 'in gevallen zoals het uwe gaat de opnameprocedure vlug.' Achter mijn rug hoorde ik haar opgelucht ademhalen.

'U kunt zo gaan, mevrouw...', weer moest ik een blik op mijn dossier werpen, 'mevrouw Mèhring. Als u ons soms nog de naam van de een of andere werkgever kunt noemen die u als – u zei technisch tekenaar? –, die u als technisch tekenaar heeft afgewezen? Nu kunt u me de namen noemen. U herinnert zich toch ook nog de namen van de buren die vermoedelijk voor de staatsveiligheidsdienst werkten?'

'Vermoedelijk? Heel zeker. En ze doen dat vast nog. Het echtpaar heette Zimmermann, Dorle en Ernst Zimmermann. Ze woonden er tot ongeveer '74. Toen kwam, in de zomer was het, geloof ik, de jongeman. Zijn naam zou ik het liefst vergeten. Hij heeft toen een echte wig tussen mij en mijn dochter gedreven. Ja, die schamen zich nergens voor.'

'Zijn naam?'

'Pischke, Hans Pischke.'

'En het gezin, hoe heette dat?'

'Maurer, hij heette Karl-Heinz en zij Gertrud, of was het nu Gerlind? Nee, ik denk Gertrud. Die zijn er met hun drie koters bijna een jaar geleden in getrokken.'

Vaak stelde ik bij de verhoren een grote opluchting vast die zichtbaar werd op hun gezichten en in hun hele lichaamshouding, als ze eindelijk konden zeggen waaronder ze jaren hadden geleden en waarover ze altijd hadden moeten zwijgen, tot ze zich bij ons veilig voelden en hun gemoed konden luchten. Toch waren ze blij als het gesprek beëindigd werd en ze eindelijk de stempel van onze dienst op hun papier kregen. Grit Mehring hoorde bij een andere soort. Ze bleef gespannen zitten en leek niet uit te kijken naar het einde van het gesprek.

'Tegen die familie Maurer hebt u geen bewijzen?'

'Nee, het spijt me, ik vermoed het alleen maar. Die hebben ze dus waarschijnlijk voor niets laten verhuizen, nu ik weg ben.'

Ze streek door haar rode haar. Er vloog een lachje over haar gezicht, alsof ze leedvermaak had dat de staatsveiligheidsdienst iets vergeefs ondernomen had. Onwillekeurig en zonder dat ik het wilde lachte ik terug.

'En de werkgevers die u toen afwezen?'

'Dat is ook al een tijdje geleden. Zeker zes jaar. Zes jaar al heb ik mijn beroep niet kunnen uitoefenen, kunt u zich dat voorstellen? Brieven bestellen.' Ze siste minachtend tussen haar tanden.

'Als u nog iets invalt, laat u het ons weten?' Haar dossier was dun, veel viel er niet te willen, de namen volstonden, en een paar vraagtekens bleven er altijd. Ik klapte het dossier dicht en stond op.

'Blijft u nog een poosje in het kamp of hebt u vrienden?' vroeg ik en ik gaf haar een hand.

'Eventjes zal ik nog moeten blijven, maar later kan ik zeker bij vrienden onderdak krijgen.' Ze volgde me door de gang, en Lynn deed de deur achter ons dicht.

'Eén vraag nog: bent u gevlucht in die broek?'

Verbaasd keek ze naar beneden: 'Waarom?'

'Nou, die kleur is behoorlijk opvallend, die wordt toch meteen door de schijnwerpers opgemerkt.'

Ze barstte in lachen uit. 'Ah zo. Nee, dit soort broeken kreeg je ginder niet, hoor. Mijn broek was helemaal gescheurd toen ik gisteren aankwam. Eerst wilden ze me nog naar het ziekenhuis brengen omdat ze vreesden dat ik onderkoeld was. Wie zwemt er ook in december door het Teltowkanaal? Maar het gaat me goed, werkelijk. Zo goed als nooit tevoren.'

'Nou dan.' Ik draaide me om, maar omdat ze me haar knokige, lange hand reikte, zag ik me verplicht om die nogmaals te schudden.

'Die broek komt uit uw tweedehands kledingdepot. Kijk maar. Deze lag er al maanden en niemand wilde hem. Best leuk, hè?'

Alsof dat kledingdepot het onze was. Ik liet haar hand los, knikte en dacht: best leuk, maar ongepast. En onhandig, want ontmaskerend. Ze ziet eruit alsof ze haar jeugd wil inhalen. Bij die gedachte kromp er iets in me ineen, en ik hield mezelf voor dat ik als een goed mens in dienst van de goede zaak niet op die manier over deze mensen mocht denken. Maar zo ging het misschien nou eenmaal met dat ongeleefde leven, die verloren jaren die heel wat vluchtelingen in hun bagage hadden.

'Veel geluk vanavond!' Lynn liep in haar jas langs me, ze stak haar duim omhoog, haar werkdag zat erop. Ik had haar verteld over het ophanden zijnde gesprek. Meestal ging zo'n gesprek om instructies, soms berispingen, zelden om lof. Maar over mijn hoop en over het feit dat ik al mijn getuigschriften al naar de CIA had mogen sturen, had ik gezwegen. Het was niet goed om collega's in te wijden, hoe vertrouwelijk je ook met elkaar omging, en met Lynn ging ik elke vrijdag bowlen. Nog maar een paar maanden geleden hadden zij en haar man, die ook voor onze inlichtingendienst werkte, mij en Eunice uitgenodigd voor een etentje. Zelfs naar het schieten ging ik soms met haar. Maar je wist nooit op voorhand in welke functie ze iemand zouden zetten en of die niet alleen al wegens de opdracht de hoogste geheimhouding vereiste.

's Winters ging het licht in onze kantoren nooit uit, het werd overdag amper licht buiten, en 's nachts lieten ze de lampen voor de veiligheid branden, hoewel de nachtdienst lang niet van alle lokalen gebruikt maakte. Buiten schemerde het, mijn horloge wees even voor vier aan. Slechte waarnemer, die Rick, dacht ik en ik klopte op mijn Omega. Alsof een Omega ooit stilstond. De neonbuizen verspreidden een zakelijk licht. Lynn beweerde dat het licht koud was, ik vond het veeleer zakelijk. Ik schoof het gordijn een beetje opzij en keek hoe twee kinderen een grote zwarte vogel probeerden te vangen. Hij liep mank en kon niet wegvliegen. Hoewel de kinderen hun armen spreidden en telkens opnieuw probeerden hem in het nauw te drijven – soms hupte hij onder een struik, dan weer langs de muur van het huis –, waren ze blijkbaar bang om hem te pakken. Hij was groter dan een kraai, maar ik kon me niet voorstellen dat uitgerekend hierheen een raaf verdwaald was. Er kwam een vrouw bij staan die gesticuleerde, blijkbaar vond ze het niet goed dat de kinderen achter de vogel aanzaten. Ik herkende haar aan haar jas. Ze droeg dezelfde broek als voorheen. Dat Nelly moeder van twee kinderen was, schoot me pas nu weer te binnen. Voortdurend was Wassilij Batalow door mijn hoofd gegaan, niet zozeer het feit dat hij haar had aangeraakt en bemind, maar de vraag wie hij geweest kon zijn en of hij er nog altijd was, zonder dat zij het wist misschien, maar misschien ook wel, in ieder geval zonder dat wij het wisten, hoewel we onze verdenkingen hadden. In zulke gevallen mocht je nooit iets uitsluiten. En die beide kinderen waren niet alleen van haar maar ook van hem. De moeder stond te praten met een kleine man, terwijl de kinderen achter haar rug de kreupele vogel opjoegen.

Deze zaak hoorde bij mijn minder succesvolle, en ik zou het er vanavond beslist niet over hebben, tenzij ze er zelf over begonnen. Ik kon weliswaar aanvoeren dat Fleischman het verhoor geleid had, toch iemand van hun beste mensen, maar echt overtuigen doen dit soort verwijzingen niet. Als Nelly's geur er niet geweest was, had ik onze ontmoeting misschien echt geënsceneerd en als werk opgevat. Maar het was me dus gewoon overkomen, zoals me ook andere dingen overkwamen, die echter niet zo vol mogelijkheden staken. Verantwoordelijkheid betekende iets anders, verantwoordelijkheid betekende altijd een stapje en een gedachte verder te zijn. En toch zou ik mijn eigen maatstaf van verantwoordelijkheid nooit bereiken, dat was de kern van mijn moraal en de basis voor mijn ambitie. Ik moest echter tot mijn eigen teleurstelling vaststellen dat ik altijd zelf de strepen op de maatstaf aanbracht en dat er dus geen precieze controle, geen objectieve beoordeling was, alleen de CIA kon me erkenning bezorgen door me een aanbod te doen en me straffen door dat niet te doen.

Achter mij ging de deur open en een medewerker die ik vaag kende van de selectiedienst, waarvoor ik heel binnenkort niet meer zou werken, althans niet als personeelslid van onze inlichtingendienst, keek me geschrokken en tegelijk onderdanig aan.

'Ja?'

'Zet u schrap.' Blijkbaar had hij iets belangrijks op zijn hart en kon hij zijn tong van opwinding nauwelijks in bedwang houden.

'Wat is er aan de hand?'

'Er kwam zopas een telefoontje binnen.'

'En?' De CIA zou me beslist niet bellen, behalve om de afspraak te verzetten of af te zeggen. Maar dat de CIA me hier en twee uur voor het afgesproken tijdstip nog belde, om wat dan ook te achterhalen, was uitgesloten, daarvoor functioneerden alle onderdelen van de organisatie te perfect en gesmeerd, daar was ik zeker van. In een fractie van een seconde verwierp ik dat idee en belandde weer in de werkelijkheid, die me stevig in haar armen hield. 'Mijn vrouw, is het niet? U had het genoegen met mijn vrouw te praten. En wat mag er zo belangrijk zijn dat ze me hier belt?'

'Nee, meneer Bird, het was niet uw vrouw. We hebben de namen die mevrouw Grit Mehring tijdens haar gesprek noemde doorgegeven en een paar minuten geleden een telefoontje van de kampdirectie gekregen. Een van de door haar genoemde medewerkers van de staatsveiligheidsdienst bevindt zich in het Westen. Raad u eens waar?' De nog erg jonge medewerker van de selectiedienst hapte naar adem.

Nelly Senff vlucht voor doctor Rothe

Ik had net een pagina omgeslagen, toen ik opeens een gekraak achter me hoorde. Susanne was vanochtend niet teruggekeerd, en dus draaide ik me om in de verwachting haar te zien. Voor de kinderen was het nog veel te vroeg, die zouden pas over een uur uit school komen. Vlak achter me stond een grote man in een blauw pak. Hij had een overjas en hoed over zijn arm.

'Senff, klopt dat? Uw naam is Senff.' Hij deed een stap opzij zodat ik hem beter kon zien.

'U had kunnen bellen.'

'De bel lijkt het niet te doen. De huisdeur was niet afgesloten. En omdat ik geen antwoord op mijn geklop kreeg,' hij keek me aan alsof hij verwachtte dat ik zijn zin zou afmaken. 'Stoor ik u?'

'Dat hangt ervan af.' Ik stak een vinger tussen de pagina's van mijn boek.

Zijn kin was gladgeschoren, maar hij had een snor waarvan de punten lichtjes naar boven wezen. De man praatte zacht en perste zijn woorden eruit alsof het hem grote moeite kostte om zo langzaam en zacht te praten. Er lagen alleen fijne lijnen op zijn gezicht, lijnen die geen leeftijd of ervaring verrieden, het konden eerder toevallige sporen van jaren zijn. Zijn haar leek vroegtijdig grijs, het was bijna wit, hoewel ik hem pas halverwege de veertig schatte.

'Mag ik?' Met zijn hoed wees hij naar de vrije stoel.

'Alstublieft.'

'Deze zijn voor u.' Hij hield me een doosje pralines voor. Ik aarzelde om het aan te pakken.

'Waarom pralines?'

'Mijn naam is Rothe, doctor Rothe. U hebt vast al wel eens van me gehoord.' Zijn overjas en hoed hield hij op zijn schoot vast, de pralines zette hij voor zich op tafel.

'Moet dat dan?'

'Nou, ik kom af en toe in het kamp. Sommigen hier zullen me wel kennen.' Zijn stijlvolle pauze moest me blijkbaar de tijd geven om het me te herinneren, maar ik voelde niets anders dan zijn verwachting. 'Er wordt toch gezegd dat ik in zekere mate beroemd ben. De organisatie waarvan ik lid ben en in opdracht waarvan ik u opzoek, heet Berenclub. U denkt misschien aan de beer van Berlijn. Maar wij zijn een wereldwijde organisatie. We werken in Zuid-Afrika en in Thailand, in Zuid-Korea, Duitsland en Amerika.'

'Wat doet u?'

Het glimlachje om zijn mond verried geen trots. IJdelheid in de mantel van de mildheid was het. Hij genoot van mijn onwetendheid over zijn persoon en rekte het ogenblik totdat hij opheldering zou verschaffen. 'Neemt u er toch een.' In een handomdraai deed hij de doos pralines open en duwde ze over de tafel. Hij glimlachte, spottend en hautain.

'Waarom pralines?'

'Waarom pralines? U vraagt zich beslist af waaraan u deze attentie te danken hebt en waarmee u ze verdiend hebt.' Zijn glimlach was onverdraaglijk. 'Geen angst, ze zijn niet vergiftigd.'

'Ha ha.'

'U houdt niet van grapjes?'

Wat maakte die Rothe zo medelijdend, zo grootmoedig en zelfverzekerd? Wat wilde hij? Ik keek hem aan en vroeg me af of ik hem moest kennen, of zijn gezicht me bekend voorkwam en hij misschien te maken had met een van de geheime diensten.

'Die gaan er weer flink tegen aan, hè?' Hij wees in de richting van de deur en bedoelde kennelijk de muziek die uit een van de buurwoningen kwam. Het leek bijna alsof iemand anders die zin gezegd had, zo weinig paste hij bij zijn voorname verschijning.

'Wie?'

'Rustig maar. U hebt Poolse buren, nietwaar?' De man leunde achterover, en de stoel onder hem kraakte. Hij leek te klein voor de man. 'We weten heus wel een en ander over de conflicten die het samenleven hier in het kamp veroorzaakt. De enen leven zus, de anderen zo. Voor ons zijn ze allemaal gelijk. Onze doelstellingen zijn van geheel andere aard. Als u dat wenst, kan ik u graag een paar aspecten verduidelijken.' Hij schraapte zijn keel en bukte zich om de hoed op te rapen die van zijn knie gevallen was. Zijn hoofd raakte mijn been aan. Toen hij weer opkeek, was zijn gezicht vuurrood. 'Neemt u me niet kwalijk.' Hij wreef over zijn voorhoofd. 'Wij helpen mensen in nood. Mensen zoals u, slachtoffers van onmenselijke en onwaardige systemen, die uit dictaturen komen. Mensen die vervolgd werden, die zoals u hun toevlucht hier in het Westen zoeken, zieke mensen, die zoals u misschien beschermende armen verwachten mogen, maar zelfs diegenen die in Duitsland asiel willen.' Hij trok een zakdoek uit zijn jasje en wreef zijn blinkende voorhoofd droog. Het onbewogen glimlachje gaf aan die mechanisch klinkende opsomming iets onwerkelijks. Nog altijd was zijn gezicht rood, alleen om zijn neus blonk een witte driehoek. 'Daarbij spelen afkomst en religieuze overtuiging voor ons niet de minste rol. Alleen de repressie en het leed dat u moest dragen. Belangrijk is de nood waarin mensen zich bevinden.'

'Denkt u dat ik ziek ben?'

'Nee, dat bent u misschien niet, hopelijk nog niet. Maar denkt u ook eens aan anderen. Er zijn wel degelijk mensen die ziek zijn en dankzij onze organisatie hulp krijgen. Weet u hoeveel mensen op dit ogenblik gefolterd worden, honger lijden en ten onrechte van hun vrijheid beroofd zijn? Denkt u even aan uw vrienden die u ginder moest achterlaten. Zijn die vrij? De Berenclub helpt. We hebben daar al prijzen en huldigingen voor gekregen.'

'Bedoelt u dat u munt slaat uit het leed? U voelt zich groot door de ellende van anderen?'

'Waarom zo bitter? Niet het leed van anderen doet ons ons groot voelen, wel de middelen en de hulp die we kunnen aanbieden.' Voldaan en tevreden zag Rothe eruit toen hij weer achterover leunde en de stoel onder zich deed kraken. Met zijn zakdoek wiste hij nu het zweet van zijn slapen. Ze rotten samen in clubs. Waar de mensen van deze generatie hier in Duitsland het geld vandaan hadden waarmee ze zo kennelijk grootmoedig en royaal besloten wie ze hielpen en wie niet, beoordeelden wie hun goedheid waardig was – daarover moest ik nadenken. Er hingen fijne zweetpareltjes in zijn snor, die met elke ademtocht trilden. Hij had moeite met ademhalen. Ik wilde hem juist zeggen: u hebt altijd aan de goede kant gestaan, nietwaar? toen hij met een ruk van zijn stoel overeind kwam.

'Hebt u soms een glas water voor me?'

In de keuken zocht ik naar een schoon glas. Het water kwam sinds deze ochtend bruingekleurd uit de kraan. Ik dacht aan de waarschuwing van John Bird dat er in elk kamp een massa spionnen rondliepen. Waarom zou deze man niet in een dubbelrol, als afgevaardigde van een club en tegelijk in opdracht van de staatsveiligheidsdienst, hier met pralines zijn opwachting maken?

Toen ik weer in de kamer kwam, stond hij met zijn rug naar mij over de tafel gebogen. Ik zette het glas water voor hem neer en ontdekte op hetzelfde ogenblik een puntig voorwerp dat hij in zijn bevende handen hield.

'Wilt u mij even excuseren alstublieft?' Hij stond op en liep gehaast de kamer uit. Ik hoorde hoe hij de deur van de wc dichtdeed. Blijkbaar kende hij de woning, hij hoefde in ieder geval niet naar de wc te zoeken. Het voorwerp in zijn handen was scherp en er had iets metaligs geblonken, de vorm deed denken aan een injectiespuit, maar omdat hij zijn handen er omheen hield, was ik er niet zeker van. Op de doos pralines plakte de prijs nog. Ernaast lag een zwart leren etui met de goudbedrukte initialen W.B. Het etui kwam me bekend voor, maar er dook niets in mijn herinnering op. Het etui was leeg.

Blijkbaar bewaarde de man die zich doctor Rothe noemde, het puntige voorwerp daarin. De kranten hier stonden vol berichten over heroïne en over de gebruikers ervan, die tot alle mogelijke maatschappelijke lagen behoorden. Ik dacht ook aan ziektes, waarvoor zijn plotse verdwijning met de spuit verantwoordelijk konden zijn. Ik keek op mijn horloge. Het leek alsof hij al tien minuten op de wc was. En omdat ik geen enkel geluid van hem hoorde, overwoog ik of het raadzaam was naar hem te gaan kijken. De muziek uit de buurwoning was verstomd. Niemand behalve hij en ik waren nog in het huis. Zijn overjas was op de grond gegleden, zijn hoed lag op de stoel. Mijn blik viel op de dunne aktetas die tegen de tafelpoot stond. Zacht stond ik op, bukte me en deed de knipsloten open. In de tas zat een dunne leren map met een ritssluiting. Van de gang kwam nog altijd geen enkel geluid. Ik trok de map eruit, voorzichtig deed ik de rits open. Er gleed een vel papier op de grond. Op het vel stonden met inkt verschillende namen geschreven. Jerzy Jabłonowski was doorgehaald en er was een kruis met een datum over aangebracht. Van Jabłonowski wees een pijl naar mijn naam. *Nelly Senff, ongehuwd, twee kinderen, gediplomeerd scheikundige, tot april 1976 werkzaam op de Academie van Wetenschappen, uitreisvergunning aangevraagd, nadien als ongeschoolde op het kerkhof tewerkgesteld, van dubbelspionage verdacht.* Er staken verschillende met de machine dichtbeschreven vellen in de map. In de gang hoorde ik gekraak, ik keek op, maar het was weer stil en er was niemand te bespeuren. Haastig vlogen mijn ogen over de regels. Ik las hier en daar een woord, *republiek*, *semietenvereniging* en *grondwet*, hier stond *veiligheid* en daar *verkeerde inlichtingen*, overal las ik het woord *juffrouw*. Ik probeerde een zin te ontcijferen. De afkortingen *LW*, *IM* en *WB* doorsneden de tekst. *Eliminatie* en *object* waren onderstreept. Een metalen geluid deed me opschrikken, ik moest denken aan het puntige voorwerp waarmee hij verdwenen was en dat misschien niet voor hem maar voor mij bedoeld was, een klein wapen, een bewakingsapparaat, en toch kon ik mijn blik niet van de letters afwenden, ik hield de vellen in mijn handen vastgeklemd alsof ze nog het enige waren dat me duidelijkheid over de identiteit van deze Rothe kon verschaffen. Er doken verschillende namen op, *Ziegler*, *Mayer* en ten slotte las ik *Batalow*.

'Uw naam werd me door ene mevrouw Jabłonowska aanbevolen. Jammer genoeg is haar broer al gestorven en lijkt het erop dat zij geen hulp meer nodig heeft.' Zijn stem leek nog zachter dan voorheen, en de rode kleur was uit zijn gezicht verdwenen. Geschrokken liet ik de map weer in de tas glijden. Zijn gestalte vulde de deur helemaal en omdat de tafel tussen ons stond, kon ik niet zien of het voorwerp nog in zijn handen lag, net zoals hij hopelijk zijn map niet in mijn handen had herkend. Zijn ogen glansden. 'Daar kunnen we dus niet meer veel beginnen. Maar we willen u nu helpen.' Langzaam perste hij de woorden een voor een uit zijn mond, en ik meende dreiging in zijn stem te horen.

'Ik had u niet horen terugkomen,' stotterde ik en stond op.

'We willen u nu helpen,' herhaalde hij nadrukkelijk. Afkeurend en tegelijk opdringerig liet hij zijn blik over me gaan.

'Welke soort hulp mag dat wel zijn? Hulp bij wat?'

Dat de man een rechtmatige titel had, betwijfelde ik. Hij had zijn doctorstitel uitgesproken alsof het een gekochte adellijke naam was, een bijvoegsel dat eerder effect beoogde dan van een verdienste getuigde. Hij zette een stap in mijn richting, en ik week abrupt achteruit.

'Juffrouw Senff, we weten in welke verschrikkelijke en ongewone omstandigheden u hier met uw kinderen woont. Vermoedelijk ervaart u uw omgeving als onwaardig en misschien zelfs als uitzichtloos.'

'Absoluut niet. Ze is ongewoon, maar niet verschrikkelijk en onwaardig.' Ik kruiste mijn armen en voelde de vensterbank in mijn rug, nog verder achteruitwijken kon ik niet.

'Het was mijn eigen beslissing om naar hier te komen. Wat wilt u?'

'Geen angst, juffrouw Senff. Gaat u toch weer zitten. Dat u wantrouwig bent, kan niemand u kwalijk nemen, juffrouw. Na alles wat u hebt meegemaakt.' Zijn glimlach en zachte stem maakten me gek.

'Wat ik heb meegemaakt? Alstublieft geen onbeschaamdheden, meneer Rothe.'

'Doctor Rothe graag, doctor. En onbeschaamd wil ik zeker niet zijn, juffrouw Senff.' Hij sprak het woord juffrouw uit alsof het een code of een schuilnaam was. Misschien had ik in de dossiers van de staatsveiligheidsdienst de naam *juffrouw* gekregen. Ik kreeg moeite met ademhalen, er was te veel lucht in mijn borst opeengepakt, ik wist niet meer waar ik ermee blijven moest.

'Integendeel, we willen u helpen.' Langzaam en genietend beëindigde hij zijn zin.

Ik twijfelde een ogenblik of ik hem zou antwoorden dat hij mij ook doctor kon noemen. Maar dat insisteren op zijn titel maakte hem belachelijk, met zijn witte haar en zijn hoed waarmee hij af en toe over zijn knie wreef, met het bijna onverstoorbare lachje op zijn gezicht, open en voornaam tegelijk, leek hij in mijn ogen een kind in de kleren van een oude man. Ik wilde geen titel tegenover de zijne stellen, het gesprek niet onnodig rekken.

'Ik heb een cheque voor u, een mooie som.' Hij draaide zijn handen om en ik probeerde te zien of het puntige voorwerp er nog altijd in zat. Misschien had hij het op de wc gelaten of binnen handbereik in zijn jaszakje gestoken. 'En denkt u eraan, we willen u helpen bij het zoeken naar een woning en het inrichten ervan. We willen u helpen zodat u weer op eigen benen kunt staan. Mag ik vragen welk beroep u uitoefent?'

'Geen enkel. Ik werk niet.'

'Kijk eens aan.' De triomf flakkerde op in zijn kleine, lichte ogen. *Scheikundige*, stond er in het dossier, *tot april 1976 werkzaam op de Academie van Wetenschappen, uitreisvergunning aangevraagd, nadien als ongeschoolde op het kerkhof tewerkgesteld.* 'Misschien kunnen we u ook daarbij behulpzaam zijn. Maar gaat u toch zitten.'

'Ik wil uw hulp niet, heb ik dat niet duidelijk gemaakt?'

'Kalm maar, juffrouw Senff. Denkt u aan uw kinderen en aan de kleren die ze dragen, wat ze eten, welk adres ze moeten noemen als er naar hun woonplaats gevraagd wordt. Ik ga ervan uit dat u uw verantwoordelijkheid als moeder graag en naar beste vermogen draagt.' Hij deed nog een stap in mijn richting, en ik gleed, met de vensterbank in mijn rug, een eindje opzij. 'Denkt u niet dat uw kinderen het als vernederend ervaren dat ze door een slagboom naar huis moeten en nadien weer door de slagboom naar de vrijheid?'

'Houdt u op over mijn kinderen. U hebt niets met hen te maken.' Mijn geschreeuw echode in mijn eigen trommelvlies, maar de man leek niet onder de indruk. Stilletjes vervolgde ik: 'Wat weet u nou van vernedering,' en ik zette een stap vooruit om uitgeput op een stoel neer te vallen.

'Juffrouw Senff, Kerstmis staat voor de deur. Kunt u zich voorstellen dat u het komende familiefeest misschien al tussen uw eigen vier muren zult vieren?'

'Nee, dank u. Als u nu wilt weggaan? Ik heb het druk.' Voor mij op tafel lag het boek. Het leek alsof ik het er jaren geleden neergelegd had. Ik deed mijn boek open en liet merken dat ik mijn lectuur zou voortzetten als hij eindelijk was opgestapt.

'Het is niet voor iedereen even makkelijk om hulp te aanvaarden. Uw weigering, juffrouw Senff, en de trots die daarin tot uitdrukking komt, er zal wel een reden voor zijn – en toch vrees ik, juffrouw Senff, dat u uw situatie op deze manier niet zult oplossen.' Traag liep hij langs me heen. 'We bedoelen het goed.' Opeens schoot zijn hand naar voren en ik schrok terug. Maar hij duwde de doos pralines nog dichter naar me toe: 'Wilt u er niet eentje?'

Ik schudde mijn hoofd. Met zijn lange vingers pakte hij handig een praline en legde die op zijn tong, waar hij een fractie van een seconde lag en met een plop in zijn mond verdween. Zonder zijn ogen van me af te wenden kauwde hij traag en genietend. De muur en de portier waren onze veiligheid, was er gezegd. Maar er bleven geruchten over ontvoeringen de ronde doen. Maar hoe moest hij me verdoofd uit de woning slepen, de trap af en langs de portier? Hij ging als vanzelfsprekend op de rand van de tafel zitten en hield de doos pralines onder mijn neus. Het goud blonk. De bitterzoete geur deed me kokhalzen.

'Denkt u erover na, misschien wil u wel voor ons werken. We zouden elkaar goed begrijpen, u en ik,' zei hij en glimlachte. Misschien was het ironie die hem zo deed glimlachen. Hij pakte een tweede praline uit de doos, legde hem op zijn tong en hield de hele tijd zijn blik op mij gericht.

'Ik ben geen slachtoffer, doctor Rothe. Hoe graag u uw goedheid, hulp en cheque ook kwijt wilt.'

'U vergist zich, het gaat hier niet om mij. Houdt u zich niet van den domme. We willen u helpen, juffrouw Senff. Misschien valt het u moeilijk om, na al wat u hebt meegemaakt, te zien hoe goed iemand het met u meent.'

'Pardon?'

'U gelooft uw oren niet, maar we menen het goed. U bent een moeilijk, en als ik dat mag zeggen, ook een meelijwekkend geval. Alleenstaand, met twee kinderen, zonder woning en werk. U bent jong – dan zijn er nog perspectieven, Senff.' Hij verhief zijn stem even, alsof hij geleerd had dat het verheffen van de stem aan de woorden dringendheid en dramatiek verleende. 'U bent een interessant geval voor ons. Uw status van vluchteling...'

'Ook die gaat u niets aan.'

Ik probeerde de tekens in mijn boek te ontcijferen, *witheet*, las ik, *gloeiend kwaad*, dacht ik en schikte de letters, niet voor hun auteur, voor mezelf, *Geen haar mag u gekrenkt worden, ik ben uit de withete woede ontsnapt*, hem niet, ik, nog ben ik er niet uit, dacht ik, en als hij niet die openlijke lach op zijn gezicht had gehad, zo stoïcijns als een idioot, was ik hem allang naar de keel gevlogen en had hem alle witte en korte haren gekrenkt tot ze gebroken waren, en ik wilde zeggen: het beste zoekt u een ander geval uit, ik ben het niet, toen hij begon: 'We hebben u uitgekozen en gevonden, Senff, ook al ontvangt u me niet bepaald vriendelijk. U bent onze vrouw.' Hij legde een hand op mijn schouder, stevig, alsof hij vastbesloten was om me niet meer los te laten.

Nee, wilde ik zeggen, maar hoeveel moeite ik ook deed, mijn lippen vormden alleen maar het woord, mijn stem liet me in de steek.

'Ik weet meer over u dan u denkt.' Zijn vingertoppen drukten op mijn schouderblad en sleutelbeen. Ik hoorde hem slikken, zag zijn halfopen mond en voelde hoe zijn duim over mijn sleutelbeen wreef. Zijn pantalon was gestreken. Pas nu viel me op dat zijn gulp openstond. Blijkbaar had hij op de wc vergeten hem dicht te doen.

Terwijl ik naar zijn pantalon staarde, dacht ik aan het woord juffrouw en aan de spuit en aan zijn voornemen om me te helpen.

'Komt u mee,' zijn vingertoppen duwden op mijn schouderblad en sleutelbeen. 'Komt u.'

Er werd gebeld. Ik sprong overeind en holde naar de deur. Buiten stond mevrouw Jabłonowska met een vreemde man.

Wilden ze hem te hulp komen? Zonder aarzeling wrong ik me langs hen heen en liep de trap af. Ik hoorde haar iets zeggen, en alsof ik haar woorden niet wilde vergeten, herhaalde ik ze de hele tijd voor me heen. Toen ik beneden over de open ruimte tussen de woonblokken liep, fluisterde ik: 'Ik wilde' en was de rest van de zin al vergeten.

Doelloos liep ik langs de huizenblokken en botste op de muur die het kamp omringde. Ik maakte rechtsomkeert, liep tussen twee andere blokken in de richting van de muur en maakte weer rechtsomkeert. Naar de portier wilde ik in geen geval. Het zou al te makkelijk voor hen zijn om me daar op te wachten. Waarheen mijn stappen me ook leidden, telkens weer belandde ik in een doodlopende straat. Waar geen woonblok was, was muur. De wolken hingen dicht boven de huizen. Er vielen een paar druppels, zwaar en dik. Alle deuren van huis P waren dicht. Ik vroeg me af of het vandaag soms een feestdag was, misschien een die ik nog niet kende. Maar dan zouden mijn kinderen niet op school zijn. Mijn kinderen. Het begon harder te regenen en ik liep naar ons blok terug.

'Ik neem hem in mijn bed,' hoorde ik Aleksej al bij de huisdeur beneden.

'Nee, hij komt in het mijne,' sprak Katja hem tegen.

Van doctor Rothe en mevrouw Jabłonowska was geen spoor.

'We moeten de raaf binnen halen, mama. Buiten bevriest hij.'

'Hij ziet er niet meer zo mooi uit, zijn veren zijn helemaal dof en verward geworden. Ik denk dat hij er slecht aan toe is,' Aleksej haalde zijn schooltas van zijn rug, 'heel slecht.'

'Is hier iemand geweest?' vroeg ik.

'Wie zou er geweest moeten zijn?' vroeg Aleksej.

'Haar aanbidder misschien,' giechelde Katja, terwijl ze haar ogen verdraaide.

'De raaf verhongert voordat hij bevriest. We moeten hem verzorgen.' Aleksej keek me ernstig aan. Dieren houden was in het kamp ten strengste verboden. We hadden anders net zo goed onze kat kunnen meebrengen. *We willen u helpen*. Maar tenslotte is een raaf geen huisdier, en hij zou nog in onze kamer sterven als ik hem erin liet. Maar Katja en Aleksej waren het eens. De raaf moest geholpen worden. Hij kon in zijn bed een nest voor hem bouwen, stelde Aleksej voor. Dat hij het in bed veel te warm zou hebben wilde hij niet geloven. Hij zou er goed verstopt zijn als iemand de kamer controleerde, argumenteerde hij. Daarin vergiste hij zich, zei ik, het beddengoed alleen al zou een merkwaardige kamergenoot verraden. *Juffrouw*.

'Alstublieft, alstublieft, alstublieft,' zei Katja en ze beloofde spontaan dat ze dan beiden geen kerstcadeau zouden willen, helemaal niets, niet eens de stickers die bovenaan hun verlanglijstje stonden. Maar juist die stickers waren me goed uitgekomen, omdat alle andere wensen, tot de minirok toe, ver uitgingen boven het door de kampdirectie ter beschikking gestelde budget.

Maar niemand kon hen verbieden, zei Aleksej, dat ze de raaf op de vensterbank verzorgden en voederden. Daar zouden de raaf en het eten dat hij hem wilde voeren veilig zijn voor de vraatzuchtige en vluggere kraaien.

U zult uw situatie op deze manier niet oplossen.

Omdat ik gezien had hoe moeilijk Katja en Aleksej het gehad hadden om de raaf te pakken te krijgen, deed ik hun een voorstel. Ze konden proberen wat in hun macht lag om de raaf op de vensterbank te lokken, maar in huis mocht hij onder geen beding. De twee knikten en klapten in hun handen alsof ze iets gewonnen hadden, maar ik was er zeker van dat het hen niet zou lukken omdat de raaf kennelijk een gebroken vleugel had en zeker geen vijf meter tot aan onze vensterbank omhoog kon fladderen.

Gespannen zaten ze aan het raam en keken naar hun uitgestrooide graantjes. Geregeld schoven ze een van de graantjes van de vensterbank naar beneden, in de hoop dat de zwarte vogel zou merken dat hem daarboven de redding wachtte. Er kwam een merel aangevlogen, en nog een. De kinderen zwaaiden met hun handen en armen, maar de veelvraatjes lieten zich niet verjagen. Wanneer de raaf beneden af en toe uit hun gezichtsveld wipte, holden de kinderen de trap af om te kijken of het hem nog goed ging, en ze brachten hem de graantjes, die hij versmaadde maar die de kraaien opaten.

Na korte tijd besloot Aleksej dat de operatie anders aangepakt moest worden. Hij wilde uit de bibliotheekbus een boek lenen. *Denkt u aan uw kinderen.* Vanuit het raam hield ik hem in het oog. Geduldig stond hij voor de gesloten deur en wachtte tot de dame terugkwam die vermoedelijk naar de wc was. Ik deed het raam open en zwaaide naar hem en riep of hij het niet koud had. *Ik ga ervan uit dat u uw verantwoordelijkheid als moeder graag draagt.* Maar hij draaide zich om alsof hij me niet hoorde of kende. Met het excuus dat ik boodschappen wilde doen, trok ik mijn jas aan. *Meelijwekkend geval.* Katja zat over haar huiswerk gebogen, ze keek niet op en schoof als bij toeval haar verlanglijstje over tafel, ze zei niets en wachtte gewoon tot ik het pakte.

'Waar is Susanne?' vroeg ze toen ik de deur van de kamer opendeed.

'Weet ik niet, dat vraag ik me ook af.'

'Gewoonlijk slaapt ze om deze tijd. Zo lang was ze nog nooit weg.'

'Ze zal haar redenen hebben.'

'Mag ze dat?'

'Als ze redenen heeft. Ik ben zo terug.'

Buiten kraakte de aarde onder mijn voeten, ik liep over de open plek die nog maar spaarzaam met zwart gras bedekt was. Het schemerde. Ik rilde, zonder het koud te hebben. De deur van de bibliotheekbus stond open, binnen brandde er licht. Aleksej zou de bibliothecaresse een boek over raven vragen. Van een meelijwekkend geval gesproken. *We menen het goed.* Alsof iemand het goed met me moest menen. Iemand die het goed meende zou me die woorden besparen, zou ze niet eens denken. Op het pad boog ik af naar rechts en liep naar blok D. Bij de tweede ingang deed ik de deur open en liep de trappen op waarvan ik vermoedde dat ze naar Hans leidden.

Een iets oudere man in onderbroek en onderhemd deed de deur van de woning open. Ik vroeg of Hans er was.

'Geen idee, wilt u even kijken?' Het bierflesje in zijn hand dreigde leeg te lopen. Hij hield de deur voor me open en ik aarzelde een ogenblik.

'In welke kamer woont hij?'

'Hier meteen vooraan.' Hij bekeek me alsof hij wilde wachten tot ik de deur had opengedaan. Er huilde een baby.

Hij nam een grote slok. 'Niks ergs,' zei hij, 'dat huilt nu eenmaal, zo'n kleintje.'

Achter het gehuil van de baby hoorde ik dat van een vrouw, maar dat leek hij niet te horen. Ik duwde de klink naar beneden, de deur bleef dicht. *U zult uw situatie op deze manier niet oplossen.* Nog één keer drukte ik op de klink, maar ze gaf niet mee.

'Tja, dan.' Hij zette een stap in mijn richting, nog een paar centimeter en zijn bierbuik zou tegen mijn jas stoten. Zijn warme bieradem sloeg in mijn gezicht. 'Nog iets anders?'

'Nee,' onwillekeurig zette ik een stap achteruit, en hij volgde me.

'U mag ook binnenkomen.' Zijn tong was zwaar en hij raakte met zijn fles bijna mijn arm aan.

'Nee, dank u, doet u hem maar de groeten van Nelly.'

'Komt in orde.' Opeens klonk zijn stem luid en gehoorzaam, hij sloeg zijn blote hielen tegen elkaar en hield de fles omhoog alsof hij erop zwoor.

Mensen zoals u, slachtoffers van onmenselijke en onwaardige systemen.

Opluchting stroomde door me heen zo gauw ik in het trappenhuis was en ik liep de trap af. Op de overloop stond Hans voor me. Elke keer als ik hem zag, was Hans nog kleiner dan ik hem in herinnering had. Ik ging opzij, zodat hij niet op de trede onder me moest staan. Mijn blik dwaalde naar boven, waar de man in zijn ondergoed in de open deur stond en het bierflesje bij wijze van groet optilde.

Hans volgde mijn blik naar boven. 'Wat doe je hier? Kennen jullie elkaar?'

'Nee, ik wilde naar jou toe, maar je was er niet.'

'Kom dan maar.' Hij liep voor me uit en leek niet verrast door mijn bezoek. Zonder hem te groeten liep hij langs de medebewoner en deed de deur naar zijn halve kamer open.

'Kom, ga naast me zitten.' Hans klopte op de matras. Alsof het vanzelfsprekend was dat we samen op zijn bed plaatsnamen, gaf ik gevolg aan zijn uitnodiging en genoot van de vertrouwdheid en warmte van zijn blik.

'Ken je een doctor Rothe?'

'Moet ik die dan kennen?'

'Een Berenclub?'

'Het spijt me.'

Ik keek Hans aan. Hoewel hij al zo lang in het kamp woonde, leek hij ook nog nooit van de man met de zekere beroemdheid gehoord te hebben.

'Ik heb deze middag bezoek gehad.'

'Van een doctor Rothe?' Hans trok zijn schoenen uit.

'Misschien. In ieder geval wilden hij en zijn Berenclub me helpen.'

‘Je helpen?’

‘Ja.’ Opgelucht lachte ik. ‘En ik wil helemaal geen hulp.’

‘Waarvoor zou je ook?’

Ik haalde mijn schouders op. ‘Gewoon niet meer aan denken.’

In zijn blik leek onzekerheid te sluipen, een onzekerheid die wellicht met de onverhoopte nabijheid van mijn persoon te maken had, met dat opeens tastbare lichaam. Ik strekte mijn hand naar hem uit en streelde over zijn wang. Die voelde ruw aan. Zijn lippen waren zacht, ik streelde ze maar één keer. Met een merkwaardige gelatenheid liet hij de aanraking over zich komen. Hij bewoog zich niet.

We hebben u gezocht en gevonden, dacht ik en zei: ‘Ken je dat gevoel? Soms ben ik bang.’ Mijn hand volgde zijn smalle schouder, streelde over zijn arm en pakte zijn hand, die losjes op zijn bovenbeen lag. Zijn hand was ijskoud. Hij antwoordde niet. Ik moest denken aan zijn handdruk, die er geen was. ‘Gewoon zo, zonder te weten waarvan.’

Alsof het noodzakelijk was, maakte hij zijn hand los uit de mijne. ‘Wil je iets, water of Nescafé?’

‘Alle twee.’

Hans kwam met twee kopjes terug, in het ene was water, in het andere koffiepoeder, hij zette ze voor me op de grond. Hij duwde de stekker van de dompelaar in het stopcontact en ging weer naast me op het stapelbed zitten.

‘Krijg je vaak bezoek?’

‘Van buiten, bedoel je? Nooit. Jij?’

Hans schudde van nee met zijn hoofd.

‘Vorige week was mijn oom voor een paar dagen in Berlijn. Hij was hier voor zaken en wilde dat ik hem in zijn hotel kwam opzoeken. Kempinski aan de Kurfürstendamm. Maar mijn zoon was ziek en ik kon niet weg.’

‘Waarom kwam hij niet hierheen?’

‘Hierheen?’ Ik haalde mijn schouders op en dacht na. ‘Ik heb het hem niet gevraagd. Eerlijk gezegd, ik wilde hem de aanblik besparen. Hij komt uit Parijs.’

‘En? Kan een oom uit Parijs niet tegen de aanblik van een kamp?’

‘Och ja, hij misschien wel. Maar ik niet. Hij is in ballingschap gegaan en heeft zo zijn ideeën over de Duitsers en hun kampen. Ik wilde niet dat hij me hier zou zien.’

Hans knikte alsof hij begreep wat ik bedoelde.

‘Ik had hem niet echt kunnen ontvangen, begrijp je? Hoe kan ik hier gastvrouw zijn? Ik had niet eens iets kunnen koken.’

‘Koken?’

‘Het klinkt gek, maar als ik eraan denk, valt het me op hoeveel ik vroeger kookte en hoe koken voor mij samenhangt met thuis zijn. Ja, soms stoorde het me ook, met kinderen doe je het niet altijd voor je plezier. Maar hier, met maar één kookplaat die het doet en één die kapot is, met maar één grote pan zonder bijhorend deksel en een melkkan in de kast, nu mis ik het.’ Ik moest denken aan mevrouw Jabłonowska en aan de koolgeur in haar woning toen ik haar voor het eerst opzocht. Blijkbaar had zij er minder moeite mee dan ik om met één enkele pan te koken. Misschien was ze ook zo slim geweest om van het begroetingsgeld pannen te kopen of er zelfs uit Polen mee te brengen.

‘Eten jullie in de kantine?’

‘De kinderen wel, soms. Ik ga dan bij hen zitten en hou hen gezelschap, maar ik kan het niet. Ik kan daar niet eten. De kantine beneemt me gewoon de eetlust. Misschien voel ik me er onmondig, waar het eten zo uitgedeeld wordt. Ik voel me er totaal nutteloos en ik schaam me bijna. Tegenover mijn kinderen. Het voelt aan als een gevangenis.’

‘Gevangenis?’

‘Als je alleen nog maar eet wat iemand je voorzet, en je gewoon niet meer in staat bent om zelf te beslissen hoe je wat kookt, en je kinderen niet meer aan je tafel eten wat je voor hen koopt en klaarmaakt. Dan geef je hen geen thuis meer, misschien nog wel in gedachten, maar niet meer in de praktijk.’

‘Zijn er niet veel kinderen die ergens anders eten? Op school, op de crèche?’

‘Ja, maar meestal zorgen de ouders voor het ontbijt en het avondeten – en bijna altijd gaan ze werken als de kinderen buitenshuis eten. En dus zorgen ze voor het eten, ook al is het indirect.’

Nerveus krabde Hans zijn gezicht. Blijkbaar stond de gedachte aan kinderen en koken ver van hem af.

‘Gevangenis, zei je?’

Ik knikte. Het schoot door me heen dat Hans deze betutteling al ongeveer zes jaar uithield, eerst in de gevangenis, later in het kamp. Maar het was hem niet aan te zien, behalve dan het krabben, dat ook een slechte gewoonte kon zijn. Bijna onbewogen luisterde hij naar me, alsof hij het gevoel dat ik beschreef niet kende of er allang overheen was, alsof je je er op een dag bij neerlegt dat je voor de simpelste dingen geen verantwoordelijkheid droeg en geen beslissingsmogelijkheid had.

‘En verder ken je niemand in het Westen?’

‘Nee.’ Ik schudde mijn hoofd. Het liefst had ik zijn hand vastgehouden, zodat hij niet meer zou krabben. Ik betrapte me erop dat ik erover nadacht of mijn antwoord waar was. ‘En jij?’

‘Wie, ik?’ Hans krabde zijn gezicht tot zijn wangen rood waren. ‘Nee. Of ja. Een verre nicht. Birgit. Ze heeft me eens bezocht. En mijn halfbroer. Mijn vader is meteen na de oorlog naar het Westen gegaan en hij heeft er een nieuw gezin gesticht. Hij is allang dood. Mijn halfbroer woont in München. Ik heb hem de eerste dagen een paar keer gebeld. Hij zei dat hij veel werk had en vroeg meteen wat ik wilde. Ik zei hem dat ik niets speciaals wilde, dat ik alleen maar van me wilde laten horen. Dat we misschien kennis konden maken. Toen zei hij heel vlug dat hij niets voor me kon doen.’ Hans krabde weer aan zijn wang, en er kwam een druppeltje bloed uit een puistje. ‘Alsof ik hem om iets verzocht had. Vraag me niet waarom ik hem überhaupt gebeld heb.’

‘Om dezelfde reden waarschijnlijk als waarom ik het koken mis. Je belt iemand en maakt daarmee contact. Als je iemand kent en als jullie elkaar ontmoet hadden, was je er een stukje meer geweest, een stukje aangekomen.'

'Thuis, bedoel je?' Sceptisch keek Hans me aan. 'Ik weet niet, het klinkt nogal naar...'

'Naar wat?'

'Ach, als ik de vrouwen in de wasruimte hoor of soms een rondslingerende krant lees, heb ik de indruk dat de hele wereld voor alles en iedereen een psychologische uitleg wil, in de hoop dat het dan diepgaand of waar is. Het is geen van beide. Voor het leven deugen dit soort verklaringen niet.' Hans keek me aan en ik was niet zeker of hij nu realistisch of bitter of vol zelfmedelijden was. 'Wat is dat voor verhaal met de vader van je kinderen? Denk je echt dat hij verdwenen is?'

'Daarover wil ik niet praten.' Ik leunde tegen de bedstijl. Al één keer had hij me uitgevraagd. Op zijn gezicht meende ik soms medeleven te lezen. Misschien dacht hij dat er in werkelijkheid alleen maar een zogenaamd moeilijke scheiding had plaatsgevonden en voelde dat idee vertrouwder aan. Met een bedrogen vrouw kon hij meeleven. Hij was opgehouden met krabben. In zijn ogen lag alleen nog maar de warme hartelijkheid van een mens die opeens geen man meer leek te zijn, alleen nog maar de toehoorder en ontvanger van mijn ongeluk. Waarom zou ik hem doen schrikken en zijn tranen, die dadelijk uit zijn ogen zouden stromen en voortvloeiden uit zijn medeleven voor al wat hij zich kon voorstellen, met een verhaal over dood en onzekerheid belachelijk maken?

Alle nabijheid en vertrouwelijkheid tussen ons waren opeens weg.

Wat kon voor de man die ik nog maar een paar keer ontmoet had, wiens hunkerende blik me al meer dan eens onverschillig had gelaten, ja zelfs had tegengestaan, mijn leven en het verlies van een mens die ik had liefgehad ook betekenen?

Zijn hand was rustig en ontspannen op zijn bovenbeen blijven liggen, met geen enkel gebaar leek hij me te willen omarmen.

Er stroomde een muffe geur uit hem, een geur van kleren

die te lang in de kast gelegen hadden. Toch wilde ik hem aanraken en de afstand tussen ons verkleinen. Ik wilde niet praten, alleen maar vergeten, aanraken en daardoor vergeten. Vergeten wilde ik het *juffrouw*, de goudbedrukte initialen W.B., de mogelijkheid dat een zogenaamde doctor Rothe in het bezit was van een etui dat me deed denken aan het leren etui dat ik jaren geleden in de woning van Wassilij had gezien, waarop zijn initialen stonden, en dat toevallig, of misschien helemaal niet toevallig voor mij op tafel was gelegd.

'Wil je het niet toch vertellen?'

De naïveteit die ik op Hans' gezicht meende te bespeuren, ontroerde me. Ik wilde huilen. Toen wilde ik hem kussen. Ik deed geen van beide.

Onvoorwaardelijke aandacht kon veel plaats innemen tussen twee mensen, zo veel dat ze niet bij elkaar konden komen.

'Waarom vraag je dat? Het zegt jullie toch niets.'

'Jullie?' Zijn vingers kromden bijna onmerkbaar.

'Jullie mensen hier, die hem niet kennen, jullie mensen in het Westen.'

'We zijn hier in het kamp, niet in het Westen.' Hans kruiste zijn armen. 'Jij hebt het Oosten verlaten en ik de gevangenis, ja, maar waar ben je terechtgekomen? Is het je niet opgevallen dat we in een kamp wonen met een muur omheen, in een stad met een muur omheen, midden in een land met een muur omheen? Vind je soms dat hier binnen, in het binnenste van de muur, het gouden Westen is, de grote vrijheid?'

Hans klonk bitter, niet ironisch. Gevoel voor ironie had alleen maar iemand als Rothe. Het water in de dompelaar kookte al geruime tijd, maar Hans verroerde zich niet. Wat betekenden een verloren liefde en de dood wanneer ze een wapen werden, een reden om een mens te kwetsen? Hans had zijn blik van me afgewend. Graag had ik mijn arm om hem heen gelegd en me verontschuldigd, maar net zo min als ik zijn woorden wilde, zo weinig leek hij mijn aanrakingen te verdragen.

'Ze willen me een dochter sturen.'

'Een dochter?'

'Ze zeggen dat het de mijne is.'
Vragend keek ik Hans aan.
'Ik ken haar niet. Ze noemen dat gezinshereniging.'
'Met geweld?'
'Het meisje is bij haar grootmoeder opgegroeid. Blijkbaar is de grootmoeder vorig jaar gestorven, en nu leeft het meisje in een tehuis.'
'En de moeder?'
Hans maakte een afwijzend, misschien ook treurig gebaar. 'De vrouw heeft het kind tien jaar geleden bij haar moeder afgezet en is nooit meer opgedoken.'
'Nooit meer opgedoken.' Ik schudde mijn hoofd en probeerde me voor te stellen wat dat kon betekenen.
'Het klinkt gek, ik weet het. Niemand heeft kunnen achterhalen wat er met haar gebeurd is of waar ze zich verstopt.'
'Was dat bij ons dan mogelijk? Onderduiken?'
'Officieel niet. Natuurlijk niet. Maar wie verdween er niet allemaal. Vlucht. Gevangenissen. Jouw Wassilij is toch ook verdwenen, begrafenis hier, begrafenis daar. Ik heb de vrouw amper gekend. Zelfs hier verdwijnen toch elk jaar een paar mensen. Spoorloos.'
'En hoe zijn ze bij jou terechtgekomen?'
'Tja, hoe? Ergens moet er een alimentatie-overeenkomst voor het kind bestaan. Nu noemen ze het vaderschapserkenning. Hier, bij de opnameprocedure hebben ze me naar kinderen gevraagd. Ik weet niet wie hier achter zit. Er moet toch een aanvraag geweest zijn.'
'Misschien wilden ze haar in het tehuis niet meer. Het kost wel wat.'
'Ik kan me eerder indenken dat de regeringen overleg gepleegd hebben en tot het slotsom gekomen zijn dat het kind nog een vader heeft. Misschien heeft ze zelf ook wel gezegd dat ze hierheen wilde komen.'
'Zomaar?'
'Ze moet nu veertien zijn. Op die leeftijd mogen kinderen beslissen wat ze zelf willen.'

'En nu komt ze?'

'Nu komt ze.'

In de schemerachtige kamer leek het alsof Hans zijn ogen dichtkneep, alsof hij zand in zijn ogen had. Maar de tranen die ik voordien meende gezien te hebben en waarvan ik dacht dat ze voor mij bestemd waren, waren spoorloos verdwenen. Rechtop leunde hij tegen de bedstijl en zo zaten we elk met onze eigen gedachten tegen onze eigen bedstijl.

'Weet je wat de mensen zeggen? Dat is een hoer.' Vermoedelijk keek Hans me nu aan zonder met zijn ogen te knipperen.

'Een meisje van veertien jaar, wie zegt zoiets nou?'

'Nee, niet over haar. Over jou wordt dat gezegd.'

'Waarom over mij?'

'Weet ik veel.' Het leek hem niet te interesseren. Hans stond op en vroeg me of ik de Nescafé nog wilde, maar ik bedankte. Hij trok de stekker uit het contact.

'Ik dacht dat je jonger was.'

'Is dat erg?'

'Nee, alleen gek.' Het idee dat een moeder haar vierjarig kind zomaar afzette en verdween, maakte me onrustig. Om niet te zwijgen, zei ik: 'Misschien had ze een minnaar in het Westen, wilde ze vluchten en werd ze neergeschoten.'

Hans ging weer naast me zitten. Hij zweeg. Elke gedachte in dit verband was hem vermoedelijk al ontelbare keren door het hoofd gegaan, tot hij op een dag had besloten er niet meer over na te denken, omdat je niet kunt denken wat je niet weet. Een onvoorstelbare moeheid overviel me.

'Wanneer komt ze?'

'Met Kerstmis.' Hij lachte door zijn tanden, het was een gesis dat ik hoorde. 'Een wildvreemd veertienjarig meisje. Ze zal hieronder in dit bed moeten slapen, en ik erboven.' Hans lachte, hij lachte als een waanzinnige en zoog de lucht tijdens het lachen naar binnen in plaats van ze uit te ademen.

'Kom, we gaan een ogenblikje liggen,' zei ik en dacht alleen maar dat ik me even wilde uitstrekken.

In zo'n bed was er amper plaats naast elkaar. Hoe smal Hans ook was, onze armen lagen over elkaar en mijn ene been viel telkens weer uit bed. De regen kletterde tegen het raam. Hans lachte niet meer. Hij lag naast mij en dacht waarschijnlijk aan zijn dochter. Hij had vast nog nooit voor iemand anders gekookt of een thuis gemaakt. Misschien wachtte hij ook. Op de aankomst van de dochter. Op een woord van mij en een gebaar. Op een onvoorstelbare gebeurtenis. Ik luisterde naar de regen. Hans haalde diep adem, het klonk als zuchten. Zijn muffe geur was niet langer die van een onontdekte minnaar, maar die van een goede vriend.

'Je haar kietelt,' zei Hans.

Misschien stonden de initialen W.B. niet voor Wassilij's naam, maar voor de organisatie waarvoor Rothe werkte. 'Berenclub,' zei ik zachtjes en lachte, 'afdeling Witte Beer.'

Hans ging zich blijkbaar ongemakkelijk voelen in die houding, hij draaide zich op zijn zij om meer plaats te hebben. 'Berenclub. Is dat niet zo'n vereniging van rijke mensen?'

'Ik weet het niet.'

'Jawel, ik denk dat iemand me er al eens over verteld heeft.' Hans steunde op zijn arm en keek over me heen alsof ik geen vrouw was.

'Ik moet weg.'

'Wacht,' Hans probeerde mijn arm vast te houden, maar ik kwam overeind.

Er zaten gaten in Hans' sokken. In het schemerlicht kon ik zijn witte tenen zien. Hij stond op en bracht me naar de deur van de kamer.

'Halfzes nog maar en al stikdonker.' Hans stak zijn arm uit naar de schakelaar. Het licht maakte hem bleek.

Meelijwekkend geval klonk opeens heel anders in mijn oren. Ik maakte een omweg naar de wasruimte en wilde zien of mijn was van deze ochtend er nog stond. De geur van gestreken wasgoed kroop in mijn neus, het rook aangenaam, bijna verbrand. Mevrouw Jabłonowska stond bij een van de achterste machines. Ze zong een liedje en stopte het ene gestreken kledingstuk na het andere in een kleine leren koffer.

'U was behoorlijk gehaast daarstraks,' zei ze toen ik naast haar ging staan.

'Hebt u me niet een keer verteld dat u bij een schoonmaakbedrijf werkte?'

'Ja, dat heb ik ook gedaan, maar niet lang. Nu werk ik in een snackbar. Als je het mij vraagt, was het schoonmaken beter. Daar hoef je niet de hele tijd naar bevelen te luisteren. Je verdient er minder, maar je bent wel baas in je eigen hoofd.'

'Ha. Dat soort ideeën,' mengde een vrouw aan de wastafel zich in ons gesprek. Ze droeg een dot met een haarnetje erover. 'Baas in je eigen hoofd. Baas in je eigen buik. Het zou beter zijn als er helemaal niet dat soort vrouwenwerk bestond. Ja. Hoe lang hebben ze bij ons niet herhaald dat ze mensonwaardig werk wilden afschaffen. Ja, en terwijl sommigen de ene redevoering na de andere afstaken, moesten wij anderen in de ploegendienst.'

'Mag ik even?' Een roodharige vrouw stak haar arm voor me uit en pakte het waspoeder.

De deur ging open en Hans zette een stap naar binnen. Toen hij mij zag, draaide hij zich om en verdween weer.

'Nou, en die daar wil alles horen,' ging de vrouw met de dot aan de wastafel voort, 'dat hij een Stasispion is, heeft me niks verbaasd. Ik vond hem meteen al zo vreemd, zoals hij hier om de hoeken sluipt en bijna tot het meubilair behoort.'

Het bloed schoot naar mijn hoofd, ik hoestte en draaide me naar de muur. Het hoesten wilde niet ophouden, deed mijn borstspieren samenkrimpen, mijn middenrif, het ribbenvlies wilde scheuren, niets leek nog zeker van zijn plaats in mijn lichaam. Mevrouw Jabłonowska klopte op mijn rug. 'Ik kwam daarstraks bij u langs om...' maar mijn hoest onderbrak haar, en haar kloppen werd strelen, ze streelde over mijn rug.

'Wat zei u, hoe lang heeft die zich hier al genesteld? Twee jaar?' De vrouw met de dot liep naar de roodharige, die in de hoek stond en een merkwaardig zilverglanzend stuk stof onder de kraan hield. 'Wat? Twee jaar, dat walgelijk spionnetje?'

De roodharige knikte.

'Horen jullie dat? Horen jullie dat? Nou, ik ben benieuwd hoe lang nog.'

'Later,' bracht ik uit tussen twee hoestbuien door. Wat ze ook bij me wilde komen doen, haar uitleg moest wachten. Ik liet mevrouw Jabłonowska bij de twee andere vrouwen staan en strompelde de deur uit.

Het leek wel of ik de longen uit mijn lijf hoestte. Had Hans me niet gevraagd hoe het met de vader van mijn kinderen zat? Natuurlijk kon het zijn dat hij voor de staatsveiligheidsdienst werkte en binnengesmokkeld was om mij en anderen uit te horen. Daarom leek hij me te achtervolgen en deed met zijn flessenpost en de timide vriendelijkheid alsof hij belangstelling had voor mijn persoon, hoewel het in werkelijkheid voor mijn functie was. Geen wonder dat hij beweerde nog nooit iets van de Berenclub gehoord te hebben, of althans niets anders dan onschuldige dingen. Tenslotte was het mogelijk dat hij met Rothe onder één hoedje speelde. Ik liep langs de portier en vroeg naar post. Hij reikte me een cadeautje aan en glimlachte. Zijn blik was zo lang en vasthoudend dat het even in me opkwam dat hij zelf die geheime aanbidder was die me bloemen en parfum had gestuurd. Maar toen boog hij zich weer over zijn papieren en maakte notities en dronk een slok koffie en gedroeg zich als een portier die zijn plichten vervulde en niets anders. Met slechts heel veel moeite kon ik me voorstellen dat Hans dat verhaal over zijn dochter uit zijn duim had gezogen. Had hij niet verteld dat hij het kamp al maanden niet verlaten had? Was die bekentenis niet zijn alibi dat niet hij me de bloemen of het parfum had kunnen geven? Ik dacht aan zijn koude hand en de slappe handdruk en hoe hij maar heel even zijn hoofd om de deur van de wasruimte had gestoken, om er meteen weer vandoor te gaan, alsof hij bang voor iets was.

Mijn boodschappenlijstje was kort. Nog twee weken en het was Kerstmis, en ik had tijdens die twee weken nauwelijks iets anders te doen dan voor de kinderen een cadeau te kopen. Naar het schoonmaakbedrijf zou ik mevrouw Jabłonowska een andere keer vragen. Die meneer Lüttich van de arbeidsbemiddeling was bereid om me elke baan in zijn kaartenbak aan te bieden. Maar voor een scheikundige die in het Oosten gestudeerd en bijna drie jaar niet meer gewerkt had was er tot dusver niets uit de bus gekomen. Ik moest eraan denken hoe vaak zijn hand onder zijn schrijfblad verdween als ik tegenover hem aan zijn bureau zat en hij amper tijd had om een blik in zijn kaartenbak te werpen zonder me uit het oog te verliezen, zijn zelfgerolde sigaretten te roken en zijn hand te voorschijn te moeten halen – daar zou beslist schoonmaakwerk genoeg zijn. Zijn hand was vochtig als hij afscheid van me nam. Geen enkele keer vergat hij me te zeggen dat ik toch gewoon de volgende ochtend of in de loop van de week weer moest langskomen. Er kon elke dag een aanbod komen. De stickers voor Katja kon ik recht tegenover de portier in de krantenwinkel aan de overzijde van de straat kopen. Uit de dichte, vuiloranje lucht viel alleen nog maar motregen. Echt donker werd de stad nooit, zelfs niet in maanloze nachten. De auto's op de Marienfelder Allee stonden in de file. Vooraan werd de straat verbreed, en een stoplicht bij de bouwwerkzaamheden hield het verkeer op. Ik wrong me tussen de auto's en de uitlaatgassen, die rood tussen de achterlichten dampten, en ik ontdekte nog net op tijd de krachtige gestalte van John Bird achter de verlichte etalage. Vermoedelijk had hij een pauze of zat zijn werkdag erop en kocht hij een omroepgids. Op de drempel maakte ik rechtsomkeert en wurmde me weer tussen de bumpers en uitlaten. In de telefooncel rook het naar koude rook en urine.

'Ik ben het, Nelly.'

'Ah, je leeft nog.'

'Nou ja, ik ben je nog geld schuldig, dat maakt het moeilijk om te bellen.'

'Mij ben je niets schuldig.' Zijn lach klonk boosaardig.

'De organisatie dan.'

'Tienduizend is geen habbekrats. Maar het was wel een koopje, dat besef je toch?'

'Denk je dat ik zoiets vergeet?' Hoe kon hij ook maar een ogenblik denken dat ik me niet bewust was van mijn schuld? Ik speelde met de haak van de telefoon en wilde hem juist naar beneden drukken toen ik in de hoorn een klik en een kort gesis hoorde. Gerd inhaleerde diep en hield vast de rook in zijn longen.

'Wat denk je, zullen we iets afspreken?'

'Ik weet het niet, ik heb een boel te doen. Woning zoeken,' loog ik, 'werk zoeken,' niet helemaal gelogen, 'de kinderen naar school brengen en halen,' maar wel een beetje.

'Ben je nog altijd in het kamp?'

'Ja, nog altijd.'

'Heb je geen zin om me eens op te zoeken? Het adres heb je toch nog, hè? Ik betaal een taxi voor je en je komt hierheen. Nou?'

'Dank je, Gerd. Ik wilde je eigenlijk alleen maar vragen of je geen tweedehands boekhandel kent?'

'O, er zijn er een heleboel bij mij in de buurt, aan de Winterfeldplatz en in de Hauptstrasse. Zoek je iets bepaalds?'

'Pippi Langkous.'

'Zeg nou niet dat je kinderen dat nog niet hebben.'

'Wat?'

'Nou, elk kind kent toch de boeken van Pippi Langkous.'

'We hadden er vroeger een. Maar nu wil hij een ander.' In mijn jaszak voelde ik het gladde doosje van de cassette. Hoe moest de moeder van Olivier ook weten dat er in het kamp geen recorder was. Toch was Aleksej erg trots op de cassette, hij verheugde zich al de hele tijd op het derde deel van Pippi Langkous, hoewel hij niet eens het eerste kende.

'Ik zou het echt fijn vinden als je een keertje komt. Vandaag gaat het niet, ik moet zo meteen naar de groep,' hij nam een trek van zijn sigaret, 'dat interesseert je misschien ook, atoomenergie en zo. We hebben elke week een bijeenkomst en discuteren.'

'Wat?'

'Zeg, is de lijn zo slecht? We komen bijeen en discuteren,

heb ik gezegd. Atoomenergie. De vorige keer hebben we ook een hele avond over relatieproblemen gesproken, nou ja, dat soort dingen. Of over de werkloosheid. Een miljoen, dat is toch een schandaal! De kanselier zegt dat hij het somber inziet als we boven de vijf procent gaan.'

'Ah ja?'

'En daar hebben we over gediscuteerd, omdat het ons in theorie allemaal aangaat. Wij zijn er niet tegen, maar als nu de arbeidersklasse...'

'Gerd, sorry, ik zie dat mijn bus juist arriveert. Hou je goed, hè.'

'... dat maakt het er ook niet simpeler op. Wacht even, Nelly? Hé, wacht.' Ik hing op en liep de telefooncel uit. Mijn adem vormde wolkjes. Langzaam liep ik naar de bushalte. De dienstregeling was bijna onleesbaar. Als het laatste cijfer een vijf was, dan kwam de bus over dertien minuten. Misschien deed hij er met de files langer over.

Vier weken geleden had ik een visum voor Kerstmis aangevraagd. De kinderen zeurden al weken hoe leuk ze het zouden vinden om het kerstfeest met mijn broer en zus en hun kinderen te vieren. Ook wanneer mijn moeder al jaren weigerde het te vieren, niet omdat de christelijke gewoonte tegen haar principes was, maar gewoon omdat ze de cadeautjes en de overvloed die bij dat feest hoorden verafschuwde. Ze mopperde over de verspilling en bracht de kerstavonden altijd door met haar moeder, die elk jaar een tweede kokkin bestelde en vrienden uitnodigde, ook nu nog, nu ze negentig jaar was. Zo te horen waren het gelagen waarbij wij met onze kinderen alleen maar konden storen. De visumaanvraag was afgewezen zonder opgave van redenen. Ik had al wel over gevallen gehoord waarbij bezoeken al een maand na de uitreis toegestaan werden, maar de beslissingen van de regering leken willekeurig getroffen te worden. Ze waren misschien bang dat ik daar zou blijven en dat ze niet zouden weten waar ze met me heen moesten. Na vijfentwintig minuten wachten concludeerde ik dat de bus vanavond niet meer zou komen. De winkels waren toch al dicht. Dus stak ik de straat over en liep naar de rood-witte slagboom.

De afwijzing van de visumaanvraag had ik in de asbak verbrand en ik verzweeg het bericht voor Katja en Aleksej. Hun voorpret leek me belangrijker, ook al wist ik nog niet hoe en wanneer ik hun verwachtingen het beste kon ombuigen.

Toen ik in de woning kwam, voelde ik een koude tocht. De deur naar onze kamer stond wagenwijd open. Tegen de muur boven de verwarming kleefden dikke bruine en zwarte wormen, die zich bij nader inzien als slakken ontpopten en tussen de vensterbank en de verwarming blijkbaar een weg naar boven zochten die er niet was. Ook andere, kleinere wormen ontdekte ik ertussen, ze zagen eruit als maden, witte meelwormpjes. Op de tafel zat een zwarte vogel die zijn kop scheef hield om me beter te kunnen zien. Uit zijn bek hing het eindje van een meelworm. Zijn veren zagen er borstelig uit, anders dan die van een raaf, dacht ik. Het licht brandde, ver konden de kinderen niet zijn. De kamer was helemaal koud geworden, op de vensterbank lagen krenten, op een schoteltje kleefde een witte massa die me meer aan kwark dan aan sneeuw deed denken. Ik deed het raam dicht.

In de keuken hoorde ik stemmen, het gegiechel van Katja en een ongeduldig 'hou nou eens op' van Aleksej. De kinderen zaten op het aanrecht voor het raam en Aleksej las voor uit een boek: 'Door de boeren zeer gevreesd. Nog tijdens de vorige eeuw werden in Mecklenburg raven waargenomen op koeweiden, die zich niet alleen op de nageboorte stortten, maar bij een stilstand van de geboorte ook inhakten op het geslacht van de kalverende koe en zich zo te goed deden aan het kalf dat in het geboortekanaal was blijven steken.' Susanne deed de deuren van de keukenkasten open en zette verschillende levensmiddelen op het fornuis, ze lachte en moedigde Aleksej aan om verder te lezen.

Ik kruiste mijn armen. Ik wachtte tot de drie mijn aanwezigheid zouden opmerken.

'Neem je ook je bed mee?' vroeg Katja.

'Onzin, daar slaapt je moeder toch in, hoe kan ik nou dat bed meenemen? Bovendien is het eigendom van het kamp.'

'En waar slaap je dan?'

'O, dat zie ik wel, vast in een hemelbed met een groot baldakijn.'

'De raaf is met zijn vierenzestig centimeter onze grootste zangvogel. Bij goede thermiek ziet men hem vaak op grote hoogte rondcirkelen. Reeds in de late winter begint zijn baltsperiode, waarbij hij acrobatische kunststukken in de lucht laat zien.' Aleksej liet zich door Katja en Susanne niet onderbreken.

Susanne pakte de uitgezochte levensmiddelen in een tas en draaide zich om.

'Ah, daar ben je.'

'En jij, waar was jij de hele dag?'

'Je kinderen vonden het al vreemd. Maar ja, kerstcadeautjes kopen kan lang duren.' Susanne hielp Aleksej van het aanrecht naar beneden en lachte haast hysterisch. Terwijl de kinderen ons voor liepen naar de kamer om naar de raaf te kijken, fluisterde ze me toe: 'Ik had een definitief gesprek met de kampdirectie.' Ze lachte alsof ze een motor aandreef. 'Ze zijn erachter gekomen dat ik 's nachts niet in een broodfabriek werk.' Ze veegde haar tranen uit haar ogen. Niet begrijpend schudde ik mijn hoofd.

'Daar hebben ze drie maanden voor nodig gehad, moet je je voorstellen. *Uw nachtelijke permissie was alleen om die reden toegelaten*, zei de ene, en een andere zei dat hij niet wilde weten waar ik de hele tijd rondhing, maar blijkbaar had ik een ander onderkomen gevonden en dus moest ik daar maar meteen naar toe. Omdat ik hier als een made in het spek woonde. De voordelen van een kamp waren niet bedoeld voor mensen zoals ik. Zo niet, meisje, zei de ene almaar weer, alsof ik een onopgevoed kind was en van school vloog. Echt, die hebben ze niet meer allemaal op een rijtje.' We waren in de kamer. Susanne haalde haar ingepakte reistas van haar bed. '*Geen nacht langer*,' lachte ze en tilde dreigend haar wijsvinger op.

'En waar ga je nu heen?'

'Om eerlijk te zijn, Nelly, er zijn comfortabeler bedden dan deze hier, hè?'

Opeens moest ik aan Hans' woorden denken. *Dat is een hoer*.

Susannes lach, schaterend, vrij en vol spot voor de bewakers, klonk als die van een bondgenote.

'Veel geluk.' Mijn stem klonk droog, bijna afgunstig, zodat ik er iets vriendelijkers aan toe wilde voegen. Ik nam haar in mijn armen en drukte haar tegen me aan.

'Laat maar, het is al goed hoor.' Ze snoot haar neus en één ogenblik dacht ik dat ze misschien toch huilde. 'Jullie denken aan me?'

'Zeker weten.' Katja sloeg haar armen om Susannes heupen, tot ik haar bevrijdde en de kamerdeur opendeed. Misschien wilde Katja wel een minirok omdat ze Susanne aanbad. Aleksej hield de raaf afwisselend een slak voor elk oog, tot hij zijn kop naar links draaide, toehapte en met tegenzin proefde wat hem werd aangeboden. 'Bovendien zijn raven heilige dieren,' zei Aleksej en hij hield een meelworm omhoog, 'dat stond ook in het boek. In andere culturen worden ze als geluksbodes vereerd. Goddelijke vogels.'

'En blijf hier niet te lang.' Susanne deed de deur van de kamer achter zich dicht.

Hans Pischke drukt toe met zijn linkerhand

Haar naam was Doreen. Ze was in september veertien geworden. Maandag zou ze gebracht worden en dus zouden we op dinsdag herenigd zijn voor ons eerste gemeenschappelijke kerstfeest in het Westen.

De man van de kampdirectie had me zijn grote en warme hand gereikt en me gefeliciteerd. Op dit soort ogenblikken, zei hij, was hij trots.

Ik haastte me zijn kantoor uit, haastte me om zijn blik te vergeten. In mijn kamer liep ik op en neer.

De vermenigvuldiging van mensen zou verboden moeten worden. Als een octopus omknelde het geslacht de aardbol, bedekte hem met het slijm van geboorte en verval, schoof zijn tentakels vooruit en vooruit en zoog zich aan elk ding vast. Soms leek zich iets te verspreiden, dan weer samen te ballen, en toch groeide en groeide het, onstuitbaar en onvoorwaardelijk. Alleen de zuigeling van de buren wilde maar niet groeien. Huilen wilde hij, niets anders.

De oude vrouw had het goed gedaan. Ze had het touw in de boom gegooid en zich laten vallen. Aan wat er daarna met haar lichaam moest gebeuren had ze waarschijnlijk niet meer willen denken. Misschien had het idee van een laatste optreden haar wel bevallen. Een optreden zoals wellicht ook de mensen dat zochten die van de Golden Gate Bridge in zee sprongen. Sommigen kwamen van ver gereisd, alleen om daar zelfmoord te plegen. Niemand gooide zich ooit naar beneden aan de westelijke kant, met het gezicht naar de ondergaande zon, in de open Stille Oceaan, niemand draaide zijn rug naar de mensen. Ze sprongen uitsluitend in de baai die omzoomd was door steden, in de golven waarop duizenden waakzame ogen rustten. Misschien hadden ze Alcatraz voor ogen, misschien de hemel of een vertrouwd persoon. Maar in welk water had de oude vrouw moeten springen, van welke brug, van welke hoogte? Het kamp had niets anders te bieden dan de afgronden tussen de woonblokken, het enige wat dus zekerheid bood was een touw.

Als ik vragen had, kon ik dit nummer draaien. De man van de kampdirectie had gezegd dat het het nummer van haar tehuis was. Ik had geen vragen. Ik wilde alleen maar zeggen dat ze niet hoefde te komen, niet mocht komen. Maar aan wie moest ik dat zeggen? Ik kende haar niet. Het papiertje met het nummer draaide ik om en om in mijn hand. Ik trok een haar uit en probeerde die tussen de kamerdeur en de deurpost te klemmen.

Maar hij bleef niet zitten. Kennelijk was de deur de laatste weken kromgetrokken. Hij kon niet tegen de winter en de verwarming. Ik pakte een lucifer en brak die in tweeën, drukte hem in de kier tot er amper nog iets van te zien was, en ging op weg.

Ik liep de trap af.

Verdwenen, had Nelly gezegd, was de vader van haar kinderen. Wellicht was het verdriet verantwoordelijk voor het feit dat ze er zo leeftijdloos en onaangedaan uitzag. Haar vrolijkheid had een aanstootgevend effect, alleen haar mondhoeken verrieden de pijn. Ze was droevig en niet mooi.

De moeder van het meisje dat mijn dochter heette te zijn had me wel mooi geleken. Ze had niets vrolijks over zich gehad, niets wat verdriet had moeten verstoppen. Ze zag er altijd een klein beetje treurig uit, met haar weemoedige ogen keek ze de wereld en mij aan. De treurigheid van haar ogen en haar hele mond was zo raadselachtig en mooi omdat er geen reden voor was. Ik stelde haar vragen, maar hoewel ze er zo uitzag, was er in haar leven geen leed. Ze was niet vertwijfeld en al helemaal niet verwoest, alleen maar weemoedig. Op een dag, en die dag kwam vlug, trok haar weemoed me niet meer aan, maar stootte hij me af. Haar weemoed kwam voort uit een innerlijke welstand, die niets meer te wensen overliet. Bij het afscheid had ik haar gezegd dat melancholie iets was wat je je moest kunnen veroorloven, en zij kon dat blijkbaar. Was het al veertien jaar geleden? Al vijftien jaar. Dat het kind van mij was, deelde ze me schriftelijk een paar maanden later mee. Ik werd verplicht het vaderschap te erkennen en alimentatie te betalen, een vaderschap dat ik tot op vandaag betwijfel.

Tijdens een van mijn eerste dagen in het Westen had ik door de stad gelopen, was doelloos alle winkels binnengewandeld en had gekeken wat er te koop was. In de Budapester Strasse ontdekte ik een winkel met prenten, niet ingelijste hoogglansfoto's, Picasso en Mick Jagger, zonsondergangen en jonge katten in mandjes. De verkoper zei dat hij nog heel andere dingen had die me misschien meer zouden interesseren, en hij liet me prenten op groot formaat zien van motorrijders en spaarzaam geklede vrouwen en mannen. Toen ik liet blijken dat me die al evenmin aanspraken, verwees hij me naar een stand met prenten die eerder voor het hart waren, zoals hij zei. Voor het hart waren de gezichten van meisjes getekend, de achtergrond glansde paars en blauw, de meisjes hadden reusachtige ogen en monden en op hun wangen hadden ze een grote, glinsterende traan. Geschrokken liep ik de winkel uit. Nog nooit had een foto of een schilderij me zo erg doen denken aan de moeder van mijn dochter als deze prenten.

Dat soort schoonheid straalde Nelly niet uit. Dat soort schoonheid zou ik nooit een tweede keer benaderd hebben. Nelly had een mantel over haar wanhoop en pijn gelegd, en die mantel verhulde haar persoon.

De lucht brak op één plaats open, de zon deed het grijs op een muur lijken, een geel grijs. Bij de uitgang vroeg ik naar post. De portier gaf me twee brieven, en ik voelde zijn blik in mijn rug, alsof hij heel goed wist dat ik voor het eerst sinds maanden het terrein verliet.

Bij de telefooncel voor het kamp stonden drie mensen te wachten. Ze stonden in een rij, en ik ging achteraan staan. Ik scheurde de eerste brief open. Hij was van een firma Schielow, *Uw vakman voor alarminstallaties*, en leek op al die andere brieven die ik al eerder gekregen had: *Geachte heer, Tot onze spijt moeten wij u meedelen dat u niet in aanmerking komt voor onze vacante plaats van elektrotechnicus.* De volgende zin leek me merkwaardig. *Omdat in ons bedrijf het directe contact met de klant noodzakelijk is en vertrouwen en veiligheid de basis van ons succes zijn, zijn wij jammer genoeg niet in staat om u tewerk te stellen.* Helemaal ongewoon was de laatste zin. *Deze afwijzing heeft niets te maken met uw strafblad, maar met het feit dat uw beroepservaring als elektrotechnicus al dateert van meer dan vijftien jaar geleden.* Alleen al de nadruk waarmee dit argument werd uitgesloten, deed het voor mij opvallen. Hij had beslist moeite gehad met die dubbele gevangenisstraf van in totaal meer dan vier jaar. Waar stond trouwens om welke reden je gezeten had? En er was tenslotte geen reden die het feit teniet deed.

Lenins hoofd mocht zo rood geweest zijn als een biet, het feit dat het me gelukt was tot aan de grens te komen maar geen centimeter verder, lag aan de waakzaamheid van de Vopo's, bijna uitsluitend daaraan.

Er kwam een vrouw uit de telefooncel en een van de wachtenden glipte naar binnen. Twee mannen kwamen van de portier vandaan en stelden zich achter mij in de rij op.

De tweede brief was een met de hand geschreven kladje. *Kleine vuile spion, maak dat je hier wegkomt voor we je per ongeluk vertrappen.* Er stond geen afzender op de brief, er kleefde geen postzegel op. Blijkbaar was hij bij de portier afgegeven. Ik scheurde de brief in kleine stukken. *Verdwenen*, had Nelly gezegd, was de vader van haar kinderen. Wat hij kon, moest ik ook kunnen. Er waren heel wat verschillende mogelijkheden om te verdwijnen. Maar om jezelf niet meer te hoeven verdragen was er maar één mogelijkheid.

Het touw had ik aan de oude buurvrouw bezorgd. Een jonge man als ik, had ze gezegd, zou toch zeker wel weten waar je een stevig touw kon krijgen, en ze had me een geldstuk in handen willen drukken. Maar voor dat soort diensten hoefde ik geen geld. Het touw vond ik in de verwarmingskelder. Het was twee centimeter dik, wat haar dun leek. Ze hield het touw in haar handen en leek het te wegen. Daarna maakte de ontgoocheling plaats voor een merkwaardige tederheid, en ze streelde het touw. Ik legde haar uit dat ze het goed moest kunnen vastknopen, en ik wilde haar laten zien wat ik bedoelde, maar ze gaf het niet meer uit handen. Op haar vraag of zo'n touw niet kon breken, schudde ik vol vertrouwen mijn hoofd. Daarop kon ze rekenen. Dat had ze ook gekund.

De volgende dag, je kon de sporen van de brandweer nog zien in de sneeuw voor het blok, bracht ik een vuilzak naar beneden. Bovenop in de container lagen gestreken nachthemden van fijn linnen met witte, met de hand gekloste kant. Ik legde de nachthemden opzij en ontdekte opgerolde kousen, grote onderbroeken en een naaidoosje met inhoud, ik dacht dat haar andere kleren al wel in het depot zouden liggen. Deze overblijfselen van haar huisraad had de kampdirectie blijkbaar niet kunnen gebruiken. Ze werden bij het afval gegooid en aan de vergankelijkheid toevertrouwd. Onder een naïeve aquarel, een zeelandschap met duinen en een houten pier, lagen een zak voor het wasgoed, twee ingelijste foto's waarvan het glas nog heel was en een koektrommel die al een paar blutsen had. Op de foto's stonden een man in uniform en dezelfde man in rokkostuum met zijn vrouw en een dochtertje. Ik pakte de koektrommel en stopte hem onder mijn jas. Boven op mijn kamer deed ik hem open. Tussen met de hand geborduurde doeken en kleedjes lagen gedroogde viooltjes en rozenblaadjes, maar ook een brief die een moeder aan haar zoon geschreven had. Ik vond ook een foto op karton waarop een naakt meisje stond dat slechts heel spaarzaam met een donkere dierenhuid bedekt was. Het was een oud meisje omdat de foto oud was, oud, zoals mijn moeder misschien, oud, zoals de vrouw aan wie ik het touw bezorgd had. En toch moest ik aan de dochter denken die ze me wilden brengen. Zonder het te willen stond ik toch te fantaseren hoe het meisje, mijn zogenaamde dochter, eruit zou zien. Ik vreesde dat ze de schoonheid van haar moeder zou hebben. Maar nog meer vreesde ik haar niet te herkennen.

Wie kon er belang bij gehad hebben om haar vrij te kopen? Het was denkbaar dat de regering een andere persoon had willen vrijkopen en bij wijze van tegenprestatie door de andere regering verplicht was om niet alleen een bus met kleine en grote misdadigers over te nemen, wat gebruikelijk was, maar dat ze ook een paar kinderen meegeleverd kreeg die ze daarginds niet konden gebruiken. Het kon zijn dat het meisje een strafbaar feit gepleegd had, of dat ze ziek of niet volgzaam was, en het was ook niet uitgesloten dat ze zelf te kennen gegeven had, na een gestart leven bij haar moeder, een afgebroken leven in het huis van haar grootmoeder en een tijdelijk leven in het tehuis, nu eindelijk het leven aan de zijde van haar onbekende maar toch in het Westen levende vader te willen doorbrengen. Ik kon haar dat niet kwalijk nemen, maar nog minder kon ik haar zo'n leven aanbieden.

De rij wachtenden voor de telefooncel was verdwenen, de mannen en vrouwen stonden nu in een kring en praatten met elkaar. Toen de deur van de telefooncel openging, bleef ik op mijn plaats staan wachten. Ik wilde niet voor mijn beurt gaan. Het papiertje met het nummer van het tehuis in mijn hand was vochtig geworden, de blauwe inkt was uitgelopen en de cijfers waren amper nog leesbaar.

Ik haalde een zakdoek uit mijn jaszak en wreef mijn handen af. Ik wreef, maar de blauwe inkt ging er niet af, integendeel, het werd erger, en ook de geborduurde zakdoek kreeg een blauwe kleur. Hoewel de rozenblaadjes al verwelkt waren, verspreidden ze de geur van een oude vrouw die ik een touw bezorgd had waarmee ze in de boom gesprongen was, precies voor mijn raam. Haar dood kalmeerde me en deed de ruis in mijn oor niet meer klinken als de verre branding van een oceaan, maar als gekabbel, het lieflijke gekabbel van die noordelijke zee die ik op de naïeve aquarel had menen te herkennen. De Oostzee ruiste in mijn oor, zijn golven sloegen zacht tegen de oever van mijn trommelvlies en doordrenkten mijn oor, tot het blubberde en tenslotte plofte, daarna zette de stilte in.

De mensen voor de telefooncel gingen van het ene been op het andere staan. Hun kring was dichter geworden. Blijkbaar hadden deze mensen het wachten opgegeven. De dikke ijslaag op de straatstenen verplichtte me om langzaam de ene voet voor de andere te zetten. Een meter voor de telefooncel stond ik stil en draaide me om, een van de mensen uit de kring had mijn stappen aandachtig gevolgd. Hij keerde me zijn rug toe. De stilte in mijn oor hield op, ik verbeeldde me hen te horen fluisteren en mompelen, afwisselend wierpen ze me steelse blikken toe. Hun schouders stootten tegen elkaar. Het fluisteren hield niet op, en de deur van de telefooncel stond open.

'Wat is er, wilt u niet bellen?' riep er een.

Door de overjassen ging een geritsel. Of was het alleen maar in mijn oor? Het gesuis en gekraak, het geritsel en gefluister. Iemand keek over zijn schouder naar mij en maakte een beweging met zijn hoofd, die ik als uitnodiging begreep. Met een sprongetje glipte ik de telefooncel in.

Toen ik het nummer draaide, hoorde ik geknetter in de leiding en toen een poosje niets. Mijn hart klopte in mijn oor en in de hoorn. Ik hoorde een ingesprektoon. Ik probeerde opnieuw en wachtte na het netnummer. Ik probeerde het zo lang tegen de ingesprektoon in tot het netnummer vrijgegeven werd en ik de andere cijfers kon draaien. Weer hoorde ik een poosje niets, geknetter in de leiding, gekraak, gefluister. Misschien kwam het gefluister van buiten of was het in mijn oor blijven zitten en was het begoocheling.

Opeens hoorde ik de vertrouwde beltoon. Mijn hart ging woest tekeer.

Er werd opgenomen. Een mannenstem zei iets dat ik niet verstond.

Om een of andere onnaspeurbare reden had ik een vrouwenstem verwacht en ik kon me niet voorstellen dat deze man bij het tehuis hoorde.

'Hallo?'

Soms schakelde de staatsveiligheidsdienst zich in de lijn.

'Hallo?' De stem aan de andere kant van de lijn werd ongeduldig.

Vlug hing ik op. Ik draaide me om en keek naar de mensen, die nog altijd in een cirkel stonden en af en toe ik mijn richting keken, alsof ze nu toch stonden te wachten. Ik draaide het nummer opnieuw. Weer klonk de beltoon, en dit keer was het een vrouwenstem.

Nog voor ik iets kon zeggen hoorde ik een klik in de leiding. Het signaal voor de onderbreking weerklonk. Het geld viel door het toestel. Met de hoorn in mijn hand stak ik er opnieuw munten in. Ik draaide het nummer tot aan het voorlaatste cijfer, daarna drukte ik op de haak en zocht de munten in het geldbakje bijeen. Buiten stonden nu nog meer mensen bij elkaar. Al bij mijn eerste stap uit de telefooncel verloor ik de grond onder mijn voeten en gleed languit op het ijs. Er stampte een voet in mijn ribben, een tweede in mijn buik.

'Tuig,' hoorde ik, en 'spion.' Met moeite was het me gelukt overeind te komen toen ik een slag in mijn nek kreeg. 'Verrader.' Met mijn voorhoofd kwam ik op het ijs terecht. De kou voelde goed aan, maar toch probeerde ik weer recht te staan. 'Klootzak.' Het gezicht van een vrouw verscheen boven mij, haar wangen waren bol en ze spuwde midden in mijn gezicht. 'Scheer je weg, jij stuk ongedierte, verdomde klootzak, verrader.' Ze leek een oneindige voorraad speeksel in haar lijf te hebben, als in een vertraagde film zag ik haar mond open en dicht gaan, er kwam vloeistof uit, die zich in de lucht tussen haar en mijn gezicht vervormde, uitgerekt werd, luchtbelletjes loste en samengebald werd, de formaties strekten zich naar alle kanten, ze vlogen naderbij, een spuugmachine was die vrouw, en het sloeg allemaal in mijn gezicht. 'Stasismeerlap.' Iemand trapte in mijn kruis en de pijn trok door mijn rug, langs mijn nek tot in mijn hoofd, ik verbrandde binnenin, het kraakte, en het was alsof ik hout hoorde breken. Mijn ruggengraat brak naar achteren, de pijn was heet, tot hij uitgloeide. Iemand nam zijn voet weg van mijn hand, van mijn vingers die ik niet meer kon bewegen. Als een pissebed had ik me ineengerold en ik dacht dat mijn pantser dan wel hard genoeg kon zijn maar dat het ook zacht genoeg was. Het was maar goed dat ik de pijn niet meer voelde, ik bestond uit haast niets anders dan pijn. De stemmen verwijderden zich. Ik voelde opnieuw iets warms en probeerde te herkennen wat het was. Er stond nog een man naast me, ik hoorde hoe hij door de anderen geroepen werd. Het warme drong door mijn broek en trui op mijn huid en stroomde over mijn gezicht. Ik meende te zien hoe de man zijn pik in zijn broek stopte, zich omdraaide en wegliep. Zeker was ik er niet van. Zo bleef ik liggen en wachtte op wat ik zou voelen. Maar er kwam niets.

Ik hield maar niet op met denken. Ik probeerde details te registreren om wakker te blijven. Het warme werd ijskoud.

Voor mijn ogen bleven vier kleine laarzen staan. Er schoof een gezicht voor het mijne.

'Wat doet u daar?' Nieuwsgierig keek het meisje me aan.

'Hij is dood,' zei het andere kind en hij porde met een laars tegen mijn schouder.

'Dan moeten we iemand halen.' Het meisje keek weer in mijn gezicht. Ik wilde hen zeggen dat ze niemand moesten halen, dat ik vlakbij woonde en wel alleen zou thuis komen, maar mijn tong was zwaar, het meisje schreeuwde het uit. 'Hij heeft zich bewogen, hij heeft zich bewogen!'

Er kwam een vrouw met een hond dichterbij. Ik voelde de hondensnuit in mijn gezicht. Een tong likte over mijn lippen, maar hoeveel moeite de vrouw ook deed om haar hond terug te roepen, hij liet zich niet weghouden en leek sterker dan zij. Ze kwam dichterbij, bukte zich, deed hem aan de lijn en trok hem voort.

Er bleven rubberen laarzen staan, een kleine koffer werd neergezet en een vochtige bontjas streek langs mijn gezicht. 'Kom, staat u op.' De oudere vrouw met het Poolse accent reikte me haar hand. Ik hees me overeind en stond op, gebukt weliswaar, maar ik stond met mijn twee voeten op de grond, voelde geen pijn meer, alleen nog koud en warm en de grond onder mijn voeten en het geritsel in mijn oren, als blaadjes in een berkenbos. De vrouw was niet groter dan ik. Mijn rechterarm gehoorzaamde me niet, ik stak mijn linkerarm uit. Ik bedankte haar, maar ze wuifde het weg en glimlachte alleen maar verstolen. Ze pakte haar leren koffer en stak de straat over. Uitzonderlijk kleine voeten en passen droegen de machtige bontjas, maar ze wankelde niet, ze trippelde. Bij de bushalte ging ze zitten, tilde de koffer op haar schoot en wachtte.

De hoorn was nog warm, het kon nog niet lang geleden zijn dat iemand hem had vastgehad. Mijn lamme tong zou me gehoorzamen. Aa, zei ik hardop terwijl ik het nummer draaide. Goed dat telefooncellen zo klein waren, je kon makkelijk tegen de zijwand leunen en niet gauw omvallen. Ik hield de hoorn met mijn linkerhand vast, de rechterhand kon niets vastpakken.

'Hallo?'

'Mijn naam is Pischke, Hans Pischke.'

'Ja?'

'Pischke.'

'Ja, hallo, wie is daar?'

Mijn tong zwol op, hij werd zo dik dat hij mijn mondholte helemaal vulde.

Ik luisterde nog een tijdje naar het getoet in de leiding. Misschien was het ook gewoon te moeilijk voor mijn arm om de hoorn op de haak te hangen. Er hing een reuk van iets smerigs. Met mijn schouder duwde ik de deur open en ik liet de hoorn vallen, hij sloeg tegen de muur onder de telefoon, maar ik zette mijn weg voort. De grond onder mijn voeten was glad. Met de rug van mijn linkerhand veegde ik over mijn gezicht, smerig nat, het speeksel van de vrouw was roodachtig en plakte. Voor het eerst sinds ik kon denken, herinnerde ik me hoe mijn moeder, toen ik een kleine jongen was, met haar tong mijn snotneus had afgelikt. Vermoedelijk hadden we geen zakdoeken gehad. De smerige reuk kleefde aan me als een herinnering.

Als iedereen hetzelfde eergevoel in verband met het leven van anderen had gehad als de oude vrouw die me om een touw verzocht had en zich in de boom had opgehangen in verband met haar eigen leven, had ik deze weg niet hoeven te gaan, niet nog een keer langs de portier, niet uit de ogen van de kinderen en vrouwen en weg van de hondensnuiten. Maar ze waren dilettanten, die mensen, ze begonnen hun werk met me en maakten het niet af, lieten me levend liggen. Gewetenloze beginners. Het gesuis in mijn oren zwol aan, het borrelde en schuimde. Ik zette de ene voet voor de andere en bleef staan omdat er een pees knelde. Ze hadden me niet eens een been uitgerukt of gebroken. Ze hadden me niet willen doden en verlossen, alleen maar kwellen. Nee, het waren geen beginners, het waren gewetenloze ophitsers. Er kwam verachting in me op. Maar ik was het verzet moe. De verachting maakte plaats voor ontgoocheling en misselijkheid. Wie verward en aanmatigend genoeg was om in mij een spion van de staatsveiligheidsdienst te zien, was met zekerheid niet in staat om mij uit mijn lijden te verlossen. Ophitsers hadden de horde nodig en kwamen er niet uit te voorschijn. Het ademen viel me moeilijk en toen de lucht binnenin tegen mijn ribben drukte, voelde ik voor het eerst weer iets als pijn.

Collectieve verwarring mondde maar al te makkelijk uit in samenzwering, die zich willekeurig richtte tegen dingen en mensen, en het kon best niets anders dan toeval geweest zijn dat uitgerekend ik het mikpunt van de verwarring geworden was.

De portier keek niet op toen ik langs hem heen liep.

Een grote vrouw stond in mijn weg. Ontzet sloeg ze haar hand voor de mond. 'Mijn God, wat is er met u gebeurd?' Ik maakte een boogje om haar heen, net zoals om alle andere vrouwen die me in de wasruimte en voor de kantoorvertrekken aanspraken, bij nacht en ontij achtervolgden ze me, hun zachtaardige ogen wachtten me overal op.

'Wacht u even,' hoorde ik haar roepen, maar ik wachtte niet, geen ogenblik meer zou ik aarzelen, mijn geduld was op.

De lucifer klemde niet meer in de deurkier, maar misschien was hij er pas uitgevallen toen ik de deur open deed. Met mijn linkerhand raapte ik hem op van het linoleum en stak hem in mijn broekzak. Uit de badkamer haalde ik een kom water en ik deed de deur achter me dicht. Maandag zou ze komen. Haar naam was Doreen. Het had me blij moeten maken. Ik rilde over al mijn leden. Ik trok al mijn kleren uit, of ze nu nat of droog waren, vouwde ze open en legde ze op bed. Ik trok mijn pyjama aan en daarover de gestreepte ochtendjas. Terwijl ik mijn gezicht in het lauwwarme water dompelde en met mijn linkerhand aan mijn wenkbrauwen voelde, tegen mijn neus wreef en mijn ogen in hun kassen deed rollen om ze te ontspannen, hing mijn rechterarm naast me. De baby huilde. Ik droogde mijn gezicht met een van de met de hand geborduurde doeken, ze roken naar rozen en viooltjes en naar de oude buurvrouw.

Ik bette mijn oogleden en wenkbrauwen. Eens, lang geleden, had ik het idee dat ik de wereld kon veranderen, ik had me groot gevoeld bij dat idee, of toch tenminste als een deel van de wereld. Voorzichtig voelde ik aan mijn neusvleugels. Ik had in de overwinning en de persoonlijke vrijheid geloofd. Maar wie overwon, bleef achter. Vandaag bleef er van die ambitie niets over. Hoe het meisje eruitzag dat zogezegd mijn dochter was, kon ik me niet voorstellen, en ik wilde het ook niet. Ik zou mijn deur niet opendoen voor een wildvreemd meisje en me geen vragen laten stellen. Niemand zou ik ooit over mijn mislukte vlucht vertellen. Niets meer wilde ik meedelen, niets meer weten. En zeker niet wie er belang bij had gehad om haar en mij vrij te kopen. Tenslotte had ik misschien ook in zo'n bus gezeten met gevangenen die als toegift bij een gewilde en geliefde of tenminste gewenste en geëiste persoon naar het Westen waren gebracht, de bus vol gevangenen die het Westen gewoon op de koop toe moest nemen om die ene te krijgen die ze wilden.

Het water was koud geworden. Er moesten al verschillende uren verlopen zijn, en nog altijd waste en droogde ik mijn gezicht, maakte mijn lichaam schoon, zodat het eerst warme en nadien koude van mijn huid verdween. Het tikken van mijn horloge deed me opkijken, ik had het samen met mijn kleren op het bed gelegd. Ik zat in mijn pyjama en kamerjas over de kom gebogen en dompelde het washandje in het water.

'Doe open!' Er rukte iemand aan mijn deur. De baby huilde. 'Doe meteen de deur open, anders is het jouw schuld.' Niets zou mijn schuld zijn, ik had alleen maar schuld aan mijn eigen leven, ook al rammelde mijn buurman aan mijn deur tot hij een ons woog, ik hield de punt van de handdoek in mijn oorschelp en liet hem water opzuigen.

Met een metaalachtig gekraak sprong de deur open, en de vader van het kind struikelde de kamer in, op zijn arm de baby, aan zijn hand de vrouw. Er viel iets op de grond. Hij moest het slot opengebroken hebben. Gedurende een seconde hield de baby zijn adem in, toen begon hij weer te huilen.

'Hier, de melk staat in de keuken.' De buurman, die nu aangekleed was maar nog altijd een bierbuik had, duwde het kind op mijn schoot. 'We zijn over een uur terug, hoogstens twee uur.' Voor ik hem kon volgen, trok hij zijn vrouw achter zich aan en rende de trap af. Bij de ruis in mijn oor voegde zich nu een geklop, het klopte en klopte en klopte. De deur was amper in het slot gevallen of de baby hield op met huilen. Hij woog beangstigend licht, met mijn linkerarm hield ik hem in de lucht, daarna legde ik hem voorzichtig weer op mijn schoot. Waar moest ik met hem heen? Zo gauw ik hem op de grond of op bed zette, liet hij zich op zijn zij of naar achteren vallen en begon weer te huilen. Zo gauw hij op mijn schoot zat, was hij stil en keek me aan. Alleen het getik van mijn horloge was te horen, geen geruis, geen geklik en geklak, niet eens meer gesuis in mijn oren. Mijn horloge lag nog altijd op de zorgvuldig opgevouwen kleren. Ik zette de baby voor mij op tafel. Voorzichtig strekte ik mijn linkerarm uit en kreeg met mijn vingertoppen het horloge te pakken. De baby volgde met zijn blik al mijn bewegingen – bij een verkeerde zou hij weer gaan huilen.

Het was tien over acht, een slapeloze nacht was korter dan een andere, gauw zou het daglicht door de gordijnen binnendringen. Ik dacht opeens aan een plek waar ik de baby heen kon brengen. Ik trok mijn kleren aan, gooide mijn jas over mijn schouders en liep met de baby langs de huizen. Ik wist niet precies in welke woning Nelly woonde, maar ik meende de ingang te herkennen.

Na een paar minuten ging de huisdeur open en kwam er een vrouw naar buiten. 'Wat doet u met dat kind? Het zal bevriezen.'

Ik liep langs haar het huis in. Inderdaad, de baby had niets anders aan dan een hemdje en een kruippakje, geen jas, geen muts, geen schoenen. Hoewel hij schoenen waarschijnlijk nog niet nodig had. Het licht in de gang ging uit. Ik leunde tegen de muur voor de verwarming en hield halt. Zo lang de baby niet huilde, was alles goed. Boven ging een deur open. Het licht werd aangedaan en er kwamen zware stappen de trap af. De man verwaardigde me met geen blik, hij wilde gewoon voorbijlopen.

'Neemt u me niet kwalijk, kent u een jonge vrouw die hier met haar twee kinderen woont?'

'Nelly? Die woont op de tweede verdieping, linkerkant.' Hij deed de huisdeur open en verdween. Hij kon bij haar geweest zijn.

Op de tweede verdieping drukte ik met mijn elleboog op de bel. Hij maakte een zoemend geluid, net als die van mij en waarschijnlijk alle andere deurbellen in het kamp.

Een vreemde vrouw deed de deur open.

'Pardon, ik dacht, woont hier niet een...'

'Nelly? Die woont hier.' Ze wees naar een kamerdeur en liet me op de gang. 'Nou, wie hebben we hier? Wat lief is hij. En hij lijkt op u.' De vrouw volgde me tot aan Nelly's deur. Ze wachtte tot ik klopte, maar mijn rechterarm gehoorzaamde me nog altijd niet, in mijn linkerarm had ik de baby vast, ik schopte met mijn voet tegen het hout, en de vrouw verdween hoofdschuddend achter een deur die op een kier stond. Ze zou staan luistervinken. Ik moest nog een keer met mijn voet kloppen. Ik dacht binnen stemmen te horen, misschien had Nelly een radio. Intussen was het al na halfnegen en haar kinderen moesten allang op school zijn. Juist toen ik voor de derde keer mijn been optilde om te kloppen, werd de deur op een kier opengedaan. Nelly's gezicht verscheen.

'Wat doe jij hier?'

'De baby van mijn buren.' Ik stak de baby in haar richting, mijn rechterarm hing slap naast mijn lichaam.

'Heb je gevochten?' Ze stak haar arm door de deurkier en raakte vluchtig mijn lippen en wenkbrauwen aan.

'Kun je hem alsjeblieft nemen?' Ik duwde de baby tegen de kier.

'Wat?' Verbaasd keek ze me aan, en het stuk van haar gezicht in de deurkier werd kleiner.

'Laat me binnen, alsjeblieftt.'

'Het spijt me, dit is geen geschikt ogenblik.'

'Alsjeblieft.'

'Nee.' Ze duwde de deur nog verder dicht, en ik kon nu nog maar de helft van haar gezicht zien.

'Heel even maar.' Het leek alsof ze niet in het minst onder de indruk was van de baby.

'Merk je niet dat het nu niet gaat? Ik ben naakt, ik kan de deur nu niet opendoen.' Vertrouwelijk keek één oog me aan, het knipperde, alsof het me wat wilde zeggen. De deur klapte dicht. Ook de andere deur, waarachter de andere vrouw verdwenen was, werd dichtgedaan. Op de bijna donkere gang tastte ik naar de lichtschakelaar.

Het ging me niets aan wat Nelly 's morgens om halfnegen deed terwijl haar kinderen op school waren en leerden schrijven en rekenen, en waarom ze zich naakt achter haar deur verstopte en me niet wilde binnenlaten. Misschien was ze ziek en voelde ze zich niet goed. Ze hoestte vaak, en haar hoest klonk schor.

Voor ik het huis uit ging, probeerde ik de baby onder mijn jas te stoppen. Maar hij rekte zich uit en boog zijn rug naar achteren. Hij huilde. Van de warmte en het donker van mijn jas moest hij niets hebben. Dus liep ik over de ijsbrokjes en bracht de baby weer naar mijn woning. Daar legde ik hem op mijn bed en liet hem huilen.

Waarom zou ik me door een baby laten storen bij mijn noodzakelijke bezigheden? Zorgvuldig vouwde ik met mijn linkerhand de geborduurde doeken bijeen en lette erop dat de hoeken op elkaar lagen voor ik eraan rook en ze teruglegde in de koektrommel. Alleen de gebruikte doeken nam ik mee naar de keuken en zette ze in koud water in de week, wrong ze uit en trok ze de een na de ander uit de wasbak. Er zaten lelijke kreuken in de eens zo gladde stof. Ik had niet genoeg tijd om met de doeken naar de wasruimte te lopen en ze daar te strijken. De aanblik van de doeken bracht zo'n onrust in me teweeg dat ik ze moeizaam met mijn linkerhand in een plastic tas stopte en in de afvalbak liet vallen. Het pak knäckebröd stond in de kast waar het moest staan, geen onbevoegde hand had er zich 's nachts aan vergrepen, en met een gevoel van genoegdoening stelde ik vast dat de laatste snee nog voor een maaltijd volstond. De lege verpakking vouwde ik ineen en gooide ik in de afvalbak.

Zo gauw ik de kamerdeur open had gedaan, draaide de baby, die nog altijd op zijn rug lag, zijn gezicht naar me toe en volgde al mijn bewegingen in de kamer. Ik kon de deur niet meer afsluiten, de buurman had met zijn geweld het slot kapotgemaakt. Ik legde het mes rechts naast het ontbijtplankje, precies parallel en met een vingerbreedte afstand ertussen, en met de snijkant naar binnen.

Het water kookte. Tegenover mijn bestek ordende ik de handspiegel, de zeep en de versleten kwast. De scheermeshouder en twee mesjes legde ik naast het kleine kommetje water. De grote kom maakte ik schoon, tot mijn linkerhand lam werd van al die ongewone activiteiten. Samen met het koken van het water drong ook het gehuil van de baby in mijn oor. Het was geen baby meer, sinds ik in zijn ogen gezien had hoe leergierig en gebiedend hij zijn omgeving afzocht, hield ik hem voor een al groter mens, een kind met de aanspraken van een mens, dat niet huilde omdat het kon huilen maar omdat het wilde huilen. Het hete water deed de Nescafé schuimen.

'Heeft ze de hele tijd gehuild?' De vader van het kind had geklopt en was binnengekomen voor ik de dompelaar had kunnen afzetten en de deur voor hem open doen.

'Wie?'

'Het kleintje natuurlijk, wie anders.' Hij tilde het kind van het bed en schudde zijn hoofd, alsof het uitzonderlijk was dat het kind huilde. Hij drukte het tegen zich aan als een lichaamsdeel dat hij lang had moeten missen.

'Het kind heeft misschien honger, maar mijn knäckebröd is op, behalve deze snee.'

Hij draaide zich om naar zijn vrouw, die in de deur was blijven staan. Met mijn zakdoek veegde ik het heft van het scheermes af, maar mijn eenhandige druk was niet voldoende om het ook in de groeven schoon te krijgen.

'Past u maar op,' zei de man, hij zwaaide dreigend met zijn vinger, 'er is iets aan de gang. In uw plaats zou ik maken dat ik wegkwam.' Zijn bedreiging werd een waarschuwing, en ik meende er de bevestiging van mijn vermoeden in te herkennen dat hij een compagnon wilde waarschuwen, een medeplichtige om wie hij zich zorgen maakte, niet omdat hij zich persoonlijk bij hem betrokken voelde, maar omdat ik in zijn ogen misschien bij dezelfde vereniging hoorde als hij. Iemand moest hem hebben ingefluisterd dat ik voor een lid van de staatsveiligheidsdienst werd gehouden.

Hij streelde het hoofdje van het kind. 'Verspilt u maar niet te veel tijd, nu ze nog niet voor uw deur staan.' Onrustig kauwde hij op een lucifer die hij met zijn tanden van de ene mondhoek naar de andere duwde. Misschien had de lucifer ooit tussen mijn deur geklemd gezeten. In zijn afgepeigerde en ruwe gezicht ontdekte ik sporen van angst, die pasten bij zijn aanwijzingen, dreiging en waarschuwing: hij maande me aan, riep me een angstig verzoek toe, omdat hij bang was dat de boot waarin hij zat kon omkantelen als iemand van de opvarenden werd omgebracht of eruit gesleurd. Kapseizen wilde je nu eenmaal niet, zeker niet met een kind op je arm en een vrouw in je kamer die waarschijnlijk alles zou doen om niet in de reddingsboei te vallen, die als het enigszins kon wilde ondergaan, stil en vlug.

'Als u me nu met rust wilt laten – ik heb iets te doen.' Mijn linkerhand had ik op de deurklink gelegd en ik wachtte tot hij de laatste stap achteruit zette.

Hij knikte me toe en ging weg. Een kamer met een gesloten deur waarin ik alleen was, het veroorzaakte een weldadige rilling over mijn rug. Ik schoof de gordijnen dicht, deed het raam open en ging op de vensterbank zitten. De eerste sigaret maakte me aangenaam duizelig. Beneden zetten de kraaien een grotere vogel achterna die blijkbaar niet meer kon vliegen. Ze hipten om hem heen en hakten met hun snavel in de bevroren aarde, en alsof hij zich door hun bewegingen bedreigd voelde, wipte hij naar opzij om zich in veiligheid te brengen. Ze zetten hem na. Ik drukte de sigaret op de vensterbank uit en liet het peukje liggen. Er dansten een paar sneeuwvlokken voor het raam. Ik trok de stoel achteruit en begon aan mijn ontbijt. De geluiden in mijn oor probeerde ik tot een muziekje te ordenen. Een merel kwam op de vensterbank zitten om mijn peuk te onderzoeken. Het raam klapte dicht. Geschrokken vloog hij op, zijn vleugel raakte de ruit. De vlokken werden groter, de sneeuw werd heviger en dichter, en het gekras van de zwartgrijze vogels klonk dof. Het idee dat ik niet meer wachtte op hoop, laat staan op verlossing, vervulde me met een diepe rust. Er zou geen geklik en gesnap meer in mijn oren klinken, geen open- en dichtgaan van deuren, geen komen en gaan meer.

Er kwam een tweede vogel aangevlogen, hij pikte het peukje al vliegend op en liet het kort daarna vallen. Zo wordt een vensterbank vanzelf schoon.

De laatste slok koffie liet ik in mijn kopje, ik bracht de vaat naar de keuken en spoelde die af. Je kon de sleutel nog in het slot omdraaien, maar de deur van mijn kamer kon ik niet meer afsluiten. Het kind van de buren huilde, en alles leek als altijd. Door een tochtvlaag klapperde mijn deur. Open en dicht, open en dicht. Ik kon moeilijk alle kamers in lopen en er de ramen dichtdoen. Het mijne ging niet helemaal dicht, al sinds ik hier kwam wonen. Wanneer het regende, liep er een dun straaltje van het rechtereind van de vensterbank langs de muur naar beneden, naast de verwarming tot op de grond. De deur klapperde open en dicht. Telkens als ik een poosje niets gehoord had en hoopte dat het de laatste keer was, kwam het opnieuw. Je werd er gek van. Nog gekker dan van het gehuil, aan de regelmaat daarvan was ik intussen gewend. Met heel veel moeite kreeg ik met mijn linkerarm de kleerkast voor de deur geschoven. Het vuil van jaren en van honderden bewoners kleefde aan de vloer, heel duidelijk kon je de omtrek van de kast zien aan het nog onbeschadigde grijs van het linoleum. Voor het raam dreven sneeuwvlokken, je kon nog amper het blok aan de overkant zien. De dompelaar duwde heel fijne luchtblaasjes naar boven en liet de pan van binnen gloeien. Ik hield mijn koude linkerhand boven de pan, bewoog mijn vingers een voor een en daarna allemaal samen. Het water werd wit, alsof het binnenin schuimde en zich samentrok. De hitte perste het water bij elkaar. Hier en daar werd het oppervlak verbogen, het barstte open, werd troebel en maakte bellen. Ik trok de stekker uit en goot het kokende water in de grote kom, ging aan tafel zitten en begon mijn dagelijkse scheerbeurt. Ik kon mijn dag nooit ongeschoren beginnen, het idee alleen al veroorzaakte jeuk op mijn huid. De man die van politieke ideeën zijn eigen en van zijn eigen ideeën politieke had gemaakt: hoe opwindend het voor hem geweest was, op de bronzen cape van Lenin te klauteren, van zijn harnas tot aan zijn holle binnenste, en hoe hij die opwinding in zich gevoeld had, hoe volledig hij zich gevoeld had, die man leek me nu een andere. Ik begreep niets meer van de vreemde wiens dagen niet in rituelen gemeten werden, wiens uren niet in rituelen voorbijgingen. Het scheermes schraapte over mijn huid. Die vreemde had een dochter die Doreen heette. De huid op mijn kin voelde nu glad, het was iemand anders die gedroomd had van Tsjechische sprookjesprinsessen die beloofden in een andere wereld te leven en daar ook in zouden blijven als je ook maar de kleinste fout in de omgang met ze maakte, nu was ook de huid boven mijn mond glad, en de elke nacht weerkerende droom van vrouwen die in een strandstoel aan zee zaten en mijn moeder hadden kunnen zijn als ze geen vogelsporen in het zand nalieten, en nu was ook mijn hals glad, iemand anders die ooit uit mijn ogen gekeken had en zich van mijn rituelen bediend had. Nooit zou die andere nog toegang krijgen, en de herinnering aan zijn gedachten bleef weliswaar die van een vertrouwd iemand, maar ze schetsten toch alleen maar het verleden. Hoe pijnloos een mens gebroken beenderen in zich kon bewaren, wist ik pas sinds gisteravond en dankzij de ophitsers. Hoewel er tijdens de nacht lichamelijke gevoelens waren opgedoken, voelde ik geen pijn. Verdwenen, zonder ijdele hoop op terugkeer. Het vuile mesje spoelde ik uit in het water van de kleine kom. Ik legde de scheermeshouder, de kwast en de zeep in een rechte lijn erboven. De spiegel was een beetje beslagen, maar ik kon toch nog het gezicht zien van de man die ik bijna niet meer was. Het water in de grote kom was nu lauw geworden. Met mijn rechterhand kon ik niets doen, hij wilde niet bewegen, het scheermes viel er telkens weer uit en gleed in de kom. Alleen met mijn linkerhand kon ik toedrukken en snijden en ik keek met de ogen van de man hoe er rode draden door het water in de kom begonnen te lopen, sporen van tekeninkt, tot het water helemaal rood was. Een warme duizeligheid kroop in me omhoog. Met mijn mond pakte ik het scheermesje, ik klemde het tussen mijn tanden en drukte het in mijn huid, vanbinnen stootte mijn tong zich, hij schuurde, tot ook de huid van mijn linkerpols toegaf, openging en het brandde toen hij naast de rechterpols in het water gleed – een vrolijk en zacht gekriebel in het water dat dezelfde temperatuur had als mijn lichaam. Al wat *ik* was, werd verleden, zo helder brandde en loste alles op in het water dat al vlug zo koud zou zijn als mijn lichaam, en het branden stroomde in alle rust weg.

Nelly Senff wil ja zeggen

In de kantine was er voor iedereen gebraden gans. Een stuk vlees met jus. Rode kool en knoedels, zoveel je maar wilde.

Buiten voor het blok liepen twee politieagenten voorbij, tussen hen in de vrouw met het vuurrode haar en de zilverig glanzende broek. Op een kleine afstand volgde John Bird, het hoofd tussen zijn schouders gebogen, alsof het hem onaangenaam was dat hij nog altijd op de paden van het kamp liep. Hij glimlachte, misschien verheugde hij zich over de vangst.

Władisław Jabłonowski zat al sinds deze ochtend aan een van de lange tafels in de kantine, hij roerde in een kop koffie, hoewel hij er geen suiker of melk in had.

'Ah, Nelly, daar bent u,' zei hij, toen ik 's middags even binnenliep om boter te halen. Het leek alsof hij daar zat te wachten sinds hij me een paar maanden geleden ten dans gevraagd had. Alsof we een afspraakje hadden en ik maar twee minuten te laat was.

'Ik kom alleen maar boter halen. Mijn kinderen zitten boven op me te wachten.'

Hij knikte vaag en zuchtte.

'Zien we elkaar op het feest vanavond?'

Radeloos keek de oude man me aan. Vervolgens keek hij naar de vrouwen die de zaal versierden. Ze zetten de ladders op de tafels, klommen erop en hingen slingers tussen de lampen.

'Waar is uw dochter?' vroeg ik hem.

'Weg.'

'Weg?'

'Foetsie. Toen ze om tien uur 's avonds nog altijd niet terug was, heb ik onder het bed gekeken. Maar er was niets.'

'Had ze dan onder het bed moeten zijn?' Ik moest lachen.

'Haar rubberen laarzen waren weg en onze koffer ook.'

'En waar is ze naar toe?'

Władysław Jabłonowski roerde in zijn koffie, hij leek na te denken. Maar toen zei hij: 'Geen idee. Ik zal haar echt niet gaan zoeken.'

Ik ging naast hem zitten en vroeg door. Na de verdwijning van zijn dochter waren er verschillende afgevaardigden van de kampdirectie en andere ambtenaren naar hem gekomen om vragen te stellen. Władysław Jabłonowski kon die niet beantwoorden maar hij vertelde over zijn eigen honger, hij wist niet hoe hij aan eten moest komen, hij kende de kantine nog niet. Ook zijn spijsverteringsproblemen vermeldde hij. De mannen zeiden dat ze hem niet konden verstaan en dachten dat het door zijn Poolse afkomst kwam. Alleen één vrouw, die naar hem gekeken had toen hij praatte, zei dat hij zijn mond eens goed open moest doen. Ze had niet geschreeuwd van afgrijzen, maar rustig de heren aanbevolen eens in zijn mond te kijken. Daar ontbraken tanden, en de vrouw zei dat ze een tandarts zou sturen. Het was geen wonder dat hij spijsverteringsproblemen had.

Władysław Jabłonowski miste zijn dochter niet. In haar plaats kwam nu sinds een paar dagen een jonge vrouw van een of andere integratiedienst, die informeerde hoe het met hem ging. Zij had hem uitgelegd waarvoor de levensmiddelbonnen dienden en ze ging samen met hem in de rij bij het kledingdepot staan. Ze wilden zien of hij nog voor zichzelf kon zorgen, had ze gezegd, en ze had het over een bejaardentehuis gehad, waarin veel aardige mensen woonden. Ze zocht een broek en een jasje voor hem uit en had hem voor de volgende dag in de kantine uitgenodigd. Hij had helemaal niet geweten dat het al Kerstmis was. En omdat hij vergeten was wanneer hij naar de kantine moest komen, zat hij nu al sinds elf uur aan de lange tafel.

Hij keek naar de mensen die binnenkwamen, een bord soep

haalden en aten. Er vroeg iemand naar de gans, maar die kwam pas bij de gezamenlijke maaltijd om zes uur. Later kwam een man met dozen binnen. De vrouwen pakte grote sterren van zilverpapier uit, dennentakken en kaarsen. Op de tafels zetten ze bloemstukjes van takken en gelakte rozenbottels. Toen ze op de ladder klommen om de slingers op te hangen, floot Władysław Jabłonowski zachtjes voor zich uit. Ik zag hem een fles wodka uit zijn jaszak halen en de laatste slok uit de fles in zijn kopje gieten. Hij roerde in zijn koffie, zachtjes fluitend. De vrouwen keken niet naar hem om, ze lieten hem zitten en in zijn kop roeren. Af en toe wierpen ze een blik op de grote klok aan de muur. Door de luidsprekers schalde muziek, en een van de vrouwen zong bijna elk liedje mee. Władysław Jabłonowski glimlachte de hele tijd als een idioot. Hij dacht waarschijnlijk aan de tijd toen hij met Cilly Auerbach gedanst had en misschien dacht hij ook aan zijn dans met mij. Maar hij bleef zitten en nodigde geen enkele vrouw uit.

Er kwam een man binnen die de vrouwen vrolijk kerstfeest wenste en hen bedankte voor hun hulp op deze dag. De vrouwen trokken hun jas aan. Hij deelde plastic tasjes aan de helpsters uit en zei dat ze zich nu maar naar huis en naar hun gezin moesten haasten.

'Nou,' zei ik tegen Władysław Jabłonowski, 'tot vanavond dan maar.'

Ik ging de boter halen. Voor mij in de rij stond de vrouw die de aalmoezenier van het kamp hielp, ze zorgde voor kinderen, deed zijn boodschappen en zijn strijkwerk. Ze vertelde een andere vrouw dat een man uit blok D uit het ziekenhuis weer in het kamp gebracht was. Hij had zijn polsen dwars doorgesneden in plaats van in de lengte en daardoor waren zijn aders niet genoeg opengegaan. Door het bloedverlies was hij bewusteloos geworden. En dus hadden de politieagenten die met hem over Grit Mehring wilden praten en zijn deur geforceerd hadden omdat hij er een kast voor had geschoven, hem op de grond gevonden in een vreemde verwrongen houding. Hij was naar het ziekenhuis gebracht en de aalmoezenier was hem daar drie dagen later persoonlijk gaan afhalen. De vrouw was met hem meegegaan, zoals ze hem wel vaker bij tochten buiten het kamp begeleidde. De man had de aalmoezenier niet willen zien, hij had niets willen zien, en hij had zijn ontgoocheling over het feit dat het niet zwart gebleven was, tot uitdrukking gebracht in een ijzig zwijgen. De aalmoezenier had gezegd dat hij ervaring met dat soort toestanden had, hij had zijn hand op diens hoofd gelegd en op hem ingepraat. Met zijn vw-busje had hij die Pischke teruggebracht naar het kamp. De hele weg terug had hij hem verzekerd dat het leven toch mooi was en hij had hem gezegd dat hij nu niet langer alleen zou zijn, want dat zijn dochter die ochtend was aangekomen en dat de aalmoezenier hen beiden de hele dag in zijn huis zou houden, dat er thee en gebak was, en 's avonds zouden ze allemaal samen naar de kantine gaan om het kerstfeest te vieren. De man had op de plaats naast de chauffeur gezeten en gezwegen.

Hoewel er de hele dag dikke sneeuwvlokken gevallen waren, was er niets blijven liggen.

Ik smeerde boter en zout op een boterham voor de kinderen en kroop met hen op het onderste bed, want ze wilden dat ik hen, zoals elk jaar, het verhaal van de sneeuwkoningin voorlas. Het werd donker.

Later liep ik hand in hand met Katja en Aleksej naar de kantine. Voor de verlichte ramen hingen grote kerststerren, ze glansden roodachtig, eentje knipperde, blijkbaar was er iets mis met het contact. Een vrouw die vermoedelijk bij de kampdirectie hoorde stond in de deur om iedereen welkom te heten, ze schudde de hand van de mannen en vrouwen en legde haar hand op het hoofd van de kinderen. Naast haar stonden twee jonge mannen die de vragen beantwoordden: waar je mocht gaan zitten, wanneer het eten kwam. De kinderen konden hun ogen niet afhouden van de borden met papieren zakjes in allerlei kleuren. Telkens weer zag ik een handje een zakje betasten, maar niemand durfde er een te pakken. Het neonlicht hing koud boven de mensenmassa. De aalmoezenier wandelde rond en pakte elke hand die hij te pakken kreeg met zijn witte handen, hij omvatte en woog ze, terwijl hij onophoudelijk vrolijk kerstfeest wenste. Zijn vrouw bracht vooraan in de zaal de kinderen in een groepje bijeen en probeerde net zoveel handen te schudden als haar man. Aan een van de lange tafels zag ik in de achterste hoek bij het raam Hans zitten. Hij rolde een sigaret. Hij hield zijn hoofd scheef en de kalende zijvlakken van zijn voorhoofd blonken wit. Onwillekeurig voelde ik de behoefte *ja* tegen hem te zeggen, hem een *ja* dwars door de zaal toe te roepen. Maar hij had me niets gevraagd, en ik dacht niet dat hij een vraag zou stellen die ik op die manier kon beantwoorden. Door de luidsprekers waren zacht kerstliedjes te horen. Met de kinderen aan mijn hand drong ik me door de mensen heen en ging tegenover Hans aan tafel zitten.

'Hoe gaat het met je?'

'Gaat wel.' Zonder me aan te kijken likte hij aan het vloeitje en plakte de sigaret dicht.

'Wil je er een?' Hans bood me de sigaret over tafel aan.

'Nee, ik rook maar af en toe. Vandaag niet.'

Naast Hans zat een meisje met een breed gezicht dat wat opgezwollen was. Hans stak zijn sigaret op. Het lichte hemd met de smalle strepen, waarvan de stof zo dun was dat je zijn onderhemd er duidelijk doorheen zag, accentueerde zijn bleekheid en de zware kringen onder zijn ogen nog.

'Je ziet er slecht uit.' Ik legde mijn arm op de tafel en strekte mijn hand uit, in de hoop de zijne te bereiken. Maar Hans rookte met beide handen.

Op de tafels stonden om de paar meter kartonnen bordjes waarin op groene servetten speculaasjes en felgekleurde snoepzakjes in de vorm van een waaier geschikt waren. Door die schikking leek het, aan onze tafel althans, onmogelijk om er één koekje uit te pakken. Hans, die zijn lichaam voorovergebogen over de tafel hield, waar zijn veel te grote hoofd tussen zijn schouders zat, leunde op zijn ellebogen en hield zijn sigaret met twee handen vast. Afstotelijk en ontroerend zag hij eruit. Een insect dat honing uit een bloemkelk zoog. Pas in zijn longen leek de honing een gedaanteverandering te ondergaan, als geelachtige, dikke rook kwam hij uit Hans' neusgaten. De manchetten van zijn hemd zagen er opgevuld uit. Aan zijn linkerpols kwam een stuk verband te voorschijn. Twee vrouwen liepen om de tafels heen en schonken glühwein in de kartonnen bekertjes.

Telkens weer draaiden Katja en Aleksej zich naar voren om waar de vrouw van de aalmoezenier het groepje kinderen volgens grootte in twee rijen had opgesteld. Aleksej leunde met zijn hoofd tegen mijn schouder, en ik nam hem in mijn armen. Hans wierp een korte blik op Aleksej, en Aleksej op Hans, daarna drukte Hans zijn sigaret uit en rolde hij er een nieuwe.

Weer bood hij me er een aan, en ik schudde mijn hoofd. Hij pakte lucifers en streek er twee aan voor de derde brandde.

'Maar ik wel,' zei het asblonde meisje met het brede gezicht naast hem, en ze stak haar hand uit. Hij liet haar de sigaret pakken en schoof, zonder haar aan te kijken, het kartonnetje lucifers over tafel. Haar pony was recht geknipt als met een liniaal. Hans plukte wat tabak uit het pakje en rolde die in het vloeitje tussen zijn gele vingers.

'Je dochter?' vroeg ik.

Hans knikte. 'Doreen.'

Doreen concentreerde zich op haar sigaret en durfde blijkbaar haar vader noch mij aan te kijken.

'Hallo, Doreen.'

Doreen verwaardigde me geen blik, ze draaide haar hoofd om en probeerde de rook zo lang mogelijk in haar longen te houden.

'Ze is vandaag opgepakt, maar dat weet je vast al,' zei ik tegen Hans.

'Wie?'

'Die zogenaamde Grit Mehring. Dat was vast niet haar eigen naam.'

Hans haalde zijn schouders op alsof hij niet wist over wie ik het had en alsof het hem ook niet kon schelen.

'Die vrouw woonde in jouw blok. Zij heeft dat gerucht over jou verspreid.' Aleksej nestelde zich nog dieper in mijn arm.

Hans nam rustig twee trekken van zijn sigaret voor hij zijn blik op de asbak richtte. 'Welk gerucht?'

'Je weet welk.' Ik vroeg me af of Hans echt niet wist wie en wat ik bedoelde. Hij leek zich te schamen, niet zozeer voor de verdachtmaking die tegen hem gecirculeerd had, hoewel het verhaal over de arrestatie van de vrouw net zo vlug de ronde deed als voorheen het gerucht dat zij verspreid had. Het leek hem eerder onaangenaam dat hij hier zat, dat hij moest kijken en bekeken worden. Ik onderdrukte mijn hoest tot er water in mijn ogen stond en ik hem nog maar vaag kon zien. Zacht en duidelijk zei ik: 'Hans, dat is laster. Met voorbedachten rade. Ze is vast zelf bij de staatsveiligheidsdienst.'

Hans vertrok geen spier, hij rookte zijn sigaret op tot die zo kort was dat zijn vingers bijna verbrandden, vervolgens drukte hij hem uit. Zijn leven zelf was hem onaangenaam. Maar hoe moest ik hem daarvoor troosten? Hij drukte speeksel tussen zijn voortanden en vertrok daarbij zijn mond, alsof hij van iets walgde. Ik stond op en streelde over zijn haar. Hij draaide zijn hoofd onder mijn hand weg.

'Laat hem, mama, hij wil dat niet.' Aleksej trok me weer op de bank. Hij fluisterde in mijn oor: 'Hij wil hier niet zijn, merk je dat niet?' Ik hield mijn vinger op de mond van mijn zoon zodat hij niets meer zou zeggen, en gaf hem een kus op zijn voorhoofd.

Het neonlicht aan het plafond ging uit, de kerstliederen uit de luidspreker verstomden. Alleen de snoeren met lampjes en kerststerren in de ramen blonken. Zelfs om de luidsprekers waren kerstlampjes gehangen.

'Nu zijt wellekome,' begon een koor van kinderen. Niemand in de zaal zong mee. De mensen draaiden hun stoelen in de richting van de kinderen. Ook wij draaiden ons op onze bank en moesten Hans en zijn dochter onze rug toekeren.

'Thuis hebben we echte kaarsen,' zei Katja, ze pakte mijn andere arm.

'Thuis,' herhaalde ik.

Het koor eindigde, het publiek applaudisseerde als op bevel, het plafondlicht ging weer aan. In plaats van een kerstman verscheen er een heer in kostuum met een zak over zijn schouder, gevolgd door een vrouw die hooggehakte schoenen, een mantelpakje en op haar hoofd een rode puntmuts droeg. De heer in kostuum zette de zak neer. De directrice van het kamp blies in de microfoon en stelde de twee voor als afgevaardigden van de kerstman, de heer doctor Rothe en zijn vrouw. De twee pakten elkaar bij de hand en bogen eventjes. Achter mij hoorde ik gefluister dat klonk als 'verraadster', ik draaide me voorzichtig om, Hans keek naar de tafel voor zich en het was niet duidelijk of hij iets gezegd had. Juist toen ik mijn hoofd weer naar voren wilde draaien, zei hij: 'Zo noemen ze je toch ook.' Ik was niet zeker of hij werkelijk 'verraadster' gezegd had, en het leek ook niet alsof hij het tegen iemand in het bijzonder had. Ik aarzelde. Door die woorden wilde ik me niet aangesproken voelen.

'De Berenclub is voor iedereen in het kamp hier vast wel een begrip. Ik wil u graag mijn vrouw voorstellen. Mijn vrouw heeft vorige week besloten om vanaf begin volgend jaar als vrijwilligster voor u klaar te staan. Tien uur per week zal ze zich bezighouden met uw zorgen en noden.' De bekende stem galmde door de microfoon alsof hij op een rommelmarkt per opbod stond te verkopen. Met een weids gebaar wees doctor Rothe naar de vrouw naast hem, en hier en daar werd in het voorste gedeelte van de zaal geapplaudisseerd.

Katja porde met haar elleboog in mijn zij. 'Is dat niet de moeder van die Olivier?'

'Pssst.' Ik hoorde gemompel in mijn rug. Ik drukte beide kinderen tegen me aan.

Hij wilde alleen maar een paar cijfers noemen, om daarmee de heuglijke boodschap te illustreren hoeveel mensen in nood door zijn organisatie dit jaar geholpen konden worden.

De kampdirectie applaudisseerde, de aalmoezenier applaudisseerde, en de helpsters applaudisseerden. Ook een paar kampbewoners applaudisseerden. Ik waagde een blik over mijn schouder en zag hoe Hans zijn sigaret met twee handen vast had. Na elk cijfer hield doctor Rothe een betekenisvolle pauze en wachtte hij op applaus. Bij elk applaus maakte hij met een stralend gezicht een afwijzend gebaar. Ik draaide mijn hoofd naar links, waar Władysław Jabłonowski op zijn vaste plek zat en in zijn koffiekopje roerde. Weer haalde hij een fles te voorschijn, deze was halfvol. Hij goot nog wat bij en roerde en dronk. Wat had zijn dochter me nog willen zeggen toen ik haar voor het laatst zag? Ze had voor mijn deur gestaan en was haar zin begonnen met *Ik wilde*.

'Alleen al voor de gehandicapte kinderen van Bangkok hebben we een som van twintigduizend dollar uitgegeven.' Pauze. De voorste rijen applaudisseerden.

'Om nog te zwijgen over de soepuitdeling in Mexico-Stad, achtduizend dollar en in totaal veertien vrijwilligers.'

'Dat zijn we toch allemaal, verraders,' hoorde ik Hans helder en duidelijk achter me zeggen. Ik draaide mijn hoofd geen centimeter. Doctor Rothe streek met zijn vlakke hand over zijn revers.

'En dat, dames en heren, was maar een bescheiden keuze uit onze projecten.' Hij wachtte op het applaus en hief vervolgens zijn armen op om te danken en het applaus te stoppen. 'En nu wil ik het woord verlenen aan mijn lieve echtgenote en u allen een prettig kerstfeest wensen.' Pauze. Applaus. Zijn vrouw zei iets in de microfoon, maar haar stem fluisterde zonder versterking. Harder, harder, werd er in de voorste rijen geroepen. Haar onberispelijke benen blonken in een parelmoerkleurige panty. Met haar vinger klopte ze op de microfoon. Ze lachte, en haar hele gezicht bestond alleen nog maar uit mond en parelwitte tanden. Na een korte beraadslaging met de aalmoezenier boog doctor Rothe zich naar zijn vrouw en zei haar iets dat ze kennelijk niet verstond. Ze fronste haar wenkbrauwen. Opeens knalde doctor Rothes harde en onvriendelijke stem door de microfoon: '*Aanzetten*, Sylvia.' Pauze. In de zaal werd onderdrukt gelachen.

Mevrouw Rothe verontschuldigde zich. Voor de microfoon, voor zichzelf of voor haar man, dat was niet duidelijk. Ze zei plechtig dat haar het geluk ten deel gevallen was een leven te mogen leiden aan de zijde van de man die zoveel voorbeeldige dingen in het leven gepresteerd had en zich vrijwillig inzette voor mensen in nood. Weer liet de microfoon het afweten, en een helper zette hem opzij. Hij liet mevrouw Rothe weten dat haar microfoon niet in orde was en dat ze die van haar man moest gebruiken. Schuchter ging ze naast hem staan. Uit zijn microfoon klonk haar stem heel anders, onverwacht zacht. Zelfs met zijn privé-vermogen was hij grootmoedig, haar lieve man.

Achter mij hoorde ik een boosaardig lachje, iemand siste tussen zijn tanden, en ik herkende de stem van Hans. Harder dan nodig zei hij: 'Grootmoedig met zijn privé-vermogen, pfff, wie zit er nu dertig jaar na de oorlog op een vermogen en hoeft niet eens te werken. Voor zijn maatpakken houdt hij blijkbaar nog genoeg over.' Zijn boosaardig lachje verstomde zonder dat iemand zich naar hem omdraaide. Met haar parelmoerkleurige nagels voelde mevrouw Rothe aan haar permanent. Maar goed dat ze zo ver van ons vandaan stond. Ze wilde nu alle kinderen in de zaal naar voren vragen. Iedereen mocht een kerstgedicht opzeggen en kreeg een van die fantastische pakjes uit de zak.

De kinderen stormden naar voren. Alsof ze de opstelling ingestudeerd hadden, vormden ze een ordelijke rij en zeiden ze de een na de ander een gedicht op. Sommige kinderen zongen een liedje. Katja en Aleksej drongen naar voren, om aan de beurt te komen, maar niet als eersten. Doreen wachtte nog een poosje en liep toen met plompe stappen een paar meter naar voren, ze bleef de laatste in de lange rij, die tot aan het achterste eind van de zaal kwam.

Toen Katja aan de beurt was, stotterde ze.

'Nou, wat wil jij voor mooie dingen opzeggen?' Mevrouw Rothe boog zich voorover naar Katja en hield de microfoon dicht voor haar mond.

'Beste, goede kerstman...' Katja hield even op en kreeg van één enkele bewonderaar in de kantine applaus, hij zat dicht bij ons, juist achter me, Hans, met zijn sigaret in zijn mondhoek geplakt en met zijn armen boven zijn hoofd om te applaudisseren, luid en eenzaam.

'Nou, en hoe gaat het gedicht verder, kleintje?' Mevrouw Rothe probeerde haar ongeduld te verbergen.

Ik schoof op de bank heen en weer.

'Weet ik niet meer.' Katja keerde zich naar de plaats waar doctor Rothe en de aalmoezenier stonden, beiden keken haar vol verwachting aan.

'Dan wil je vast wel een mooi liedje voor ons zingen, hè?' Mevrouw Rothe richtte zich weer op en hield de microfoon van boven voor Katja's mond.

'Ik ken geen liedje.'

'Helemaal geen?' Ongelovig schoot de stem van mevrouw Rothe uit. Katja schudde haar hoofd, traag, ze keek naar het plafond, en haar gezicht leek wel beschilderd door het neonlicht.

'Er is een kindeke...' Mevrouw Rothe zong de eerste regel en wachtte tot Katja verder zou zingen, maar ze schudde heftig haar hoofd.

'In dat geval moet de roede misschien helpen,' bemoeide doctor Rothe er zich mee over de schouder van zijn vrouw.

Katja wrong met haar handen haar gezicht in elkaar, ze blies haar wangen op en kneep haar ogen dicht. Ze zag eruit alsof ze een pantomimevoorstelling zou gaan geven. In de microfoon zong ze: 'Hansje en Grietje verdwaalden in het woud, 't was er zo donker en 't was er kil en koud, ze kwamen bij een huisje van koek en speculaas, wie woont daar en wie is daar wel de baas?' Buiten adem keek Katja recht voor zich uit. Er applaudisseerde niemand. In de zaal was het muisstil. 'O hé, riep een stem en de heks keek om de hoek,' half zong ze het, half zei ze het op.

Doctor Rothe keek onrustig op zijn horloge. 'Dat is wel genoeg, meisje, dat is wel genoeg.' Hij deed een greep in de zak en gaf zijn vrouw een van de kleine pakjes, dat ze aan Katja gaf. Katja pakte met één hand het cadeautje aan, met de andere omklemde ze de hand van mevrouw Rothe met de microfoon erin. Ze zong: 'Kom in mijn huisje van suiker en van koek, maar toen de heks voor de hete oven stond, toen tilde Grietje haar zomaar van de grond, het deurtje klapte dicht en de kinderen waren vrij, Hansje en Grietje wat waren zij toen blij.' Ik kon duidelijk horen hoe ze herademde, stuntelig maakte ze een kniebuiging.

Ik keerde me om naar Hans, die ergens onder mijn ogen dwars door me heen keek. Toch schoof ik mijn arm over de tafel. Met mijn vingers maakte ik een lokkend gebaar, maar hij wilde me niet opmerken, hij zoog aan zijn sigaret en draaide zijn hoofd opzij zodat ik hem niet midden in zijn gezicht kon kijken. Opeens gooide hij zijn hoofd naar voren en staarde me aan. Het was een aarzelend applaus dat Katja van de zaal kreeg.

'Nou, dat was... hoe zal ik het zeggen? Dat was allerliefst.' Mevrouw Rothe glimlachte haastig.

'Alleraardigst,' vulde doctor Rothe aan. 'Maar we moeten ons haasten, kinderen. Jij bent de volgende, hè? Doe je dan een heel kort gedicht?'

Hans keek me treurig aan en zei zacht maar duidelijk: 'Ben jij het niet?'

'Wat niet?'

'Een verraadster.'

'Wat bedoel je?'

'Zijn we het niet allemaal? Jij, ik, die daarginds. Of je nu weggegaan bent, of uit je staatsburgerschap ontzet, of gevlucht. We zijn niet ginds gebleven, we zijn niet op onze post gebleven om te vechten.'

'Waarom zouden we moeten te vechten?'

Hans schudde treurig zijn hoofd. Hij leek het erg te vinden dat ik hem niet kon volgen. 'Wie het serieus meent loopt niet weg, die blijft, nietwaar?' Hans barstte in een boze, cynische lach uit, en ik zag hoe hij aan het verband van zijn rechterpols zat te plukken. Tot op dat ogenblik had ik gedacht dat ik hem kon volgen, hoewel ik het niet wilde. Maar met die duistere lach leek hij zichzelf te verraden, een verrader van zichzelf te worden, van zijn verlangen om er niet meer te zijn, en van de ernst en noodzaak die in dat verlangen zaten. Hans lachte, en zijn ogen keken me weliswaar aan maar ze leken me niet echt meer te zien. In één teug dronk hij zijn glühwein op en hij staarde in zijn beker, de duistere lach was verstomd.

Achter mij hoorde ik Aleksej beginnen. 'Freude, schöner Götterfunken, Tochter aus Elysium.' Vergeleken met Schillers 'Lied van de Klok' vond hij dat waarschijnlijk een kort gedicht.

Om Hans te beschermen tegen mijn blik, keerde ik me weer naar voren. Władysław Jabłonowski leek zittend boven zijn koffie ingeslapen. Zijn hoofd lag op zijn borst, hij haalde rustig en gelijkmatig adem. *Ik wilde afscheid nemen*, dat had zijn dochter een paar dagen geleden tegen me gezegd. Katja liep met haar cadeautje terug naar onze tafel. Doctor Rothe en zijn vrouw wijdden nu hun aandacht aan Aleksej.

> Freude trinken alle Wesen
> an den Brüsten der Natur,
> Alle Güten, alle Bösen
> Folgen ihrer Rosenspur.
> Küsse gab sie uns und Reben,
> einen Freund, geprüft im Tod.
> Wollust ward dem Wurm gegeben,
> und der Cherub steht vor Gott.

Toen mevrouw Rothe het woord *wellust* uit de mond van het jongetje hoorde, barstte ze onwillekeurig in een luide lach uit. Na *God* geloofde of besloot doctor Rothe dat het korte gedicht hier ten einde moest zijn.

'Heel erg bedankt, ventje,' zei hij en hij duwde een pakje in de armen van Aleksej. Hij pakte hem bij zijn schouder en duwde hem van het podium af.

'Zo, kinderen, veel tijd hebben we niet meer. We willen toch niet de hele avond gedichten horen, hè?' Hij lachte. Dit keer wachtte hij niet op applaus, maar hij haalde het volgende pakje uit de zak en drukte het een meisje met een heel kort versje in de hand. In hoog tempo werkten beiden nu de laatste kinderen af. Doreen hoefde geen gedicht meer op te zeggen. Voor ze haar mond kon opendoen, gaf de aalmoezenier haar een pakje, terwijl doctor Rothe zijn vrouw al in haar jas hielp en afscheid nam van de directie, de aalmoezenier en een paar anderen. Doreen hield haar cadeautje vast alsof het breekbaar was. Ze struikelde en viel languit op de grond. Misschien was ze over de kerstlampjes gestruikeld, ze trok de kerstboom met zich mee. Het licht flakkerde eventjes, daarna gingen alle lampjes en sterren in de zaal uit. Alleen het neonlicht brandde nog, en terwijl een paar vrouwen om het meisje gingen staan om haar te helpen, verdween doctor Rothe met zijn vrouw uit de deur. Iets later ging de feestverlichting weer aan. Iemand had de zekering vervangen. De helpsters hadden moeite om de kerstboom weer overeind te krijgen. Er waren een paar kerstballen gebroken. De lampjes in de boom bleven donker.

Ik zag hoe Doreen de handen van de aalmoezenier en een vrouw afweerde, ze liet de twee staan en baande zich een weg naar de etenswagen. Daar hadden de helpsters zich opgesteld om de gans met rode kool en knoedels uit te delen. De messen en vorken kletterden. Er werd weinig gepraat. Ik fluisterde Hans toe: 'Wil je ook wat?' Maar Hans zweeg. Alleen op dat punt leek zijn dochter op hem. Zelfs als ze zat, was ze een hoofd groter dan hij. Ze had haar bord volgeladen en verslond de knoedels bijna in hun geheel. Pas nu begon het naar verbrande kunststof te ruiken. Ik baande me een weg langs schouders en stemmen, niemand leek de erger wordende stank op te merken. De einden van de rijen vernieuwden zich voortdurend, ik gaf het op om zelf een eind te worden. Besluiteloos keek ik om me heen. De kerstboom leek te roken. Ik liep erheen. Het knetterde, vervolgens gloeide en spatte er iets in het rond. Vonken dansten om de boom. Verbrande dingen vlogen omhoog, zachtjes, ze zweefden gloeiend naar boven en doofden daar. Steeds weer nieuwe gloed kwam van de boom los en tuimelde traag boven de hoofden van de mensen. Het rook naar dennennaalden. Als in een vertraagde film zag ik hoe de vrouw van de aalmoezenier een stap in de richting van de boom zette, en toen twee stappen terug. Ze zwaaide met haar armen en pakte een van de helpsters vast om haar verder weg te trekken van de brandende boom. Er kwam beweging in de mensengroepjes die zoeven nog in ordelijke rijen voor de etenswagen hadden staan wachten. Alleen de kinderen schreeuwden, maar het klonk eerder blij en opgewonden dan paniekerig. De volwassenen vormden een kring om het vuur en keken stom toe hoe de vonken tot vlammen werden. Het geknetter werd geklapper en gebruis.

Maar één keer slaagde ik erin door de dicht op elkaar staande mensen een blik te werpen op de achterste hoek van de zaal. Hans had zijn handen voor zijn mond gevouwen, misschien lachte hij, zijn donkere ogen weerspiegelden het lichtschijnsel.

Voor hun kritische opmerkingen dank ik Daniela Schmidt, Rebekka Göpfert en Steffi Recknagel.

Dank ook aan Jutta, Iwona, Inge en Mahire van de Pestalozzicrèche. Zonder hun liefdevolle kinderopvang was mijn werk niet mogelijk geweest.

Klaus en Lotte Wolf dank ik voor hun steun.